Band 421

Grundkurs Theologie

herausgegeben von

Georg Strecker

Band 1

Der auf 10 Bände angelegte »Grundkurs Theologie« gibt einen umfassenden, allgemeinverständlichen Einblick in die Probleme und Aufgabenstellungen, die sich für die wissenschaftliche Theologie heute ergeben. Die in evangelischer Perspektive von international anerkannten Autoren verfaßten Beiträge zeichnen sich durch ihre Offenheit gegenüber der außerprotestantischen theologischen Wissenschaft aus. Reichhaltige Literaturangaben spiegeln den gegenwärtigen Stand der Forschung wider und regen zur Weiterarbeit an.

Band 1
W. H. Schmidt / W. Thiel / R. Hanhart
Altes Testament

Band 2
G. Strecker / J. Maier
Neues Testament – Antikes Judentum

Band 3
W. Bienert / G. Koch
Kirchengeschichte I – Christliche Archäologie

Band 4
G. Besier / A. v. Campenhausen
Kirchengeschichte II – Kirchenrecht

Band 5
W. Bienert / R. Frieling u. a.
Dogmengeschichte – Konfessionskunde

Band 6
H. Fischer
Systematische Theologie

Band 7
Th. Strohm / K. F. Daiber
Theologische Ethik – Pastoralsoziologie

Band 8
P. C. Bloth
Praktische Theologie

Band 9
R. Blühm / F. W. Lindemann / H. Schwebel u. a.
Gemeinde- und Religionspädagogik – Pastoralpsychologie – Kirchliche Kunst der Gegenwart – Liturgik – Kirchenmusik

Band 10
D. Ritschl / W. Ustorf / G. Wießner
Ökumenische Theologie – Missionswissenschaft – Allgemeine Religionsgeschichte

Werner H. Schmidt
Winfried Thiel
Robert Hanhart

Altes Testament

Verlag W. Kohlhammer
Stuttgart Berlin Köln Mainz

CIP-Kurztitelaufnahme der Deutschen Bibliothek

Grundkurs Theologie / hrsg. von Georg Strecker. –
Stuttgart; Berlin; Köln; Mainz: Kohlhammer
NE: Strecker, Georg [Hrsg.]

Schmidt, Werner, H.:
Altes Testament / Werner H. Schmidt; Winfried Thiel; Robert Hanhart. –
Stuttgart; Berlin; Köln; Mainz: Kohlhammer 1989
(Grundkurs Theologie; Bd. 1)
(Urban-Taschenbücher; Bd. 421)
ISBN 3-17-010267-2
NE: Thiel, Winfried:; Hanhart, Robert:; 2. GT

Bd. 1. Schmidt, Werner H.: Altes Testament. – 1989

Stuttgart Berlin Köln Mainz
Verlagsort: Stuttgart
Umschlag: hace
Gesamtherstellung:
W. Kohlhammer Druckerei GmbH + Co. Stuttgart
Printed in Germany

Inhalt

A. Einleitung und Theologie

Werner H. Schmidt

B. Geschichte Israels

Winfried Thiel

C. Archäologie Palästinas in alttestamentlicher Zeit

Winfried Thiel

D. Septuaginta

Robert Hanhart

A. Einleitung und Theologie

Werner H. Schmidt

I. Tendenzen alttestamentlicher »Theologie« bis G. v. Rad

Literatur s. zu Kap. VIII.

Wie in anderen theologischen Disziplinen so brach auch in der alttestamentlichen Wissenschaft kurz nach dem Ersten Weltkrieg ein neues Fragen auf, das sich mit dem Erwerb immer feinerer historischer Kenntnisse nicht mehr begnügen wollte. In einem Vortrag »Die Zukunft der Alttestamentlichen Wissenschaft« forderte R. Kittel 1921, nicht nur »die Lebensäußerungen und Lebensformen der alttestamentlichen Religion zu beobachten«, sondern weiterzuschreiten zur religionssystematischen »Darstellung des Wesens und Kerns der Religion und ihrer Wahrheit« (ZAW 39, 1921, 84–99, bes. 96f).

Nachdem gegen Ende des 18. Jahrhunderts die Eigenständigkeit des Alten Testaments gegenüber Dogmatik und Neuem Testament zunehmend erkannt und ausgesprochen war, hatte man im 19. Jahrhundert gelernt, mehr und mehr innerhalb des AT selbst, zwischen seinen Epochen wie seinen Phänomenen, zu differenzieren. So wurde zwischen Hebraismus und Judentum, d.h. vor- und nachexilischer Religion, unterschieden (W. M. L. de Wette u.a.), die Prophetie als eigenes Phänomen gesehen (B. Duhm) oder die Apokalyptik hellenistisch-römischer Zeit abgegrenzt. Damit waren einerseits unaufgebbare Einsichten gewonnen, andererseits wurde das geschichtliche Verständnis der alttestamentlichen Religion zur beherrschenden Zugangsweise. Aus dieser Situation zog R. Smend 1893 die Konsequenz, indem er seine zusammenfassende Darstellung nicht mehr »Biblische Theologie«, sondern »Lehrbuch der alttestamentlichen Religionsgeschichte« nannte.

Bald darauf verteidigte K. Marti den von ihm statt »Theologie des Alten Testaments« gewählten Titel »Geschichte der Israelitischen Religion« ([5]1907) mit dem Argument, »daß es unmöglich sei, aus einem so vielgestaltigen und mannigfachen Buche, wie das Alte Testament es ist, eine einheitliche Theologie abzuleiten« (V). Er möchte »historisch verfahren, die religiösen

Anschauungen der verschiedenen Zeitalter zur Darstellung bringen, ihre Umbildung und Entwicklung im Laufe der Zeiten nachweisen« (3).

Die »rein historische« Betrachtung erbrachte eine Fülle von tiefen Einsichten, aber die Mannigfaltigkeit der historischen Einzelphänomene und die Umbrüche der Epochen ließen das AT als Ganzheit und Einheit aus dem Blickfeld geraten. Zudem gingen die Beziehungen der alttestamentlichen Wissenschaft zur Theologie als ganzer zunehmend verloren; die Eigenständigkeit des AT drohte zur Abseitigkeit zu werden.

So wird verständlich, daß man – wie die einleitend zitierte Forderung von R. Kittel zeigt – in den zwanziger Jahren dieses Jahrhunderts das Ungenügen einer »bloß geschichtlichen« Darstellung der Phänomene empfand. Die Bemühung um eine andere Sichtweise suchte der Zugehörigkeit der alttestamentlichen Wissenschaft zur Theologie gerecht zu werden und beruhte allem Anschein nach zunächst noch nicht auf dem Einfluß speziell der Dialektischen Theologie; ihre Auswirkungen auf die alttestamentliche Wissenschaft wurden erst später spürbar. So sah es C. Steuernagel als Notwendigkeit an, »die alttestamentliche Theologie von den Fesseln der alttestamentlichen Religionsgeschichte zu befreien, in denen sie völlig zu verkümmern droht«; die Parole muß lauten: »Alttestamentliche Theologie und alttestamentliche Religionsgeschichte« (FS K. Marti, 1925, 266–269, bes. 269).

Religionsgeschichtliche und theologische Fragestellungen sollten ihr Recht haben, sich nicht gegenseitig ausschließen, vielmehr sich ergänzen. Diese gewiß wichtige und richtige Forderung nach einem Miteinander beider Betrachtungsweisen nahm die Forschung allerdings in einer Form auf, die letztlich nicht zu befriedigen vermochte; denn es kam eigentlich nur zu einem Nebeneinander, einer Zweiteilung und damit Doppelung. Die »Religionsgeschichte« behielt die Gestalt einer Geschichtsdarstellung, die »Theologie« bekam wieder – wie schon im 19. Jahrhundert – einen systematischen Aufriß. So ließen E. König (1912, 1922) und E. Sellin (1933) sowohl eine »Religionsgeschichte« als auch eine »Theologie« erscheinen; ihnen folgte zuletzt G. Fohrer (1969, 1972). Gewiß suchte schon W. Eichrodt zu vermitteln, indem er in seinem bedeutsamen Entwurf »das historische Prinzip dem systematischen ergänzend zur Seite treten läßt und bei der Behandlung der einzelnen Glaubensgedanken die Hauptmomente ihrer geschichtlichen Entwicklung mit in die Betrachtung hineinnimmt« (Theologie des AT I, 1933. [8]1968, 4).

Grundsätzlich brach jedoch erst G. v. Rad in seinen epochemachenden Neuansatz mit der Zweiteilung von Geschichte und Lehre, indem er das alttestamentliche Glaubenszeugnis von Gottes Wirken in der Geschichte zu erheben suchte: »Können wir die theologische Gedankenwelt Israels nicht von seiner Geschichtswelt lösen, weil deren Darstellung ja selbst ein kompliziertes Werk des Glaubens Israels war, so heißt das zugleich, daß wir uns der Abfolge der Ereignisse, wie sie der Glaube Israels gesehen hat, überlassen müssen... Die legitimste Form theologischen Redens vom Alten Testament ist deshalb immer noch die Nacherzählung« (Theologie des AT I, 1957. [4]1968, 134). G. v. Rad gelang es, im »Nachsprechen« der Geschichtszeugnisse »Theologie« und »Einleitung« (bzw. Literaturwissenschaft) einander anzunähern, »Theologie« weitgehend als Exegese im engen Anschluß an die Texte zu betreiben. So kam das AT in seinem geschichtlichen Verlauf einerseits und mit seinem theologischen Anliegen andererseits in einem zuvor unbekannten Maß selbst zu Wort (vgl. u. VIII 1–2).

G. v. Rad konnte sich für seine Darstellung entscheidend auf die geschichtlichen und überlieferungsgeschichtlichen Arbeiten A. ALTS und M. NOTHS stützen. A. Alt hatte in seinen meisterhaften Aufsätzen über den Gott der Väter, die Landnahme oder das Königtum die Fundamente für eine neue Sicht der Geschichte Israels gelegt; M. Noth baute auf ihnen auf, legte nach bewunderungswürdig umfassenden literarischen und überlieferungsgeschichtlichen Quellenanalysen ein geschlossenes historisches Gesamtbild vor (Geschichte Israels, 1950). So war die Forschung in der Zeit nach dem Zweiten Weltkrieg zumindest im deutschen Sprachraum, aber mit einer weit darüber hinausreichenden Ausstrahlungskraft, stark durch jene drei Namen bestimmt.

War es eine Sternstunde alttestamentlicher Wissenschaft, wie sie in jedem Jahrhundert nur ein- oder zweimal wiederkehren mag? Jedenfalls blickt man im letzten Viertel dieses Jahrhunderts auf sie zurück, verwundert, wie rasch die großen Konzeptionen an Wirkkraft verloren, wie skeptisch man – und dies ist zu betonen: – *allgemein* ihnen gegenübersteht. G. v. Rads Einheitssicht beruhte zu einem nicht geringen Teil auf Grundannahmen – angedeutet mit Stichworten wie »kleines geschichtliches Credo«, »Amphiktyonie«, auch »Bund« –, die weithin keine Anerkennung mehr finden.

Wie einheitlich stellte sich die alttestamentliche Wissenschaft (wiederum: im deutschen Sprachbereich) dar, und wie zerklüftet ist sie jetzt! »Ein Methoden- und Meinungspluralismus von bislang nicht bekanntem Umfang« scheint sich zu entwickeln (B. J. DIEBNER, Bibelwissenschaft, TRE VI, 1980, 367) und anzuzeigen, daß sich die Forschung in einem Umbruch befindet. Die Gesamtsituation hat sich verändert – nicht ruckartig, vielmehr allmählich, aber tiefgreifend.

Von einigen, nicht allen, Aufbrüchen und Wandlungen soll die Rede sein. Besonders umstritten ist die Rückfrage in die dunklen Anfänge der Geschichte und des Glaubens Israels.

II. Überlieferungen der Vor- und Frühzeit

1. Der Glaube der Erzväter

LEINEWEBER, W., Die Patriarchen im Licht der archäologischen Entdeckungen, 1980. – SCHARBERT, J., Patriarchentradition und Patriarchenreligion, VF 19/2, 1974, 2–22. – WEIDMANN, H., Die Patriarchen und ihre Religion im Lichte der Forschung seit J. Wellhausen, 1968. – WESTERMANN, C., Genesis 12–50. EdF 48, 1975, bes. 97ff (vgl. BK I/2, 1981, 129ff).

ALBERTZ, R., Persönliche Frömmigkeit und offizielle Religion, 1978. – ALT, A., Der Gott der Väter (1929), Kleine Schriften zur Geschichte des Volkes Israel I, 1953, 1–78. – BLUM, E., Die Komposition der Vätergeschichte, 1984, bes. 429ff. – EISSFELDT, O., El und Jahwe (1956), Kleine Schriften III, 1966, 386–397 (vgl. IV 79–91; V 50–62). – GUNKEL, H., Genesis, 31910. 51922. – JEPSEN, A., Zur Überlieferungsgeschichte der Vätergestalten (1953/4), Der Herr ist Gott, 1978, 46–75. – KAISER, O., AT. Vorexilische Literatur, MANN, U. (Hg.), Theologie und Religionswissenschaft, 1973, 241–268, bes. 245ff. – KOCH, K., Die Götter, denen die Väter dienten. Studien zur alttestamentlichen und altorientalischen Religionsgeschichte, 1988, 9–31. – KÖCKERT, M., Vätergott und Väterverheißungen, 1987. – MAAG, V., Der Hirte Israels (1958), Kultur, Kulturkontakt und Religion, 1980, 111–144 (vgl. 150–169). – MÜLLER, H. P., Gott und die Götter in den Anfängen der biblischen Religion, KEEL, O. (Hg.), Monotheismus im Alten Israel und seiner Umwelt, 1980, 99–142. – NOTH, M., Überlieferungsgeschichte des Pentateuch, 1948 (1960), bes. 58ff (= ÜP). – DERS., Geschichte Israels, 1950 (101986), § 10 (= GI). – SCHMIDT, W. H., Alttestamentlicher Glaube in seiner Geschichte, 61987, § 3. – SEEBASS, H., Der Erzvater Israel. 1966. – VORLÄNDER, H., Mein Gott, 1975. – WESTERMANN, C., Die Verheißungen an die Väter, 1976.

Wer waren und was glaubten Abraham, Isaak und Jakob? Die Vorgeschichte des Volkes Israel, Zeit und Glauben der Väter, methodisch zuverlässig und allgemein überzeugend zu erhellen, fällt schwer. Der Wandel der Forschung mit der – von H. WEIDMANN (und W. LEINEWEBER) übersichtlich dargestellten – Vielfalt der Deutungen veranschaulicht die Problematik der Rückfrage nach der Patriarchenzeit.

Nach Entdeckung und Datierung der Quellenschriften im 19. Jahrhundert konnte man die Vätertraditionen als Zeugnisse der Zeit verstehen, in der sie schriftlich fixiert wurden; denn man schätzte die Bedeutung mündlicher Überlieferung zu gering ein. So ist nach J. WELLHAUSEN über die Patriarchen »kein historisches Wissen zu gewinnen, sondern nur über die Zeit, in welcher die Erzählungen über sie im israelitischen Volke entstanden; diese spätere Zeit wird hier ... absichtslos ins graue Altertum projicirt und spiegelt sich darin wie ein verklärtes Luftbild ab«; die Erzväter sind »Vorbilder des rechten Israeliten« (Prolegomena zur Geschichte Israels, 1883. [6]1923, 316. 318). Noch für H. GUNKEL sind die »Väter Gestalten der Dichtung«; »die ›Religion Abrahams‹ ist in Wirklichkeit die Religion der Sagenerzähler« (Genesis, [3]1910, LXXIXf). Andere faßten die Vätergestalten als ehemalige Gottheiten oder personifizierte Stämme auf.

Bestand darum kaum noch ein Recht, von einer »Patriarchenreligion« zu sprechen, so brachte A. ALTS Untersuchung »Der Gott der Väter« (1929) eine entscheidende Wende. Er fand in den Aussagen der Genesis über den »Gott meines Vaters«, den »Gott Abrahams«, den »Schrecken Isaaks« (Gen 31,42.53) oder den »Starken Jakobs« (49,24) Erinnerungen an eine vom Jahweglauben verschiedene und ihm vorausgegangene Religion, die Verehrung der Vätergötter. Sie entspricht so vorzüglich (halb-)nomadischer Lebensweise, daß Alts Rekonstruktion weithin Anerkennung fand: Der Gott der Väter ist nicht an einen festen Ort, ein Heiligtum mit Tempel, sondern an Personen gebunden; er zieht mit ihnen mit, führt sie auf ihrem Weg, verheißt ihnen Nachkommen und Landbesitz. Als Offenbarungsempfänger und Kultstifter waren die Väter keineswegs selbst Gottheiten oder Märchengestalten, sondern »historische Einzelfiguren aus Israels Vorzeit« (KlSchr I 47). Ihr Glaube beweist gleichsam ihre Existenz.

So methodisch vorbildlich A. Alts Darstellung ist, so wird ihr hypothetischer Charakter doch zunehmend spürbar. M. NOTH und A. JEPSEN nahmen A. Alts Ansatz auf, um ihn mit der Fragestellung weiterzuführen, in welchem geographischen Raum jeweils die Verehrergruppe des Gottes Abrahams, Isaaks oder Jakobs siedelte. Trotzdem übte M. Noth in der historischen Auswertung strenge Zurückhaltung: Wir haben »keinen Anhaltspunkt mehr, über Ort und Zeit, über Voraussetzungen und Umstände des Lebens der menschlichen Gestalten der Erzväter geschichtlich etwas Sicheres auszusagen« (GI 117).

Neuerdings hebt man stärker das Familienmilieu der Vätererzählungen hervor (bes. R. ALBERTZ, C. WESTERMANN). Dabei kann man sogar über M. Noth hinaus auf das skeptische Urteil von Wellhausen und Gunkel zurückgreifen: »In der lebendigen Familienreligion der Königszeit muß der ›Sitz im Leben‹ der Vätergottüberlieferung ... gesucht werden«; die bis zum Exil lebendigen Kulte von persönlichen Göttern wurden nachträglich als Vorstufe des Jahweglaubens aufgefaßt und so mit ihm ausgeglichen (H. VORLÄNDER, 215; die Kritik weiterführend M. KÖCKERT; anders K. KOCH). Jedoch sprechen gewichtige Gründe dafür, in den Väterüberlieferungen einen alten, wenn auch schwer genau bestimmbaren Kern zu suchen, bei dem die spätere Ausgestaltung der Tradition – mit der Übertragung der Sohnesverheißung auf das Volksganze und der Landverheißung auf Gesamtpalästina – ansetzen konnte.

So spielt das erst von David eroberte Jerusalem in der Genesis (trotz 14,18ff) keine Rolle, wie auch eine Auseinandersetzung mit dem zunächst im Nordreich bedrohlichen Baalkult fehlt. Eine Namensform wie »Gott Abrahams« tritt später zurück. Schließlich sind die (halb-)nomadische Lebensweise der Väter im Übergang zur Seßhaftigkeit (vgl. Gen 26,12ff; dazu zuletzt W. THIEL, u. II 3) oder die Beziehungen zu den Aramäern (Gen 31,18ff; vgl. Dtn 26,5) doch wohl frühes Überlieferungsgut.

Wird man aus solchen und anderen Gründen mit einem Traditionskern zu rechnen haben, so bedürfen vor allem zwei gegenwärtig recht unterschiedlich beantwortete Fragen noch eingehender Diskussion:

1. Nach A. ALT ist für Gottheiten, wie El Bet-El »Gott (von) Bet-El« (Gen 35,7; vgl. 31,13) oder El Olam »Gott (der) Ewigkeit« (21,33), »nichts so charakteristisch wie ihre Gebundenheit an Heiligtümer in Palästina«; sie sind »Lokalgottheiten..., in deren Kultgemeinschaft die Israeliten erst bei und nach ihrer Ansiedlung in den betreffenden Gebieten eintraten« (KlSchr I 7f). Schon H. GUNKEL hatte zunächst eine solche Auffassung vertreten, sie jedoch unter dem Einfluß seines Schülers H. Greßmann dahin korrigiert, »daß die El-Gestalt... nicht etwa von Israel in Kanaan übernommen..., sondern der Gott der Vorfahren Israels gewesen ist« (Genesis[3] LX gegenüber 187). Hier verbergen sich kaum gelöste Probleme. Haben schon die Väter ihren Gott oder ihre Götter unter dem – gemeinsemitischen – Namen El (vgl. Gen 49,25 u.a.) verehrt? Dann wären Bezeichnungen wie »Gott Abrahams« oder »Schrecken Isaaks« nur Beinamen dieses Gottes El, so daß man aus ihnen nur mit starken Vorbehalten auf das Wesen des Väterglaubens schließen kann. Oder beruht die Verehrung jener El-Gottheiten, die (nach O. EISSFELDT) Erscheinungsformen des einen großen Gottes El darstellen, nicht doch erst auf späterem Einfluß? Das AT scheint darauf kaum eine

eindeutige Antwort zu geben (vgl. gegenüber Gen 49,25 u.a. ein so urtümliches Zeugnis wie Gen 31,53).

2. Mit diesem Komplex hängt eine weitergehende, grundsätzliche Frage zusammen. V. MAAG hat A. Alts Ansatz unter Hinweis auf asiatische Belege zur Unterscheidung zwischen dem »inspirierenden, führenden, behütenden Nomadengott« und den Göttern der Agrarvölker ausgebaut (Kultur 155). Jedoch ist der von Alt rekonstruierte Glaube von Nomaden an einen Vätergott im alten Orient – einschließlich der vorislamischen Beduinen – bisher (so) nicht nachgewiesen. Wieweit liegt also überhaupt eine Idealkonstruktion vor?

Jedenfalls wird man zwischen (Halb-)Nomaden- und Kulturlandreligion, sodann zwischen der Religion des Volkes und der Vätergruppen zu unterscheiden haben. Noch die späte Priesterschrift (Ex 6,2f) kennt verschiedene Perioden: Bevor sich Gott Mose und – in ihm – Israel zuwandte, gab es eine Zeit, in der er den Erzvätern auf andere Weise (allerdings zusammengefaßt unter dem Namen El Schaddaj) begegnete. So bleibt eindeutig, daß der – durch die Forderung der Ausschließlichkeit und der Bildlosigkeit ausgezeichnete – Jahweglaube Vorläufer hatte, wie schwierig sich die Rückfrage nach dieser Vorgeschichte auch gestaltet.

2. Mose

ENGEL, H., Die Vorfahren Israels in Ägypten. Forschungsgeschichtlicher Überblick über die Darstellungen seit R. Lepsius, 1979. – OSSWALD, E., Das Bild des Mose, 1962. – SCHMID, H., Mose. Überlieferungen und Geschichte, 1968, bes. 1–13. – DERS., Die Gestalt des Mose. EdF 237, 1986 (Lit.). – SCHMIDT, W. H., Exodus, Sinai und Mose. EdF 191, 1983 (Lit.). – SMEND, R., Das Mosebild von Heinrich Ewald bis Martin Noth (1959) = Die Methoden der Moseforschung. Zur ältesten Geschichte Israels. GSt 2, 1987, 45–115.

BAUMGÄRTEL, F., Der Tod des Religionsstifters, KuD 9, 1963, 223–233. – DERS., Das Offenbarungszeugnis des AT im Lichte der religionsgeschichtlich-vergleichenden Forschung, ZThK 64, 1967, 393–422. – BEYERLIN, W., Herkunft und Geschichte der ältesten Sinaitradition, 1961. – FOHRER, G., Überlieferung und Geschichte des Exodus, 1964. – GRESSMANN, H., Mose und seine Zeit, 1913. – HERRMANN, S., Israels Aufenthalt in Ägypten, 1970. – DERS., Geschichte Israels, 1973. [2]1980 (= GI). – KOCH, K., Der Tod des Religionsstifters (1962), Studien (s.o. II 1) 32–60. – MEYER, E., Die Israeliten und ihre Nachbarstämme, 1906 (= 1967). – NOTH, M., ÜP (s.o. II 1). – RENDTORFF, R., Mose als Religionsstifter?, GSt zum AT, 1975, 152–171. – SCHMIDT, W. H., Jahwe in Ägypten, Kairos 17, 1976, 43–45 (vgl. BK II/1,

1988, bes. 144ff zu Ex 3). – SMEND, R., Jahwekrieg und Stämmebund (1963. [2]1966), Zur ältesten Geschichte Israels. GSt 2 (s.o.) 116–199, bes. 189ff. – VOLZ, P., Mose und sein Werk, [2]1932. – WEIMAR, P. – ZENGER, E., Exodus. Geschichten und Geschichte der Befreiung Israels, 1975.

Kaum weniger umstritten als die Väterreligion sind die Anfänge des Jahweglaubens selbst. »Ich bin Jahwe, dein Gott, von Ägypten her« läßt Hosea (12,10 u.a.) Gott sagen, und nach zwei Zeugnissen (Ex 6,2f P; 3,13f E) offenbart er sich mit seinem Namen Jahwe erst Mose.

Moses Person verbindet die umfangreichen Überlieferungsblöcke aus Israels Vorzeit: Herausführung aus Ägypten (Ex 1–15), Offenbarung am Sinai (Ex 19 – Num 10) und Führung durch die Wüste (Ex 16–18) bis zur Grenze des verheißenen Landes (Num 11ff). Zwar sind diese Traditionskomplexe durch *einen* Handlungsfaden miteinander verknüpft, aber die historisch-kritische Forschung hat schon seit langem (J. WELLHAUSEN, H. GRESSMANN u.a.) diese Zusammenhänge bezweifelt oder aufgelöst.

Dabei lautet die Hauptfrage für die Erforschung der Vor- oder Frühgeschichte Israels: Waren zumal Exodus- und Sinaitradition ursprünglich verzahnt, oder wuchsen sie als zunächst selbständige Größen erst im Laufe der Zeit zusammen? In diesem Fall kann Mose nicht in beiden Bereichen zuhause gewesen sein; d.h., er konnte entweder seinen Stammesgenossen in Ägypten die Befreiung aus dem Frondienst ankündigen oder als Mittler bei der Offenbarung am Sinai auftreten.

Nach J. Wellhausen, der die Spätdatierung der zuvor als Grundschrift betrachteten Priesterschrift durchsetzte, hat Mose wohl den Auszug aus Ägypten angeregt; jedoch schränkt Wellhausen ein:

»Es führt zu wunderlichen Konsequenzen, wenn man Moses als Stifter des Monotheismus ansieht... Die israelitische Religion hat sich aus dem Heidentum erst allmählich emporgearbeitet; das eben ist der Inhalt ihrer Geschichte. Sie hat nicht mit einem absoluten neuen Anfange begonnen. Doch hat sie bei einem Punkte angesetzt, an den eine fruchtbare Entwicklung sich anknüpfen konnte.« (Israelitische und jüdische Geschichte, [9]1958, 31f)

Stand Mose am Ursprung des Jahweglaubens – an der Quelle, aus der der spätere Traditionsstrom erwuchs? Die Frage wird bis heute unterschiedlich beantwortet. Historisch-kritischer Rückfrage fällt es schwer, in Mose den Gesetzgeber (vgl. Joh 1,17 »Das Gesetz ist durch Mose gegeben«) oder auch nur den Autor des Dekalogs (so z.B. P. VOLZ) zu sehen. Es will nicht einmal gelingen, die Eigenarten des alttestamentlichen Glaubens, die man mit dem ersten (und zweiten) Gebot umschreiben kann, auf Offenbarungswiderfahrnisse dieses Mannes zurückzuführen.

Schon der Historiker E. MEYER kommt nach Analyse der Quellen zu der Auffassung, Mose sei weder in der Exodus- noch in der Sinaitradition beheimatet. M. NOTH nimmt dieses Ergebnis – sowie die Traditionskritik von H. GRESSMANN – auf und führt es weiter; er geht *via negationis* vor und hält nur fest: Unbezweifelbar ist allein die Tradition von Moses Tod und Grab außerhalb des von Israel besiedelten Gebiets im Ostjordanland – sie ist »das Urgestein eines nicht mehr ableitbaren geschichtlichen Sachverhaltes«. Allmählich ist Mose in die übrigen Pentateuchthemen hineingewachsen (ÜP 190).

Aus dieser Analyse zieht K. KOCH in seinem Aufsatz »Der Tod des Religionsstifters« die Konsequenz: »Es fällt der jahrhundertelang unbestrittene Satz, daß die israelitische Religion eine *Stiftungsreligion* sei« (36). Bleiben ihre Eigenart und ihr Werdegang dann aber noch verständlich? So widerspricht F. BAUMGÄRTEL, ohne das Recht historischer Kritik zu leugnen, geradezu mit dem Postulat:

Zwar wissen wir infolge der Quellenlage nicht, wie der Anfang der israelitischen Religion »ausgesehen haben mag; wir wissen nicht einmal, ob dieser Religionsstifter überhaupt gelebt hat, und wenn, ob er ein solcher gewesen ist.« Aber: Religionsgeschichtlicher Vergleich »führt zu dem Postulat der Existenz einer Stifterperson«, da »die alttestamentliche Religion nicht aus der Umwelt erwachsen sein kann« (ZThK 1967, 398).

Ist zur Zeit mehr möglich, als das Für und Wider abzuwägen? Da man über M. Noths Analyse hinaus den historischen Zweifel nicht weitertreiben kann, wenn man nicht zu der höchst unwahrscheinlichen Schlußfolgerung geraten will, Mose sei überhaupt unhistorisch, gestaltet sich die jüngere Forschung notwendig als ein Rückschlag. Strittig bleibt jedoch, wieweit man – in sachlicher Hinsicht – der Tradition Vertrauen entgegenzubringen und damit – in methodischer Hinsicht – kritische Grundsätze durchzuhalten bereit ist.

In Analogie zu den späteren Richtern wird Mose gerne als charismatischer Führer aufgefaßt, dessen entscheidende Tat die Befreiung aus Ägypten war (R. SMEND, Jahwekrieg, 1963, 95f, im Anschluß an A. Alt). Besteht darüber hinaus zwischen Exodus- und Sinaitradition nicht doch ein historischer Zusammenhang (W. BEYERLIN, Sinaitraditionen, 1961, u.a.), oder ist Mose gar »auch entgegen allen verständlichen Bedenken in allen Themen des Pentateuch zu belassen auf Grund der Überlegung, daß ein einzelner durchaus an einer Wanderbewegung zwischen Ägypten und Palästina beteiligt gewesen sein kann« (S. HERRMANN, Israels Aufenthalt 65f)? Mose gelang es, »den Auszug vorzubereiten und schließlich auch erfolgreich durchzuführen« (dort 70). Jedoch kann der Führer des Auszugs zugleich der Mittler am Gottesberg gewesen sein. Mose erscheint »in einem überzeugenden historischen Kontinuum, das ... seine überragende Position verständlich macht« (GI 110). Trotz »erheblicher Bedenken« gegen die Textbehandlung durch S. Herrmann ist es auch nach R. RENDTORFF »unmöglich, Mose von der Überlieferung vom ›Gottesberg‹ und insbesondere von der Offenbarung des Jahwenamens zu trennen« oder »aus der Überlieferung vom Auszug aus Ägypten herauszulösen« (161).

In der Tat wird Mose, der einen ägyptischen Namen (etwa mit der Bedeutung »Sohn«) trägt, auch in Ägypten gewesen sein. Hätte man der Person, die zumindest im Rückblick als Retter aus der Not und Mittler des Gotteswortes erscheint, nicht nachträglich einen israelitischen, speziell jahwehaltigen Namen gegeben? Außerdem ist es schwer vorstellbar, daß die Befreiung aus der Fronverpflichtung nicht seit je dem Gott Jahwe gedankt wurde (vgl. Ex 15,21).

Der Gottesname »Jahwe« war aller Wahrscheinlichkeit nach ursprünglich am Sinai zuhause (Ri 5,4f u.a.). Diese im AT bewahrte Erinnerung könnte durch außerbiblisches Zeugnis bestätigt werden: In ägyptischen Listen aus dem 14./13. Jahrhundert v.Chr. ist vom »Land der Schasu Jhw'«, d.h. vielleicht von »Jahwe-Beduinen« die Rede (vgl. etwa S. HERRMANN, GI 106f; M. WEIPPERT, Art.: Jahwe, RLA V, 1980, 246–253). Dabei stellt »Jhw'« eine ethnische oder eher geographische Bezeichnung, wohl den Namen eines Berges, dar. War Jahwe in vorisraelitischer Zeit eine – vielleicht von Midianitern und Kenitern verehrte – Berggottheit im Süden Palästinas?

Hat gar Mose selbst, der Verbindungen zu den im Süden wohnenden nomadischen Midianitern hatte (Ex 2,15ff; 18; anders Ri 4,11 u.a.), seinen Landsleuten den Jahweglauben gebracht, so daß er doch am entscheidenden Anfang dieses Glaubens steht? Verschiedene Gründe sprechen für diese Auffassung (vgl. EdF 191, 110ff), aber eine sichere Antwort ist zur Zeit kaum möglich.

3. Amphiktyonie und »Bund«

Zur Amphiktyonie: BÄCHLI, O., Amphiktyonie im AT, 1977. – METZGER, M., Probleme der Frühgeschichte Israels, VF 22/1, 1977, 30–43.

CRÜSEMANN, F., Der Widerstand gegen das Königtum, 1978, 201ff. – FOHRER, G., AT-»Amphiktyonie« und »Bund«? (1966), Studien zur alttestamentlichen Theologie und Geschichte, 1969, 84–119 (vgl. ders., Geschichte Israels, [4]1985, 74ff). – GUNNEWEG, A. H. J., Geschichte Israels bis Bar Kochba, [5]1984, 45ff. – HERRMANN, S., Das Werden Israels (1962), GSt zur Geschichte und Theologie des AT, 1986, 101–119. – DERS., Autonome Entwicklungen in den Königreichen Israel und Juda (1968), ebd., 145–162.

– METZGER, M., Grundriß der Geschichte Israels, [6]1983, 49ff. – NOTH, M., Das System der zwölf Stämme Israels, 1930 (1966) (vgl. ders., GI [s.o. II 1] § 7f). – SEEBASS, H., Erwägungen zum altisraelitischen System der zwölf Stämme, ZAW 90, 1978, 196–200. – SMEND, R., Zur Frage der altisraelitischen Amphiktyonie (1971), GSt (s.o. II 2) 210–216. – THIEL, W., Die soziale Entwicklung Israels in vorstaatlicher Zeit, [2]1985, 126ff. – WEIPPERT, H., Das geographische System der Stämme Israels, VT 23, 1973, 76–89.

Zum »Bund«: MCCARTHY, D. J., Der Gottesbund im AT, 1966 (erweitert: Old Testament Covenant, 1972). – Literatur bei WESTERMANN, C., BK I/2, 1981, 136ff.; auch BK II/1, 1988, 266f.

BALTZER, K., Das Bundesformular, 1960. – EICHRODT, W., Darf man heute noch von einem Gottesbund mit Israel reden?, ThZ 30, 1974, 193–206. – HALBE, J., Das Privilegrecht Jahwes Ex 34, 10–26, 1975. – JEPSEN, A., Berith (1961), Der Herr ist Gott, 1978, 196–210. – KUTSCH, E., Verheißung und Gesetz, 1972 (vgl. THAT I, 1971, 339–352; TRE 7, 1981, 397–410). – MENDENHALL, G. E., Recht und Bund in Israel und dem Alten Vorderen Orient, 1960. – NÖTSCHER, F., Bundesformular und »Amtsschimmel«, BZ 9, 1965, 181–214. – PERLITT, L., Bundestheologie im AT, 1969. – WÄCHTER, L., Die Übertragung der Beritvorstellung auf Jahwe, ThLZ 99, 1974, 208–216. – WEINFELD, M., ThWAT I, 1973, 781–808. – ZIMMERLI, W., Grundriß der alttestamentlichen Theologie, [3]1978, bes. 39ff.

Was war »Israel«, bevor es staatlich organisiert war? Die Vermutung MAX WEBERS, Israel habe in vorköniglicher Zeit eine »Eidgenossenschaft« gebildet (Ges. Aufs. zur Religionssoziologie III. Das antike Judentum, 1920, bes. 81ff), und andere Anregungen baute M. NOTH (Das System der zwölf Stämme Israels, 1930) in methodisch sorgsam abwägendem Rückschluß zu der seinerzeit höchst wirksamen Auffassung aus: Israel konstituierte sich in vorstaatlicher Zeit als sakrale Amphiktyonie, genauer als Zwölfstämmeverband mit der alleinigen Verehrung des Gottes Jahwe an *einem* gemeinsamen Heiligtum mit der Lade als Zentrum. Damit war eine Institution erschlossen, die gleich doppeltem Zweck dienen konnte. Einerseits fand der Jahweglaube in ihr eine äußere Lebensform; andererseits verband diese Organisation die einzelnen Stämme zu einer Einheit, bevor sie durch das Königtum, zumal die Person Davids, zu einer Größe zusammengeschlossen wurden.

Allerdings suchte man die Auswirkungen der ja nicht unmittelbar bezeugten, sondern nur erschlossenen Amphiktyonie schon bald weit über die vorstaatliche Zeit hinaus bis tief in die Königszeit, ja noch spätere Perioden hinein und fand sie in den verschiedensten Lebensbereichen wieder. Diese Sicht der Verhältnisse bestimmt nicht unerhebliche Partien von G. v. RADS »Theologie«. Weithin sprach man beispielsweise von einem amphiktyonischen Bundesfest

(TheolAT I[4] 31) und meinte damit innerhalb der mehr oder weniger von den Kanaanäern übernommenen Folge der Erntefeste etwas spezifisch Israelitisches, dem Jahwe»bund« Gemäßes, entdeckt zu haben. Insbesondere leitete v. Rad das Deuteronomium mit seinen paränetischen Teilen, der sog. Gesetzespredigt, aus »alter amphiktyonischer Bundesüberlieferung« her (86. 245. 345; vgl. schon Deuteronomium-Studien, 1947). Eher noch stärker stellte H. J. KRAUS in »Gottesdienst in Israel« ([2]1962, 37) heraus: »Die Bedeutung dieser sakralen Lebensordnung für die Grundlegung, Geschichte und Tradition des alttestamentlichen Gottesdienstes ist kaum zu überschätzen.«

Wurden zunächst die – in Kult, Recht oder Politik – weit ausgreifenden Folgerungen, die sich an die Hypothese von der Amphiktyonie angehängt hatten, in Zweifel gezogen, so wurden mehr und mehr auch die Fundamente selbst erschüttert. M. Noths einschränkendes, aber vielfach übersehenes Votum, daß der Zwölfstämmeverband eigentlich nicht als »politische und nach außen hin gerichtete militärische Institution« hervortrat (GI, [3]1956, 101), baute R. SMEND zu der Unterscheidung »Jahwekrieg und Stämmebund« (1963) aus. Neben manchen anderen kritischen Stimmen erhoben vor allem G. FOHRER und S. HERRMANN Einwände.

Die einschneidendste Erkenntnis ist: Ein zentrales Heiligtum für alle Stämme besaß Israel in vorstaatlicher Zeit anscheinend weder in einer Lade noch an einem jeweils wechselnden Ort (Sichem, Bet-El, Gilgal, Schilo). Selbst das erst durch David eroberte Jerusalem wurde in der Königszeit nur zum bedeutendsten, aber nicht ausschließlichen Heiligtum; es erhielt erst wenige Jahrzehnte vor der Zerstörung durch die – in ihrer Historizität allerdings umstrittene – Reform Joschijas (2Kön 22f) eine exklusive Stellung. Auch ist die Schilderung des sog. Landtages von Sichem (Jos 24), den man als Zusammenschluß der Stämme zur Jahwe-Amphiktyonie deuten konnte, aus dem Rückblick einer weit späteren Epoche zumindest stark ausgestaltet.

So bleibt als fester Ausgangspunkt für die historische Rückfrage die Zahl der zwölf Stämme, die trotz gewisser Wandlungen von frühen bis zu späten Zeugnissen des AT (Gen 29,31ff; 49; Dtn 33; 1Chr 2,1f u.a.) auffällig konstant wirkt. Beruht sie nur auf künstlicher, späterer Bildung, oder hat sie nicht eher einen historischen Hintergrund in früher Zeit? Allerdings lagen, wie vor allem S. Herrmann betont, die Wohngebiete der Stämme recht weit auseinander und waren durch kanaanäische Stadtstaaten, die sich in zwei großen Querriegeln tief in israelitisches Gebiet schoben, voneinander getrennt. Konnten die Stämme darum überhaupt eine Einheit bilden? Führten sie nicht weithin ein eigenständiges Leben – gemeinsam mit den unmittelbaren Nachbarn, mit denen sie sich im Frieden an den verschiedenen im Land verstreuten Wallfahrtsheiligtümern trafen und in Kriegszeiten verbündeten? Insbesondere scheint der Gegensatz zwischen Nord und Süd, der nach dem Tod Salomos wieder aufbrach und zwei politisch selbständige Reiche Juda und Israel entstehen ließ, schon in frühe Zeiten zurückzureichen. Gehörte Juda im Süden überhaupt zu den Stämmen, an denen der Name Israel haftete?

Jedoch lassen sich solchen Einwänden auch Argumente entgegenhalten: Wie konnte ein unabhängiges Juda zum Jahweglauben kommen (etwa durch die Keniter; vgl. Gen 4,15)? Vor allem: Die Anordnung der Stämme im Zwölfersystem entspricht keineswegs den geographischen und politischen Verhältnissen der Königszeit; ein Teil der Stämme – gerade die zuerst genannten: Ruben, Simeon, Levi – war zu Beginn der Königszeit längst verschollen; zudem entstand ein National- oder gar ein die kanaanäische Bevölkerung einschließender Territorialstaat, der (seit Salomo) nach Gauen, nicht nach Stämmen, gegliedert war. Ist das Zwölfstämmesystem also nicht doch aus vorstaatlicher Zeit herzuleiten? Schon die Überlieferungen von den Erzvätern setzen Beziehungen zwischen Nord und Süd voraus; überhaupt spricht der Pentateuch bereits von Israel als Ganzem. Die Pentateucherzählungen »sind für uns das älteste Zeugnis für die Einheit ›Israel‹, sofern ihr Mutterboden ein schon vorhandenes israelitisches Gemeinbewußtsein war« (M. Noth, ÜP 274). Ist dieses nicht in früher, vorstaatlicher Zeit gewachsen?

»Die Entwicklung des Gemeinbewußtseins Israels, das sich in der gesamtisraelitischen Perspektive der Überlieferungen ausdrückt, erscheint deshalb so wichtig, weil es nicht leicht ableitbar ist. Es entstand nämlich trotz des komplizierten und uneinheitlichen Prozesses der Ansiedlung, trotz des Vorhandenseins unterschiedlicher, auch ethnisch nicht einheitlicher Gruppen mit divergierenden Erfahrungen, trotz fehlenden territorialen Zusammenhangs und trotz der Hemmung der Interaktion durch die kanaanäischen Städteriegel und schließlich: trotz der Aufgliederung in geographisch recht unterschiedlich lokalisierte und politisch selbständig handelnde Gruppen mit charakteristischen Besonderheiten und eigenen Interessen. Alle diese Einschränkungen sprechen nicht *gegen*, sondern *für* die Existenz einer die Stämme des vorstaatlichen Israel verbindenden Größe« (W. Thiel, 133).

So bleibt die Frage bestehen: Nahmen die sog. kleinen Richter, von denen im AT nur in Listen (Ri 10,1–5; 12,7–15) berichtet wird, daß sie »*Israel* richteten«, nicht doch in vorköniglicher Zeit ein Amt für die Gesamtheit wahr? Schließlich bezeugen alte formelhafte Wendungen wie »So tut man nicht in Israel« oder »Torheit in Israel«

(2Sam 13,12; Gen 34,7; Ri 19,23f; 20,6 u.a.) eine Abgrenzung Israels von der Umwelt nicht nur im kultisch-religiösen Bereich, sondern auch im ethischen, insbesondere sexuellen Verhalten.

Wägt man Pro und Kontra ab, so bleibt es zur Zeit eine offene Frage, ob es einen Zwölfstämmeverband gab. Neben ablehnenden erheben sich auch kritisch befürwortende Stimmen (R. SMEND, M. METZGER, A. H. J. GUNNEWEG, W. THIEL u.a.); denn die Einwände gegen die Amphiktyonie-Hypothese lassen mancherlei Probleme unerledigt. Zweifellos hat sie nicht mehr das Gewicht, das sie zeitweilig besaß, und kann erst recht nicht mehr als Erklärungsprinzip für weite Teile des AT dienen; jedoch hält sie entscheidende Fragen offen: Gab es vor dem Königtum schon eine Einheit der Stämme (in Nord und Süd), versammelte sich »Israel« an verschiedenen Heiligtümern? Hatte der Jahweglaube in vorstaatlicher Zeit irgendeine Organisationsform, und besitzt das Zwölfstämmesystem (Gen 49 u.a.) nicht einen historischen Hintergrund?

Das AT nennt nicht den Stämmeverband, wohl aber das Verhältnis Gottes zu Israel *berît »Bund«* – beide Themen hängen also nur sehr lose zusammen. Da das AT von einem Bund mit den Vätern, mit David und dem Volk weiß, konnte W. EICHRODT seine »Theologie des AT« (1933) vom Bundesverhältnis aus darstellen und »gegen alle Einwände am Zentralbegriff des Bundes fest ... halten, um von ihm aus die strukturelle Einheit und beharrende Grundtendenz der alttestamentlichen Botschaft ins Licht zu stellen« (Vorwort zu I, [8]1968). Schon früh wandte L. KÖHLER (Alttestamentliche Theologie, ThR 7, 1935, 272f) ein: »Der Begriff des Bundes hat bei den Propheten keine grundlegende Bedeutung.« Diesen mehr beiläufigen Widerspruch hat L. PERLITT in einer Untersuchung aller einschlägigen Texte auf ein breites Fundament gestellt und zu dem Gesamturteil erweitert: Die »Bundestheologie« gehört erst in die deuteronomische Bewegung des 7. Jahrhunderts v.Chr.

Im Aufbau altorientalischer Staatsverträge, wie sie vor allem die Hethiter mit ihren Vasallen schlossen, finden sich gewisse Parallelen zu alttestamentlichen Zeugnissen vom Bundesschluß Jahwes mit Israel (wie Jos 24), worauf im Anschluß an G. E. MENDENHALL vor allem K. BALTZER hinwies. Jedoch spiegelt sich die Gliederung jener Verträge – etwa: Darstellung der Vorgeschichte, Grundsatzerklärung und Einzelbestimmungen des Treueverhältnisses, Anrufung der Götter als Zeugen, Fluch und Segen – nur gebrochen in alttestamentlichen Texten wider. Zudem betreffen sie die Beziehung zwischen Gott und Volk, jene Verträge aber das Verhältnis zwischen Königen und Staaten, während »ein Vertrag zwischen einem Gott und seinem Volk außerhalb des AT bis jetzt nicht nachgewiesen ist« (so F. NÖTSCHER, 193, in einer eingehenden Kritik). Trotz so grundlegender Unterschiede ist allerdings nicht auszuschließen, daß während der Abhängigkeit von den Assyrern (im 8./7. Jh.) Einflüsse des Vertragsdenkens auf Israel und damit das AT stattgefunden haben.

Tatsächlich gehören innerhalb der Sinaiperikope diejenigen Texte, die den »Bund« erwähnen (Ex 19,3ff; 24,3.7; umstrittener 34,10ff), eher einer jüngeren Schicht an; auch die Natanweissagung eines ewigen Bestands der Daviddynastie (2Sam 7, bes. V 11f.16) wurde wohl erst nachträglich als »Bund« gedeutet (2Sam 23,5; Ps 89,4f.29f u.a.). Jedoch bleiben Texte, deren zeitliche Einordnung schwierig bleibt (Gen 15,7ff; vgl. Ex 24,8), so daß ein früheres Aufkommen der Bundesvorstellung möglich ist (vgl. Ri 8,33; 9,4.46; evtl. Hos 6,7 u.a.), auch wenn sie in älterer Zeit kaum grundlegende Bedeutung besaß. Etwa W. Zimmerli (TheolAT 39ff) hält am höheren Alter der Bundesvorstellung fest. Jedenfalls ist in diesem Bereich streng zwischen »Sache« und Begriff zu unterscheiden. Die Gemeinschaft zwischen Gott und Volk ist längst fest bezeugt, bevor sie vor allem in der deuteronomisch-deuteronomistischen und priesterschriftlichen Literatur (Gen 9; 17; Dtn 5 u.a.) theologisch mit dem Begriff »Bund« reflektiert wird. Auch sonst läßt sich beobachten, daß erst diese jüngere Zeit »begrifflich« denkt (vgl. *tora* »Weisung«, *bachar* »erwählen« u.a.).

Dabei meint der Begriff »Bund« kein Abkommen Gleichberechtigter mit gegenseitigen Rechten und Pflichten, sondern, wie andeutend A. Jepsen und ausführlich E. Kutsch gezeigt haben, eher eine Verpflichtung, sei es als feierliche Zusage Gottes oder als Verpflichtung der Menschen; allerdings kann beides – die Verpflichtung des Menschen als Folge der Zuwendung Gottes – auch verbunden sein (Gen 17 u.a.). So richtet sich das Bekenntnis an den Gott, »der seinen Bund, d.h. seine Zusage, und seine Gnade bewahrt« (Dtn 7,9.12 u.ö.).

III. Der Pentateuch

Clements, R. E., Pentateuchal Problems, Anderson, G. W. (Hg.), Tradition and Interpretation, 1979, 96–124. – Gunneweg, A. H. J., Anmerkungen und Anfragen zur neueren Pentateuch-Forschung (1), ThR 48, 1983, 227–253; (2), ThR 50, 1985, 107–131. – Kraus, H. J., Geschichte der historisch-kritischen Erforschung des AT, [4]1988. – Labuschagne, C. J., Neue Wege und Perspektiven in der Pentateuchforschung, VT 36, 1986, 146–162. – Osswald, E., Das Bild des Mose, 1962. – Otto, E., Stehen wir vor einem Umbruch in der Pentateuchkritik?, VF 22/1, 1977, 82–97. – Ruppert, L., Die Aporie der gegenwärtigen Pentateuchdiskussion und die Josephserzählung der Genesis, BZ 29, 1985, 31–48. – Schmid, H. H., Auf der Suche nach neuen Perspektiven für die Pentateuchforschung, VT.S XXXII, 1981, 375–394. – Schmitt, H.-C., Die Hintergründe der »neuesten Pentateuchkritik« und der literarische Befund der Josephsgeschichte Gen 37–50, ZAW 97, 1985, 161–179. – Thompson, R. J., Moses and the Law in a Century since Graf, 1970. – Zenger, E., Wo steht die Pentateuchforschung heute?, BZ 24, 1980, 101–116. – Ders., Auf der Suche nach einem Weg aus der Pentateuchkrise, ThRv 78, 1982, Sp. 353–362.

Hexateuch: Eissfeldt, O., Hexateuch-Synopse, 1922 (1983). – Gressmann, H., Mose und seine Zeit, 1913. – Gunkel, H., Genesis, [3]1910 ([9]1977). – Holzinger, H., Einleitung in den Hexateuch, 1893. – Wellhausen, J., Die Composition des Hexateuchs (1876f) [3]1899 ([4]1963). – Ders., Prolegomena zur Geschichte Israels (1883, zuerst 1878 unter dem Titel »Geschichte Israels I«) [6]1927. – Noth, M., ÜP (s.o. II 1). – Rad, G. v., Das formgeschichtliche Problem des Hexateuch (1938), GSt zum AT, [4]1971, 9–86 (vgl. ders., Das erste Buch Mose, ATD 2–4, [11]1981, bes. S. 1–26).

Neuere Arbeiten zum Pentateuch: Blum, E. (s.o. II 1). – Kohata, F., Jahwist und Priesterschrift in Ex 3–14, 1986 (vgl. dies., AJBI 12, 1986, 3–28). – Reichert, A., Der Jehovist und die sog. deuteronomistischen Erweiterungen im Buch Exodus, Diss. Tübingen 1972 (vgl. ThLZ 98, 1973, 957–960). – Rendtorff, R., Das überlieferungsgeschichtliche Problem des Pentateuch, 1976. – Rose, M., Deuteronomist und Jahwist, 1981. – Schmidt, W. H., Exodus. BK II/1, 1988 (zu Ex 1–6). – Schmitt, H. C., Die nichtpriesterliche Josephsgeschichte, 1980, bes. 175ff. – Vorländer, H., Die Entstehungszeit des jehowistischen Geschichtswerks, 1978. – Weimar, P., Untersuchungen zur Redaktionsgeschichte des Pentateuch, 1977. – Ders., Die Meerwundererzählung, 1985. – Westermann, C., Genesis. BK I/1, [3]1983; I/2, 1981; I/3, 1982. – Zenger, E., Die Sinaitheophanie, 1971.

»Einleitungen« (mit eingehenden Literaturangaben) in das AT u. ä.: Boekker, H. J., Hermisson, H.-J. u. a., Altes Testament, [2]1986. – Eissfeldt, O., [4]1976. – Fohrer, G., [12]1979. – Kaiser, O., [5]1984. – Weiser, A., [6]1966. – Schmidt, W. H., Einführung in das AT, [3]1985 (= EinfAT). – Schreiner, J. (Hg.), Wort und Botschaft des AT, [3]1975. – Sitarz, E., (Hg.), Höre Israel! Jahwe ist einzig, 1987. – Smend, R., Die Entstehung des AT, [3]1984 (= EntstAT; vgl. Ein halbes Jahrhundert alttestamentliche Einleitungswissenschaft, ThR 49, 1984, 3–30).

Zum Jahwisten: Crüsemann, F., Die Eigenständigkeit der Urgeschichte. Ein Beitrag zur Diskussion um den »Jahwisten«, FS H. W. Wolff, 1981, 11–29. – Rendtorff, R., Der »Jahwist« als Theologe?, Congress Volume Edinburgh. VT.S 28, 1975, 158–166. – Schmid, H. H., Der sogenannte Jahwist, 1976. – Schmidt, L., Überlegungen zum Jahwisten, EvTh 37, 1977, 230–247. – Schmidt, W. H., Ein Theologe in salomonischer Zeit? Plädoyer für den Jahwisten, BZ 25, 1981, 82–102. – Seebass, H., TRE 16, 1987,

441–451 (Lit.). – Steck, O. H., Gen 12,1–3 und die Urgeschichte des Jahwisten (1971), Wahrnehmungen Gottes im Alten Testament. GSt, 1982, 117–148. – Wolff, H. W., Das Kerygma des Jahwisten (1964), GSt zum AT, 1964, 345–373. – Zenger, E., Das jahwistische Werk. Gott, der einzige (u. VII), 26–53.

Zum Elohisten: Jaroš, K., Die Stellung des Elohisten zur kanaanäischen Religion, ^{2}1982. – Klein, H., Ort und Zeit des Elohisten, EvTh 37, 1977, 247–260. – Schüpphaus, J., Volk Gottes und Gesetz beim Elohisten, ThZ 31, 1975, 193–210. – Wolff, H. W., Zur Thematik der elohistischen Fragmente im Pentateuch (1969), GSt (s. o.), ^{2}1973, 402–417.

Zur Priesterschrift: Brueggemann, W., The Kerygma of the Priestly Writer, ZAW 84, 1972, 397–414. – Elliger, K., Sinn und Ursprung der priesterlichen Geschichtserzählung (1952), Kleine Schriften zum AT, 1966, 174–198. – Fritz, V., Das Geschichtsverständnis der Priesterschrift, ZThK 84, 1987, 426–439. – Klein, R. W., The Message of P, FS H. W. Wolff, 1981, 57–66. – Koch, K., P – kein Redaktor!, VT 37, 1987, 446–467. – Kutsch, E., »Ich will euer Gott sein«, ZThK 71, 1974, 361–388. – Lohfink, N., Die Priesterschrift und ihre Geschichte, Congress Volume Göttingen. VT.S 29, 1978, 189–225 (Lit.) – Saebø, M., Priestertheologie und Priesterschrift, VT.S 32, 1981, 357–374. – Schmidt, W. H., BK II/1, 1988, zu Ex 6,2ff (Lit.; vgl. EinfAT § 8). – Weimar, P., Die Meerwundererzählung (s. o.). – Ders., Struktur und Komposition der priesterschriftlichen Geschichtsdarstellung, BN 23, 1983, 81–143; 24, 1984, 138–162. – Zimmerli, W., Sinaibund und Abrahambund (1960), Gottes Offenbarung, 1963, 205–216.

Zur Methodik der Exegese: Adam, G. - Kaiser, O. - Kümmel, W. G., Einführung in die exegetischen Methoden, ^{6}1979. – Barth, H. - Steck, O. H., Exegese des AT, ^{10}1984. – Fohrer, G. u. a., Exegese des AT, ^{4}1983. – Koch, K., Was ist Formgeschichte?, ^{5}1986. – Richter, W., Exegese als Literaturwissenschaft, 1971. – Schreiner, J. u. a., Einführung in die Methoden der biblischen Exegese, 1971.

Der Pentateuch ist gegenwärtig der Arbeitsbereich, in dem die Auffassungen am weitesten auseinandergehen. Was früher als Glanz- und Höhepunkt alttestamentlicher Forschung galt, ist heute in der Methode wie im Ergebnis umstritten.

Die Unterscheidung der drei Quellenschriften Jahwist, Elohist und Priesterschrift »ist ein gemeinsames Ergebnis der alttestamentlichen Wissenschaft, an dem anderthalb Jahrhunderte gearbeitet haben… Ein bewunderungswürdiger Aufwand von Fleiß, von Scharfsinn, von genialer Auffassungskraft ist an diese Arbeit verwandt worden; und ein Werk ist als Ergebnis zu stande gekommen, auf das die Nachkommen stolz sein dürfen. Man vermag gegenwärtig die Quellenschriften in vielen Fällen bis auf den Vers, in einigen bis auf das Wort zu bestimmen, wenn auch natürlich manches immer im unklaren bleiben wird. Die letzte entscheidende Wendung in der Geschichte der Kritik der Genesis ist durch Wellhausen geschehen, der uns in seinem

Meisterwerk ›Prolegomena zur Geschichte Israels‹ gelehrt hat, die Quellen der Genesis chronologisch zu bestimmen und in den Gesamtverlauf der Religionsgeschichte Israels einzusetzen.« (H. Gunkel, Genesis, LXXXI)

Beide von H. GUNKEL hochgepriesenen Einsichten, sowohl die Scheidung als auch die Datierung der Quellen, werden mittlerweile in Zweifel gezogen. Die im 19. Jahrhundert allmählich gewachsene oder eher schmerzhaft errungene Übereinstimmung in Grundfragen und -einsichten ist aufgegeben worden; der von J. WELLHAUSEN geschaffene Konsens – in der geschichtlichen Einordnung der längst vorher aufgeteilten Quellenschriften – ging verloren. Eine Vielfalt teils gegenläufiger Grundansätze und Positionen beherrscht das Feld.

Neben die Quellenscheidung trat die Überlieferungsgeschichte. Gelegentlich gab schon J. Wellhausen (Comp. 7f) zu bedenken:

»An sich schließen allerdings heterogene Bestandteile die Einheit und Ursprünglichkeit eines schriftlichen Zusammenhanges nicht aus; es ist möglich, daß schon die erste Aufzeichnung der mündlichen Tradition allerlei in Verbindung brachte, was in keiner innerlichen Verwandtschaft stand.«

Doch die hohe Bedeutung der mündlichen Überlieferung und ihre Geschichte – von den vermuteten Ursprüngen über Umbrüche und Neuinterpretationen bis zur Spätform – hat erst H. GUNKEL erkannt. Dabei blieb für ihn die Frage nach der »Geschichte der Überlieferung der Sagen« (Genesis LVIff) fest verbunden mit der Rekonstruktion der Quellenschriften, die er wesentlich als Sammlung aus »Erzählerschulen« verstand; ähnlich hielt später M. NOTH bei seinem Arbeitsziel, einer »Überlieferungsgeschichte des Pentateuch«, an der Quellenscheidung fest.

1. Das sog. kleine geschichtliche Credo und der altisraelitische Kult

Zum Thema: LOHFINK, N., Zum »kleinen geschichtlichen Credo« Dtn 26,5–9, ThPh 46, 1971, 19–39 (vgl. ders., Unsere großen Wörter, 1979, 76–91). – MERENDINO, R. P., Das deuteronomische Gesetz, 1968, 346ff. – MOWINCKEL, S., Le décalogue, 1927. – RAD, G. v., Das formgeschichtliche Problem (s.o. III). – RICHTER, W., Beobachtungen zur theologischen Systembildung, FS M. Schmaus I, 1967, 175–212. – ROST, L., Das kleine geschichtliche Credo, Das kleine Credo und andere Studien zum AT, 1965, 11–25. – WALLIS, G., Die geschichtliche Erfahrung und das Bekenntnis zu Jahwe im AT, ThLZ 101, 1976, 801–816 (Lit.). – WASSERMANN, G., Das kleine geschichtliche Credo, TheolVers 2, 1970, 27–46.

Zum altisraelitischen Kult: KRAUS, H. J., Gottesdienst in Israel, [2]1962. – DERS., Theologie der Psalmen. BK XV/3, 1979. – KUTSCH, E., Feste und Feiern II. In Israel: RGG II, [3]1958, 910–917 (Lit.). – OTTO, E. (SCHRAMM, T.), Fest und Freude, 1977 (vgl. Feste und Feiertage II, TRE 11, 1983, 96–106; Lit.). – RENDTORFF, R., Der Kultus im Alten Israel (1956), GSt zum AT, 1975, 89–109. – SCHMIDT, W. H. (s. o. II 1), § 9 (Lit.).

Hatten H. Gunkel in der Genesis und H. Greßmann im Exodusbuch (1913) die Einzelsagen und Sagenkränze herausgearbeitet, so wandte sich G. v. RAD den übergreifenden Zusammenhängen zu: der Gesamtkomposition des Hexateuch (1938). Er verstand den Hexateuch als »barocken Ausbau« oder als »Endstadium« eines Bekenntnisses, das die Hauptstadien der Heilsgeschichte – Vätergeschichte, Bedrükkung in Ägypten, Herausführung, Landnahme – wiedergibt. Es ist vor allem in Dtn 26,5ff (auch 6,20ff; Jos 24) und in »freien Abwandlungen in der Kultlyrik« (Ps 135f u. a.) erhalten (GSt 10f.16).

»Ein umherirrender (dem Untergang naher?) Aramäer war mein Vater.

Er zog nach Ägypten, war dort ein Fremdling mit nur wenigen Leuten, wurde jedoch zu einem großen, starken und zahlreichen Volk. Aber die Ägypter ... bedrückten uns ... Da schrieen wir zu Jahwe, dem Gott unserer Väter. Er hörte unsere Stimme, ... führte uns aus Ägypten heraus, ... brachte uns an diesen Ort und gab uns dieses Land, ein Land, das von Milch und Honig fließt.

Nun bringe ich die Erstlinge (das Beste) von den Früchten des Landes, das du mir gegeben hast, Jahwe.« (Dtn 26,5–10 gekürzt)

Noch in seiner »Theologie« hielt v. Rad diese Summarien für »die ältesten Darstellungen der Heilsgeschichte« (so die Überschrift I[4], 135), »aus denen der mächtige Baum des Pentateuch mit der Zeit erwachsen ist« (zustimmend M. NOTH, ÜP 48). Mittlerweile wurde das knappste und für v. Rad wichtigste dieser Geschichtskompendien, eben Dtn 26,5ff, mehrfach auf seine Sprache untersucht, und dabei hat sich v. Rads Annahme, hier handele es sich um einen Text »mit allen Anzeichen eines hohen Alters« (a.a.O.), nicht bewährt. In seiner früheren Darstellung hatte v. Rad bereits »deuteronomische Phraseologie« in dem Formular erkannt, allerdings gemeint: »Die Entfernung der deuteronomischen Übermalung und eine versuchsweise Herausarbeitung der ursprünglichen Form wäre wohl keine allzu gewagte Sache« (GSt 12). In diesem Sinne bemühte man sich seitdem mehrfach, eine jüngere Übermalung von einer alten Grundschicht abzuheben (MERENDINO, WASSERMANN, LOHFINK); jedoch führten die verschiedenen Versuche zu keinem übereinstimmenden Ergebnis. In seiner Neubearbeitung des Genesis-Kommentars fügt v. Rad hinzu:

»Der Text 5Mose 26 trägt deutliche Spuren einer jüngeren Überarbeitung. So ist es schwer zu sagen, wann solche Geschichtssummarien entstanden und in Gebrauch gekommen sind... Unmöglich dagegen wäre es, diese Geschichtssummarien umgekehrt für spätere Resumés aus den großen hexateuchischen Geschichtsentwürfen zu halten.« (ATD 2–4, [9]1972, 3)

Dennoch scheint eben dies der Fall zu sein. Am ehesten stellt der geschichtliche Rückblick, der (in Verbalsätzen) den Handlungsverlauf vom Aufenthalt in Ägypten bis zur Landnahme erzählt und diese Vergangenheit vergegenwärtigt: »Die Ägypter bedrückten *uns*, da schrieen *wir* zu Jahwe«, einen Einschub dar (so schon L. Rost, 17f). Ursprünglich standen Vergangenheit und Gegenwart, Nomadendasein des Vorfahren und Erntedank des Bauern, wohl unmittelbar gegenüber (Dtn 26,5.10):

»Ein umherirrender Aramäer war mein Vater.
Nun bringe ich die Erstlinge von den Früchten des Landes.«

Darum liegt die Annahme näher, daß die Geschichtssummarien in diesen wie in anderen Fällen doch »spätere Resumés« der im Pentateuch vorliegenden Geschichtsdarstellung sind, also die älteren Quellenschriften des Jahwisten und Elohisten, ja vermutlich sogar der jüngeren Priesterschrift (vgl. BK II/1 41.47 zu Ex 1,14P) voraussetzen.

Allerdings hat der von G. v. Rad stark hervorgehobene Tatbestand, daß die Sinaioffenbarung in den Credoformulierungen nicht erwähnt wird, bisher keine befriedigende Erklärung gefunden. Hat A. Weiser (EinlAT, [6]1966, 83) mit der Vermutung doch recht, daß »der Inhalt der Sinaiüberlieferung nicht geschichtliches Ereignis in demselben Sinn ist wie die geschichtlichen Ereignisse beim Auszug und beim Einzug, sondern Gottesbegegnung, die auf die Verpflichtung des Volkes auf die in den Geboten enthaltene Willenskundgebung Gottes hinausläuft?« Jedenfalls reicht jener Tatbestand nicht aus, an der Frühdatierung der Geschichtssummarien festzuhalten.

Trotz dieser erheblichen Einschränkungen bleibt v. Rad allerdings das Verdienst, auf Bekenntnisformulierungen im AT und ihre Bedeutung für die Theologie mit Nachdruck hingewiesen zu haben.

Die Neubewertung des sog. kleinen Credo – wie auch die Zurückhaltung gegenüber der »Amphiktyonie« (o. II 3) – hat Konsequenzen für die Rekonstruktion des *Kults.* G. v. Rad (GSt 15) hatte den Schluß gezogen: »Die feierliche Rezitation der Hauptdaten der Heilsgeschichte, sei es als direktes Credo oder als paränetische Rede an die Gemeinde, muß einen festen Bestandteil des altisraelitischen Kultus gebildet haben.« Genauer hatten nach v. Rad, der Anregungen S. Mowinckels (Le décalogue, 1927) aufnahm, die Sinaiüberlieferung ihren Ort am Bundesfest zu Sichem (vgl. Jos 24), die Auszugs-Landnahmetradition am Wochenfest zu Gilgal (vgl. Jos 3f). Beide hatten also ihren Haftpunkt an verschiedenen Heiligtümern.

Müssen für v. Rad Sinai- und Landnahmetradition kultgeschichtlich »geschieden werden« (zuletzt ATD 2–4[9], 7), so bilden für A. Weiser »die Theophanie-(Sinai-)Tradition mit Willensoffenbarung Gottes und Bundesschluß einerseits und die Darstellung der geschichtlichen Heilstaten Jahwes als Gottes Wesensoffenbarung andererseits die ursprünglichen Grundbestandteile ein und desselben am Zentralheiligtum des sakralen Stämmeverbandes gefeierten Festes« (EinlAT[6] 86). Darum gewinnt für A. Weiser das »Jahwe-Bundesfest« bei der Erklärung der Psalmen (ATD 14/15), auch noch des Jeremiabuches (ATD 20/21), entscheidende Bedeutung. Wie sehr sich auch in dieser Hinsicht inzwischen die allgemeine Lage gewandelt hat, mag eine persönliche Stellungnahme R. Rendtorffs von 1967 verdeutlichen, der 1956 eine instruktive Übersicht »Der Kultus im Alten Israel« veröffentlicht hatte:

Nach S. Mowinckel und G. v. Rad »verbreitete sich die Tendenz, für viele Texte und Traditionen einen bestimmten kultischen Sitz im Leben anzunehmen... Aber in den letzten Jahren ist ein sehr deutliches Nachlassen dieser Tendenz erkennbar. Sie hat zahlreiche Kritiker gefunden... Mehr und mehr hat sich der Eindruck verstärkt, daß wir über den israelitischen Kult sehr wenig wissen – auch über den Kult des Herbstfestes. Ich muß auch von mir sagen, daß ich diese Entwicklung mit durchgemacht habe. Vor zehn Jahren erschien mir vieles an den kultgeschichtlichen Thesen einleuchtend und sogar überzeugend. Ich muß mich aber mehr und mehr zu denen rechnen, die zugeben, daß wir wenig – allzu wenig über den israelitischen Kult wissen. Deshalb sind auch die Möglichkeiten, für bestimmte Texte einen kultischen Sitz im Leben anzugeben, m.E. immer geringer geworden. Hier stellt sich einfach die Frage nach der Tragfähigkeit der wissenschaftlichen Hypothesen. Ich bin darin, zusammen mit vielen anderen, sehr skeptisch und zurückhaltend geworden.« (EvTh 27, 1967, 151)

Gewiß bleibt auch bei einer solchen Neueinschätzung der Sachlage die Frage nach dem »Sitz im Leben« eines Textes (insbesondere der Psalmen) oder einer Tradition notwendig; nur wird eine Antwort die Texte individueller abhorchen, behutsamer erfolgen und angesichts möglicher Einwände bescheidener ausfallen. Obwohl es auch gegenläufige Tendenzen gibt (E. Otto, Das Mazzotfest in Gilgal, 1975; Fest und Freude, 1977), wird die kultgeschichtliche Erklärung, die übrigens schon bei M. Noth zurücktritt, kaum mehr die allumfassende Bedeutung für das Verständnis so vieler und in sich vielfältiger Texte zurückgewinnen. Das verbreitete Wohlwollen gegenüber dieser Sichtweise ist selbst dort skeptischer Zurückhaltung gewichen, wo man die Fragestellung prinzipiell für berechtigt hält.

2. Literarkritik, Überlieferungsgeschichte, Redaktionsgeschichte

Kraus, H. J., Zur Geschichte des Überlieferungsbegriffs in der atl. Wissenschaft (1956), Biblisch-theologische Aufsätze, 1972, 278–295. – Noth, M., ÜP (s. o. II 1). – Paulsen, H., Traditionsgeschichtliche Methode und religionsgeschichtliche Schule, ZThK 75, 1978, 20–55. – Rendtorff, R., Literarkritik und Traditionsgeschichte, EvTh 27, 1967, 138–153. – Ringgren, H., Literarkritik, Formgeschichte, Überlieferungsgeschichte, ThLZ 91, 1966, 641–650. – Schmidt, W. H., Plädoyer für die Quellenscheidung, BZ 32, 1988, 1–14.

Ist es nicht mehr möglich, den umfangreichen Pentateuch aus dem allmählichen Anwachsen der Credoformulierungen zu erklären, dann ist die Forschung auf die Analyse des Pentateuch zurückgeworfen; die Frage nach seiner Entstehung bleibt nur aus ihm selbst beantwortbar. In seiner »Überlieferungsgeschichte des Pentateuch« (1948), die umfassend dem Werden des Pentateuchguts nachgeht, gelang es M. Noth, Literarkritik und Überlieferungsgeschichte, Analyse der schriftlichen Quellen und der mündlichen Überlieferungen, zu verbinden; zudem konnte Noth seine zusammenfassend vorgetragene Auffassung später in Kommentaren (ATD zu Ex, Lev, Num) im einzelnen vorführen. Unabhängig davon, wieweit man seinen zum Teil sehr kritischen Ergebnissen (vgl. o. II 2) zustimmt, wird man darum erkennen müssen (R. E. Clements, 113): »No comparable comprehensive treatment of Pentateuchal problems, using the insights of tradition-history and redaction-criticism, has appeared to rival the work of M. Noth.«

Dabei hält M. Noth an der ursprünglichen Selbständigkeit der drei Quellenschriften – des Jahwisten (J), des Elohisten (E) und der Priesterschrift (P) – fest, vertritt jedoch keineswegs eine reine Urkundenhypothese, sondern verknüpft sie mit Momenten einer Ergänzungshypothese: »Es ist eine der Quellen zugrunde gelegt und laufend durch geeignete Elemente der anderen Quelle ergänzt und bereichert worden« (ÜP 25).

Schon J. Wellhausen wandte sich gegen die Annahme, »daß die drei Quellen neutral nebeneinander hergelaufen seien, bis ein Späterer sie allesamt zugleich zu einem Ganzen vereinigt habe« (Proleg.[6] 8; vgl. Comp. 22).

Weil zunächst E in J, später das so entstandene gemeinsame – auch Jehowist genannte – Werk J/E in die mit Moses Tod abschließende Priesterschrift als Gesamtrahmen eingearbeitet wurde, ist der Elohist nur fragmentarisch erhalten, und der Abschluß der älteren Quellenschriften mit der Landnahmetradition ging verloren.

Wie schon H. Gunkel (Genesis LXXXIII) vertritt M. Noth die Auffassung, daß die älteren Quellenschriften nicht – literarisch unmittelbar – voneinander abhängig seien, weder J von E noch E von J. So erklärt er die Übereinstimmungen mit Hilfe »einer beiden Quellen gemeinsamen Grundlage« G, läßt aber offen, ob sie schriftlich fixiert oder nur mündlich ausgeformt war (ÜP 40ff). Dieser Rückgriff hinter die Texte ist besonders umstritten. Wenn man ihn (noch) wagt, wird man wohl nur mündliche Überlieferungen erwarten können. Sie kann Gemeinsamkeiten wie Unterschiede der Quellenschriften verständlich machen.

Schienen sich die literarkritische Rückfrage nach dem Text und die überlieferungsgeschichtliche nach der mündlichen Tradition eine Zeitlang gut zu entsprechen und zu ergänzen, so drohen sie heute auseinanderzufallen. Einerseits gewinnt das mühselige, verwirrend komplizierte und darum zeitweilig vernachlässigte Geschäft der Quellenscheidung gegenwärtig erhöhte Bedeutung. Die um die Jahrhundertwende geschriebenen, fast vergessenen Kommentare – von B. Baentsch, H. Holzinger, C. Steuernagel u.a. – werden neu gelesen und erweisen sich als sorgfältig gearbeitete Informationsquelle; sie stießen auf Textprobleme, die nicht übersehen werden dürfen, sondern nach (neuen) Lösungen harren. Allerdings klaffen die z.Z. vertretenen Auffassungen – von der Spätdatierung der Quellenschriften über die Modifikation der Quellenscheidung bis zu deren Ablehnung – weit auseinander.

Um das auffälligste Beispiel herauszugreifen: Nach einer Auffassung ist das *jahwistische* Werk keineswegs, wie man üblicherweise annimmt, die älteste Quellenschrift. Für H. H. Schmid (zuvor schon F. V. Winnett, J. van Seters u.a.) steht sie vielmehr dem deuteronomisch-deuteronomistischen Sprachbereich der Exilszeit nahe; ähnlich argumentiert H. Vorländer für das jahwistisch-elohistische Werk (J/E).

Nach anderer Meinung hat es den Jahwisten überhaupt nie gegeben. R. Rendtorff sucht die Ausscheidung des Jahwisten als Irrweg der Forschung zu erweisen, ja urteilt generell: »Die Annahme von ›Quellen‹ im Sinne der Urkundenhypothese vermag heute keinen Beitrag mehr zum Verständnis des Werdens des Pentateuch zu leisten« (Problem 148). Literarkritik braucht nicht Quellenscheidung zu bedeuten (12.150). Vielmehr geht Rendtorff von den Überlieferungsblöcken Ur- und Vätergeschichte, Exodus-, Sinai-, Wüsten- und Landnahmetradition aus und versteht sie als über lange Zeit selbständige größere Einheiten.

Erschien es Rendtorff früher »unmöglich, die Annahme aufzugeben, daß die älteren Erzählungsbestandteile schon vor P einen größeren Zusammenhang gebildet haben« (EvTh 27, 1967, 147), so urteilt er heute grundsätzlich: Bisher ist »kein überzeugender Nachweis dafür erbracht worden, daß die erkennbare Bearbeitung der Überlieferungen in verschiedenen Teilen des Pentateuch tatsächlich auf denselben Bearbeiter oder Autor zurückgeht« (Problem 28). Selbst die priesterliche Bearbeitungsschicht greift »zwar über die Grenzen der einzelnen größeren Einheiten hinweg«, umfaßt »jedoch nicht den ganzen Pentateuch«; erst die gelegentlich erkennbare deuteronom(ist)isch geprägte Bearbeitungsschicht erstreckt sich über den ganzen Pentateuch (162ff; vgl. Einführung 171ff).

Demgegenüber erneuert eine dritte Ansicht die schon früher von R. Smend (1912), O. Eißfeldt und G. Fohrer vertretene Aufteilung des Jahwisten auf zwei Quellen – allerdings mit der wesentlichen Modifikation, daß zwischen einem älteren und jüngeren Jahwisten zu unterscheiden ist. Zwischen beide tritt der Elohist, der (wie schon von P. Volz – W. Rudolph, 1933; S. Mowinckel u.a.) als Ergänzungsschicht aufgefaßt wird, so daß sich für den vorpriesterschriftlichen Pentateuch grob die Abfolge J^1-E-J^2 ergibt. Dieses »redaktionsgeschichtliche Modell« entwickelt H. C. Schmitt im Anschluß an eine Analyse der Josephsgeschichte und vertritt O. Kaiser in der vierten Auflage seiner »Einleitung« (bes. 51f. 83ff; vgl. [5]1984, 55ff. 91ff). Demgemäß spricht er statt von Quellenschriften jetzt von aufeinanderfolgenden »Pentateuchschichten«.

Angesichts dieser verwirrenden Vielfalt von – leicht noch ergänzbaren – Ansätzen und Ansichten mag es gut sein, sich den methodischen Ausgangspunkt zu vergegenwärtigen.

»Literarkritik, die Abgrenzung, Uneinheitlichkeit sowie Zusammenhang eines Textes untersucht, kann entweder auf Ergänzungen stoßen – sei es kurze kommentierende Erläuterungen (sog. Glossen), sei es ausführlichere redaktionelle Bearbeitungen – oder einst selbständige Schriften entdecken, die erst nachträglich miteinander verbunden wurden.

Um die Gefahr zu vermeiden, vorgeprägte Ergebnisse zu erzielen, wird man bei der Exegese weniger Meinungen gegenüberstellen als nach Argumenten suchen, vorsichtshalber vom jeweiligen *Einzeltext* ausgehen und bei dessen Untersuchung methodisch *vier Schritte* unterscheiden:

a) Analyse des Textes auf mögliche literarische Unebenheiten oder Spannungen,

b) Zuordnung der gewonnenen Textteile zu möglichst sinnvollen Erzähl- oder Handlungsabläufen, also nicht zu Fragmenten, die nicht selbständig existiert haben können,

c) Vergleich mit dem näheren oder ferneren Kontext und damit Einordnung in größere Zusammenhänge,

d) Erklärung der vorliegenden Endform des Textes.

Demnach geht die Literarkritik, mit ihr die Quellenscheidung, vom gegebenen Text aus, sucht durch Rekonstruktion seiner Vorformen seine Unstimmigkeiten verständlich zu machen und kehrt von da aus zum vorliegenden Textgefüge zurück, um auf diese Weise Uneinheitlichkeit wie Zusammenhang des Textes zu begreifen. So bekommen auch Beobachtungen zur Struktur des Gesamttextes ihr Recht.

Alle vier genannten methodischen Schritte, insbesondere die Analyse, beruhen auf Textbeobachtungen, die – auch bei Ablehnung der Quellenscheidung – bestehen bleiben, nicht schlicht vernachlässigt werden können, vielmehr der Erklärung bedürfen. Darum läßt sich dem wegen der Schwierigkeit der Fragestellung und der Strittigkeit der Methode gewiß wohlgemeinten Rat, auf Literarkritik überhaupt zu verzichten und den Text in seinem vorliegenden Kontext zu belassen, nicht folgen; denn die Probleme, die vielfach schon frühere Forschergenerationen am Text entdeckten, blieben ungelöst.

Demnach kann man bei dem gesamten methodischen Vorgehen zwei Ebenen, gleichsam die Feststellung von Sachverhalten und deren Deutung, unterscheiden. Diese beruht auf Wahrscheinlichkeitsabwägungen. Dabei verdient die Hypothese den Vorzug, die mit möglichst wenigen Annahmen möglichst viele Anstöße und Auffälligkeiten des Textes verständlich zu machen weiß, insofern viele Argumente unterschiedlicher Art aufgreift, zusammenfaßt und zu deuten unternimmt.« (BZ 1988, 2f)

Darüber hinaus erscheint es angebracht, sich einige schlichte Sachverhalte und Fragestellungen vor Augen zu halten:

a) Die *Doppelungen* im Pentateuch, nicht selten verbunden mit dem *Wechsel des Gottesnamens* (JHWH Jahwe »Herr« – Elohim »Gott«), bleiben ein Hauptanstoß der Pentateuchkritik. Warum werden etwa die Erschaffung des Menschen (Gen 1P; Gen 2J) oder die Berufung Moses (Ex 3JE; Ex 6P) zweimal erzählt (vgl. auch Gen 6–9; Ex 14 u.a.)? Entsprechende Beispiele gibt es auch im kleinen, nämlich zwischen einzelnen Versen (wie Gen 28,16J/17E oder Ex 3,4aJ/4bE). Auch läßt sich jener Wechsel mit dem Hinweis, daß nur JHWH Gottesname, Elohim »Gott« dagegen Gottesbezeichnung sei, nicht ausreichend erklären, da diese wie ein Name verwendet wird.

Man wirft der traditionellen Pentateuchtheorie, die mit der nachträglichen Verknüpfung ursprünglich selbständiger Quellenschriften durch Redaktionen rechnet, vor, einen zu »mechanischen« Prozeß zu rekonstruieren; doch hat – nach Andeutungen bei J. Wellhausen – zumindest M. Noth die Theorie in einer (oben erwähnten) Form vorgelegt, nach der die Redaktoren die Quellenschriften keineswegs gleichrangig behandelt haben. Dagegen vermögen eine reine Ergänzungshypothese oder eine redaktionsgeschichtliche Sichtweise, die faktisch »Quellenschriften« und Redaktoren in eins setzen, jene Doppelungen kaum zu erklären. Warum sollte die Redaktionsschicht den vorgegebenen Textbestand, statt ihn zu überarbeiten, zu erweitern oder zu berichtigen, vielmehr wiederholen, so Spannungen erst schaffen, die sie vermeiden konnte? In der Tat werden die Doppelungen einschließlich des Gottesnamenwechsels mit einer zweifachen Annahme leichter verständlich: (1.) Sie sind – zwar nicht überlieferungsgeschichtlich, aber doch literarisch – voneinander unabhängig entstanden. (2.) Redaktoren arbeiteten die ihnen (samt den Doppelungen) vorgegebenen Erzählungen ineinander, um die verschiedenen Motive und Intentionen zu bewahren und zugleich zu einer neuen, umfassenderen Ganzheit zusammenzufügen.

Außerdem fällt es einer konsequent redaktionsgeschichtlichen Sichtweise schwerer zu erklären, daß die abgehobenen, herkömmlich einer Quellenschrift zugeschriebenen Texte doch auf weite Strecken in sich lesbar sind.

Dies gilt insbesondere für die sprachlich ausgrenzbare, durch ähnliche Stilmerkmale ausgezeichnete und theologische Reflexion verratende *Priesterschrift*. Sie bildet am ehesten keine Bearbeitungsschicht, sondern eine ursprünglich selbständige Quellenschrift.

Läßt sich schließlich nachweisen, daß die jeweils jüngeren Texte (durchgehend) literarisch auf die älteren bezogen sind, wie es das redaktionsgeschichtliche Erklärungsmodell eigentlich verlangt? Dafür reicht die Übereinstimmung in häufig vorkommenden Wörtern, in Motiven oder auch im Handlungsaufriß nicht aus; sie könnte durch gemeinsame Tradition hervorgerufen sein.

b) Eine entscheidende Frage bei der gegenwärtigen Problemlage der Pentateuchkritik lautet: Auf welche Weise sind die bei der Analyse gewonnenen Einzeltexte aufeinander bezogen? Lassen sich innerhalb der literarischen Schichten *Querverbindungen* auffinden? Wie fügen sich die einzelnen Texte und Stränge in einen größeren Rahmen ein – zunächst innerhalb der Überlieferungsblöcke, dann darüber hinaus in umfangreichere Ordnungsgefüge bis hin zu den Quellenschriften? Erst solche Querverbindungen zeigen, daß sich im Pentateuch – um die traditionellen Begriffe aufzunehmen – nicht nur »Fragmente«, sondern auch fortlaufende »Urkunden« finden. D.h., die Querverbindungen belegen den inneren Zusammenhalt der Quellenschriften und haben damit theologische Bedeutung, da die Intention des Einzeltextes von dem Zusammenhang abhängt, in den er gestellt wird. In diese Richtung zielen die Versuche – analog zur »redaktionsgeschichtlichen« Frage nach der Theologie der Evangelisten –, ein »Kerygma« des Jahwisten (H. W. Wolff; vgl. O. H. Steck, L. Schmidt, W. H. Schmidt u. a.), des Elohisten (H. W. Wolff u. a.) oder der Priesterschrift (K. Elliger, W. Bruegge-

MANN, N. LOHFINK u.a.) herauszuarbeiten. Diese Bemühungen müßten unbedingt fortgesetzt werden.

Während die Zusammenhänge in der jüngeren Priesterschrift über eine weite Strecke (Gen 1; 9; 17; Ex 6) offenkundig sind, bleiben sie im älteren Textbestand schwerer aufzudecken. Doch finden sich, wie oft beobachtet wurde, auch zwischen den elohistischen Teilen Querverbindungen.

Da die Quellenscheidung im wesentlichen an der Genesis entwickelt wurde, bleibt es angesichts der gegenwärtigen Forschungssituation bedauerlich, daß in dem umfangreichen Genesis-Kommentar von C. WESTERMANN literarkritische Probleme nur verhalten besprochen werden. Beispielsweise wünschte man sich, daß an den Charakteristika des zusammengehörigen Komplexes Gen 20–22 das Für und Wider des Elohisten nicht nur mehr beiläufig erwähnt (BK I/2, 1981, 390f. 398. 413f u.a.), sondern diskutiert wird.

c) In ähnlicher Weise hängt die Intention eines Textes oder größeren Textkomplexes von der Situation ab, in der er spricht. Was will er seinen Hörern oder Lesern sagen? So bleibt die gegenwärtig besonders umstrittene Aufgabe unumgänglich, *Entstehungszeit* und *-ort* der Texte, Schichten oder Quellenschriften zu ermitteln.

Die Schwierigkeit der Datierung der Quellenschriften ist kein Gegenargument gegen deren Existenz; denn die Frage nach Zeit und Ort ist erst Konsequenz der Textanalyse und setzt sowohl eine genaue Abgrenzung der Quellenschriften als auch eine Einigung über die Kriterien der Datierung voraus.

Dabei sollte man sich vor Augen halten, daß sprachliche und geistesgeschichtliche Argumente nur in eindeutigen Fällen – dies sind insgesamt aber eher Ausnahmen – eine zeitliche Einordnung ermöglichen, insbesondere zu einer Spätdatierung zwingen.

Die Ausdrucksweise muß etwa typisch deuteronomistisch oder priesterschriftlich sein, und wiederkehrende Wortverbindungen haben Vorrang vor Einzelwörtern.

Insofern kommt Anspielungen auf (zeit-)geschichtliche Ereignisse eine höhere Beweiskraft zu, da sie unabhängiger von dem Bild sind, das sich der einzelne Exeget von Geistes- und Theologiegeschichte der Jahrhunderte macht.

Für die grobe Datierung behält das Argument J. WELLHAUSENS (Proleg. [6]35) seine Bedeutung: Im Deuteronomium (Kap. 12) wird »die Einheit des Kultus gefordert«, in der Priesterschrift »vorausgesetzt«. Außerdem nimmt die Priesterschrift (Gen 6,13; Ex 6,9 u.a.) die Botschaft der sog. Schriftpropheten des 8. und 7. Jh. auf.

d) Datierungsfragen sind auch für die überlieferungsgeschichtliche Erklärungsweise nicht unwichtig. Als M. Noth die ursprüngliche *Selbständigkeit der Pentateuchthemen* – d.h. der Überlieferungsblöcke, wie der Vätergeschichte, der Exodus- oder Sinaitradition – betonte, hielt G. v. Rad ihm entgegen: »Der literarische Befund scheint ihm auch recht zu geben, denn in den meisten Fällen erscheinen die ›Themen‹ selbständig. Trotzdem setzen auch diese Einzelthemen immer schon eine Vorstellung von dem Ganzen voraus. Eine Führung in der Wüste kann nicht ohne die Herausführung aus Ägypten gedacht worden sein und umgekehrt. Auch die Verheißung an die Väter ist ... auf die Herausführung aus Ägypten usw. bezogen worden« (TheolAT I⁴ 136 Anm. 21). Diesen Einwand wird man zumindest in einer doppelten Frage aufnehmen können: Ist es wahrscheinlich, daß die Traditionskomplexe über Jahrhunderte, gar bis in die exilisch-nachexilische Epoche, jeweils für sich weitergelebt haben? Können diese Überlieferungsblöcke ihren Sinn in sich selbst tragen, eine eigene, eigenständige Theologie haben? Hier bedarf es weiterer Forschungen, die sich tastend um eine Antwort bemühen.

e) Zumindest in einer Hinsicht wird man allerdings die Fragestellung gegenüber der älteren Forschung verfeinern müssen: Wahrscheinlich ist der Eigenanteil der *Redaktoren* an der Endgestalt des Pentateuch höher zu bewerten, als es bisher – auch noch bei M. Noth, der sehr wohl von »deuteronomistisch stilisierten« und anderen Zusätzen wußte – geschah. Auf diesen Sachverhalt machen insbesondere E. Zenger (Die Sinaitheophanie, 1971), A. Reichert (ThLZ 98, 1973, 957ff), P. Weimar u.a. aufmerksam. Möchte man O. Eissfeldts Versuch einer »Hexateuch-Synopse« (1922. 1962) erneuern, wird man außer den Spalten für J, E und P eine weitere Rubrik freihalten müssen, und zwar für die Versteile, Verse oder gar Abschnitte, die bei Zusammenordnung (und gelegentlich Umstellung) der Quellenschriften von den Redaktoren hinzugefügt wurden. Dies gilt auch dann, wenn man den Anteil der Redaktion an der Textgestalt nicht zu hoch bewerten möchte.

In der Ausgrenzung der – mehrstufigen – Redaktion des Pentateuch liegt übrigens ein längst gesehenes (vgl. etwa H. Holzinger, EinlHex 476ff), aber kaum genügend beachtetes und gegenwärtig besonders wichtiges Problem der Forschung. Wie die Deutung prophetischer Verkündigung wesentlich durch die Ausscheidung des sog. echten Gutes mitgeprägt ist (u. VI 2), so hängt die Beurteilung der (älteren) Pentateuchquellenschriften, sowohl die Einschätzung ihres Alters als auch das Verständnis ihrer theologischen Intention, von der Zuweisung des Textbestands an diese Quellenschriften ab. Demnach hat die rechte Erfassung des Redaktionsprozesses maßgeblichen Einfluß auf das Gesamtbild vom Pentateuch.

In dieser Situation setzt R. SMEND in seiner Darstellung der »Entstehung des AT« konsequent bei den Pentateuchredaktionen ein, obwohl er einräumt: »Unsere Kenntnis von ihnen ist noch nicht groß. Sie sind uns meist nur indirekt greifbar« (38). Auch wenn darum der Einsatz beim »festen Ausgangspunkt« (11) im Recht zu sein scheint, so ist er faktisch, d.h. in der Durchführung, doch mit erheblichen Schwierigkeiten belastet. Die Redaktionen sind der Analyse nicht unmittelbar zugänglich; diese muß vielmehr bei der Beobachtung von Doppelungen, Widersprüchen u.a. einsetzen. Läßt sich die Zugehörigkeit oder Nicht-Zugehörigkeit von Texten zu Quellenschriften darum nicht vielfach leichter begründen als die Zuweisung zu einer der verschiedenen Redaktionsschichten?

Soll man abschließend ein Urteil wagen, damit der knappe Problemüberblick nicht nur mit Fragen endet, so kann es nur eine persönliche Meinung sein: Trotz aller Zweifel und Neuansätze stellt die Dreiquellentheorie, die die Anstöße des Pentateuch verständlich werden läßt, ohne zu komplizierte Annahmen zu machen, doch wohl eine Art Grenzwert dar; sie ist kaum aufzuheben, aber zu ergänzen und zu erweitern – etwa mit den Fragen nach der Tradition und der Redaktion.

Noch ein Blick vom Pentateuch auf die Geschichtsbücher! Auch bei ihnen gewinnt die Erforschung der Redaktion erhöhte Bedeutung. Hatte M. NOTH, der »Vater des *deuteronomistischen Geschichtswerkes*« (O. Eißfeldt, EinlAT³ 323), an *einen* Deuteronomisten als Autor gedacht, der aus verschiedenartigen vorliegenden Materialien eine fortlaufende Darstellung vom Deuteronomium bis zum zweiten Königsbuch schuf (Überlieferungsgeschichtliche Studien, 1943), so denkt man heute an eine deuteronomistische Schule, die zwar in ähnlichem Geist, aber doch mit gewissen Unterschieden in Sprache und Intention ihr Werk erstellte. Dabei sucht man von der Grundschicht insbesondere eine prophetische und eine nomistische Bearbeitung abzuheben (zusammenfassend R. SMEND, EntstAT 110ff; vgl. auch E. WÜRTHWEIN, ATD 11 zu den Königsbüchern). Bei Überspitzung dieses Ansatzes, wie sie in einzelnen Arbeiten erkennbar wird, droht die Gefahr, die deuteronomistische (Schul-)Sprache in eine Vielzahl von Schichten aufzulösen.

In diesem Zusammenhang stellen sich weitere Probleme: Bildet das Deuteronomium überhaupt das auslösende Moment für die deuteronomistische Bewegung, und welchen Umfang hatte jenes

Urdeuteronomium, das 621 v. Chr. in der Reform des Königs Joschija/Josia (2Kön 22f) zur Wirkung gelangte? Gelegentlich wird darüber hinaus in Zweifel gezogen, daß jene Reform historisch überhaupt stattgefunden oder ein vorexilisches Deuteronomium bestanden hat (vgl. im Anschluß an G. Hölscher: O. Kaiser, EinlAT § 11; H. D. Preuss, Deuteronomium, EdF 164, 1982).

Jedenfalls ist die Forschung auch in diesem Bereich – ähnlich wie im Pentateuch – eher durch vielfältiges tastendes Fragen als durch die allgemeine Anerkennung bestimmter Antworten gekennzeichnet.

IV. Die Psalmen

Einführungen: Barth, Ch., Einführung in die Psalmen, 1961. – Seidel, H., Auf den Spuren der Beter, [2]1987. – Seybold, K., Die Psalmen, 1986. – Westermann, C., Der Psalter, [4]1980. – Zenger, E., Mit meinem Gott überspringe ich Mauern, 1987.

Forschungsberichte: Becker, J., Wege der Psalmenexegese, 1975. – Gerstenberger, E. S., VF 17/1, 1972, 82–99; 19/2, 1974, 22–45. – Neumann, P. H. A. (Hg.), Zur neueren Psalmenforschung. WdF 192, 1976. – Seybold, K., Beiträge zur Psalmenforschung, ThR 46, 1981, 1–18. – Stamm, J. J., Ein Vierteljahrhundert Psalmenforschung, ThR 23, 1955, 1–68. – Stendebach, F.-J., Die Psalmen in der neueren Forschung, BiKi 35, 1980, 60–70.

Aufsätze und Monographien: Becker, J., Israel deutet seine Psalmen, 1966. – Crüsemann, F., Studien zur Formgeschichte von Hymnus und Danklied in Israel, 1969. – Haag, E. - Hossfeld, F.-L. (Hg.), Freude an der Weisung des Herrn. FS H. Groß, [2]1987. – Gerstenberger, E. S., Der bittende Mensch, 1980. – Gunkel, H. - Begrich, J., Einleitung in die Psalmen, 1933. [4]1984 (= EinlPs). – Keel, O., Feinde und Gottesleugner, 1969 (vgl. Die Welt der altorientalischen Bildsymbolik und das Alte Testament, [3]1984). – Kraus, H.-J., Psalmen, BK XV/1–2, [5]1978. – Ders., Theologie der Psalmen, BK XV/3, 1979. – Reventlow, H. Graf, Gebet im Alten Testament, 1986. – Ruppert, L., Der leidende Gerechte, 1972. – Spieckermann, H., Heilsgegenwart. Eine Theologie der Psalmen, Habilitationsschrift Göttingen 1986. – Stolz, F., Psalmen im nachkultischen Raum, 1983. – Westermann, C., Lob und Klage in den Psalmen, [6]1983.

Bezeugen Pentateuch und Geschichtswerk die Bedeutung der Erinnerung für die Gegenwart, so loben und klagen, hoffen und bekennen die Psalmen in dieser Gegenwart. Behalten sie darum nicht etwas Eigenartiges, was sich eher meditativem Nachvollzug als wissenschaftlichem Zugriff erschließt? Sie sprechen in der Mehrzahl die Erfahrungen einzelner, zu einem gewichtigen Teil aber auch die Überlieferungen der Gemeinschaft aus.

Eine einheitliche Interpretation der Psalmen gibt es kaum, wohl nicht einmal eine allgemeine Tendenz der Psalmenforschung; unterschiedliche Ansätze werden nebeneinander erprobt. Einzelstudien haben Vorrang; mehr und mehr wird jeder Psalm individuell abgehorcht. Sind für die Forschungslage – trotz einzelner Arbeiten zu Psalmengruppen oder Themen – nicht am ehesten die Aufsätze oder gar Monographien charakteristisch, die sich unter verschiedenen Fragestellungen jeweils einem Psalm zuwenden?

Schon die – vermutlich – nachträglich vorangestellten Überschriften suchen für den Psalm eine passende Lebenssituation.

Beispielsweise wird Ps 51 wohl auf Grund der weitgehenden Übereinstimmung des Schuldbekenntnisses von V 6 mit 2Sam 12, 13 bei dieser Begebenheit verankert.

Auch außerhalb des Psalters haben Psalmen einen solchen »Ort« erhalten (1Sam 2; Jon 2 u. a.).

Die – in dieser Richtung weiterschreitende – *historische* Interpretation, welche die Psalmen auf Zeit und Ort ihrer Entstehung in Israels Geschichte zu befragen unternimmt, bleibt aber vielfach erfolglos; die Datierung der Psalmen ist nur ausnahmsweise ein gesichertes Forschungsergebnis. Der Psalter enthält Lieder und Gebete aus verschiedenen Jahrhunderten, und konkret-eindeutige Bezüge sind insgesamt selten. Einerseits nehmen die Psalmen vorgeprägte Ausdrucksweise auf, andererseits wollen sie vorsprechen, an individuellen Erfahrungen Anteil geben (z. B. Ps 32,1f vor dem »Ich« V 3ff). So tritt das Persönlich-Einmalige oder gar Biographische gegenüber dem Mitteilbaren zurück. Dienten einige Psalmen, auch wenn sie nicht als »Formulare« oder »Rituale« konzipiert waren, vielleicht gar Generationen als Anleitung zum Nach- und Mitsprechen, bezogen sich also schon früh, wenn nicht seit je, auf verschiedene Situationen?

Erfolgreicher bleibt die Rückfrage nach den allgemeinen Entstehungsbedingungen, nämlich der »geistigen Welt« bzw. dem Überlieferungszusammenhang, dem der Psalm entstammt; in solchem Fall geht die zeitgeschichtliche in überlieferungs- (und motiv-)geschichtliche Untersuchung über.

Steht »hinter den geprägten Elementen des Textes«, den Vorstellungen, Motiven oder Themen, »ein und dasselbe Überlieferungsinteresse eines bestimmten Tradentenkreises, so ist ... zu schließen, der Psalmdichter schöpfe aus der Tradition dieses Kreises, wurzele in dessen Überlieferung« (W. Beyerlin, Der 52. Psalm, 1980, 21).

Das Motiv als Leitfossil »verweist auf den Gattungszusammenhang zurück, in dem das Motiv sich anbot und aktiviert wurde. Es kann den entsprechenden situativen Zusammenhang aufzeigen, in dem der Psalmist sich befand, in dem er dachte und dichtete« (W. Beyerlin, Wider die Hybris des Geistes. Studien zum 131. Psalm, 1982, 15).

Am fruchtbarsten war zweifellos die – ansatzweise schon ältere, vor allem von H. GUNKEL ausgearbeitete – *formgeschichtliche* Interpretation, die C. WESTERMANN (zuletzt in: Lob und Klage in den Psalmen, [6]1983) aufgenommen und F. CRÜSEMANN (Studien zur Formgeschichte von Hymnus und Danklied in Israel, 1969) auf strenge Weise weitergeführt hat: »Das Ergebnis ist eine Bestätigung von Gunkels gattungsmäßiger Trennung von Hymnus und Danklied des Einzelnen« (307).

Gewissermaßen als Haupt- oder Grundformen der Psalmen kann man den Hymnus (mit Imperativ und begründendem Hauptteil) und das Klagelied ansehen.

Das Mirjamlied Ex 15,21 ist kaum ein »Kurzzitat« (H. GRAF REVENTLOW, Gebet 108ff); eher wird es durch das – jüngere – Moselied 15,1ff ausgestaltet (vgl. W. H. SCHMIDT [o. II 2] EdF 191,63ff). Insofern bringt Ex 15,21 die Struktur des Hymnus (Aufruf zum Lob und Erzählung der Tat Gottes) in einem klaren wie wohl recht frühen Zeugnis zum Ausdruck (mit F. CRÜSEMANN).

Das *Klagelied* – hebräisch wohl *tefilla* »Bittlied« genannt (vgl. H. J. KRAUS' Versuch in der Neuauflage seines Kommentars [BK XV/1[5], 38ff], die formgeschichtlichen Begriffe durch hebräische Bezeichnungen zu ersetzen) – hat seinen Schwerpunkt in der Bitte; die Klage bzw. Notschilderung dient der Begründung (mit E. Gerstenberger).

Von Elementen des Klagelieds her lassen sich zwei andere Gattungen verstehen. Das *Danklied (toda),* gleichsam Folge des Lobgelübdes (vgl. Ps 118,21 mit 13,6), ist Nacherzählung der rettenden Tat Gottes vor der Gemeinde: Er hat erhört (Ps 22,23ff). So preist das Danklied einerseits Gott wegen seines Eingreifens und sucht andererseits diese Erfahrung weiterzugeben, gewinnt damit einen belehrend-didaktischen Zug (32,1f; 118,8f u. a.).

Aus dem Vertrauensbekenntnis (54,6) könnte sich das *Vertrauenslied* (Ps 23 u. a.) verselbständigt haben.

Ist die einfache, »reine« Form jeweils auch die älteste, gleichsam die Urform? Hier mag – auch angesichts der Verwurzelung der Gebetssprache im alten Orient – Skepsis angebracht sein. Jedenfalls finden sich strenge Formen im Psalter selten; im einzelnen Psalm erscheint die (erschlossene) Grundform durchweg abgewandelt, haben sich meist verschiedene Formen vermischt. Eben diese Beobachtung hilft, die Aussageabsicht des Psalms aufzufinden.

»Diese gegenseitige Beeinflussung der Gattungen wirkt sich auch auf die Aussage aus, denn Form und Inhalt stehen, wie die Formgeschichte entgegen ihrem mißverständlichen Namen eigentlich seit je gewußt hat, in Wechselwirkung zueinander und sind darum letztlich untrennbar. Die Sache bestimmt ja die Form und umgekehrt; das eine bleibt nicht konstant, wenn sich das andere wandelt.

Darum kommt auch der Auflösung einer Form eine bestimmte inhaltliche Bedeutung zu. Die Art und Weise, wie sich ein Psalm zu der ihm vorgegebenen Gattung und damit zu seiner Tradition verhält, läßt die Intention seiner Aussage erkennen. Demnach braucht man die Besonderheit eines Psalms nicht dadurch zu gewinnen, daß man die formgeschichtliche Fragestellung nach den typischen, immer wiederkehrenden Merkmalen durch eine andere Methode ergänzt, die das erschließt, was die Gattungsforschung vermissen läßt. Das Individuelle entfaltet sich nämlich nicht nur in dem Bereich, den die Gattung ihm läßt, sondern erweitert oder sprengt gar die Form, begnügt sich also nicht mit dem vorgegebenen Raum. Ja, die Einzelerscheinung kann ihre Gestalt geradezu in Auseinandersetzung mit der Überlieferung empfangen. Versteht man jedoch die Gattung als festen »Rahmen«, so gilt sie faktisch als starr und unveränderlich, als sei sie geschichtlichem Wechsel entzogen. Sucht man dagegen die je einmalige Aussage des Psalms zu erheben, indem man den Formwandel herausstellt, der sich in ihm im einzelnen vollzogen hat, so stößt man gerade mit Hilfe der formgeschichtlichen Methode und nicht abseits von ihr zu der besonderen Eigenart des Textes vor. Nur so nimmt man zugleich die Formgeschichte wirklich als Form*geschichte* ernst, denn in diesem Fall gehen formkritische und überlieferungsgeschichtliche Methode ineinander über.« (ThZ 25, 1969, 2f)

C. Westermanns ansprechende Studie »Struktur und Geschichte der Klage im AT« (1954; Lob und Klage 125ff) führt E. Gerstenberger »Der bittende Mensch. Bittritual und Klagelied des Einzelnen im AT« (1980) weiter. Die Arbeit verrät schon durch ihren Titel, daß sie »zur Erfassung des Lebenszusammenhanges« (9) die formgeschichtliche durch sozialwissenschaftliche und anthropologische Betrachtungsweise ergänzen möchte.

Die Darstellung, die den altorientalischen Hintergrund beleuchtet, geht aber wohl zu einseitig von dem Urteil aus: Die individuellen Klagegebete waren »kultisches Gebrauchsgut«. »Der Schatz der festformulierten Gebete und Lieder war der Kode für den kultischen Verkehr der Gemeinschaft mit Gott« (3). Die Klage des leidenden Einzelnen »ergeht in traditionellen Gebetsformen, die der Ritualexperte für ihn ausgesucht hat« (167).

Schon H. Gunkel (EinlPs 183) hielt S. Mowinckel entgegen: Die erhaltenen Psalmentexte widersprechen der Annahme, »daß sie nur als gottesdienstliche Formulare von ›professionellen Dichtern unter dem Tempelpersonal‹ zur Verwendung für die Laien gedichtet worden seien«. – Wieweit ist auch der Analogieschluß vom altorientalischen Hintergrund auf Gegebenheiten in Israel berechtigt?

Die Psalmen enthalten Typisches und Individuelles, Allgemeines und je Besonderes. So bewegt das altbekannte Problem die Psalmenforschung weiter, ja zunehmend: Wieweit ist der – erschlossene – »Sitz im Leben« der Ursprungsort nicht nur der (idealen) Gattung, sondern auch des Einzelpsalms?

H. Gunkel (EinlPs 10.18; vgl. 184) nimmt zwar an, daß die Psalmen (als Gattungen) »ursprünglich dem Kultus Israels entstammen«, sieht aber die Mehrzahl der Psalmen als kultfreie (sog. geistliche) Lieder an, die »bei weitem mehr persönlicher Art und aus dem religiösen Leben des einzelnen Frommen hervorgegangen sind«.

Jene Frage läßt sich nicht generell beantworten, sondern ist für jeden Psalm neu zu stellen: Ist er von Haus aus kultgebunden, oder nimmt die Gemeinde – erst mit der Sammlung, vielleicht auch mit Abwandlungen oder Zusätzen – den Psalm in ihren Gebets- und Liederschatz auf? Jedenfalls können auch in diesem Bereich Ursprungs- und Verwendungsort verschieden sein.

So scheint der ursprünglich zusammengehörige Ps 42/43 fern vom Tempel verfaßt zu sein (Ps 42,7; vgl. auch Jes 38,2f.9; Ps 63,7 u.a.), aber im gottesdienstlichen Raum weiterzuleben.

Verschiedene Arbeiten haben versucht, die Frage nach dem »Sitz im Leben« weiterzuführen, und kultische Institutionen – etwa ein Verfahren zur Wiedereingliederung des Kranken (K. Seybold, Das Gebet des Kranken im AT, 1973) – erschlossen. Jedoch erlauben die Psalmen wegen ihrer wenig konkreten Sprache durchweg keine eindeutigen Rückschlüsse. Besteht nicht auch die Gefahr, eine nur vermutete Funktion oder Situation der beobachtbaren Form überzuordnen? Gewiß verweisen allerlei Aussagen oder Anspielungen in verschiedenen Psalmenarbeiten mehr oder weniger deutlich auf einen gottesdienstlichen Hintergrund (Ps 24,3ff.7ff; 46,9; 47,6; 68,25ff; vgl. auch 30,1; 92,1; 100,1 u.a.). Allerdings stößt man bei dem Versuch einer Näherbestimmung – über allgemeine Angaben hinaus – rasch an die Grenzen des Wissens (o. III 1).

Die oft in Bildern beschriebenen *Feinde* im Klagelied des einzelnen (Ps 3,2f.7f u.v.a.) sind kaum auswärtige Gegner, sondern persönliche Feinde innerhalb des Gottesvolkes (vgl. Jer 18,18ff; 20,10; Hiobs »Freunde«); zu dem in der Forschung umstrittenen Problem sind eindrucksvolle Studien von O. Keel und L. Ruppert erschienen.

In den individuellen Klage- und Dankliedern ist »der Ort, wo sich die Religion der Psalmen mit dem Tode auseinandersetzt«, allerdings mit »der Todesnähe« und dem »Preisgegebensein an die Unterwelt« (H. Gunkel, EinlPs 185. 220). Das für dies Thema bedeutsame und einflußreiche Buch von CH. BARTH (Die Errettung vom Tode, 1947) ist mit umfangreichen Ergänzungen von B. JANOWSKI (1987) neu herausgegeben worden; es lehrt den Tod als einen in das Leben hineinwirkenden Machtbereich verstehen.

Ps 73,23ff (vgl. 49,16) bekennt auch angesichts des Todes die bleibende Gemeinschaft mit Gott (»stets bei dir«).

Ps 2 scheint auf Grund sog. *eschatologischer* Deutung (mit Ps 1) der Psalmensammlung vorangestellt zu sein. Die abschließende Ergänzung »Wohl dem, der auf ihn traut!« (2,12b) bezieht sich kaum auf den Messias (vgl. 2,2b), sondern auf Gott (was an Jes 9,6b erinnert). Der Anhang zu Ps 22 (V 28ff) enthält eindeutig eine eschatologische Erwartung.

Einige Texte (wie Ps 1,5 oder 130,8; auch die Jahwe-Königs-Lieder?) sind für – nachträgliche – eschatologische Deutung offen.

Die *redaktionsgeschichtliche* (bzw. literarkritische) Fragestellung, die im Pentateuch (o. III 2) und bei den Prophetenbüchern (u. VI 2) geübt wird, erfaßt längst auch den Psalter – mit J. BECKER (1966) formuliert: »Israel deutet seine Psalmen.« Es werden Schichten oder Stufen im Psalm wahrgenommen, so sein allmähliches Wachstum durch Fortschreibung *(relecture)* erschlossen. Gewiß lassen sich – abgesehen von den (historisierenden) Überschriften – am Ende von Psalmen nicht selten recht eindeutig Zusätze ausmachen (Ps 2,12b; 51,20f; 90,13ff; 130,7f; auch die Doxologien: 72,18ff; 89,53 u.a.). Sind in anderen Fällen die Ergänzungen zum Thema nicht eher Korrekturen der Überlieferung?

Etwa metrische oder auch kolometrische (d.h. auf Konsonantenzählung kleiner poetischer Einheiten beruhende) Beobachtungen allein reichen für ein redaktionsgeschichtliches Urteil nicht aus; es müssen verschiedenartige – sprachliche, inhaltliche u.a. – Gründe zusammentreffen.

Darum bleibt vielfach unsicher, wieweit ausgegrenzte Textbereiche oder Stadien *innerhalb* eines Psalms nicht eher überlieferungsgeschichtlich als literarkritisch zu erklären sind.

Eine ähnliche – im Anschluß an A. Robert von A. DEISSLER angeregte (Psalm 119 [118] und seine Theologie, 1955, 19ff; vgl. Die Psalmen, 1964) – Fragestellung beachtet die *»anthologische«* Struktur (später) biblischer Texte: Es werden »sprachliche und gedankliche innerbiblische Parallelen« untersucht und als Anknüpfungen oder Anlehnungen an ältere Schriften – ohne eigentliches Zitat – erklärt. So ist die jüngere Prophetie offenkundig durch die ältere beeinflußt; wieweit liegt aber ein literarisches Phänomen vor?

Beispielsweise nimmt Ps 51 prophetische Schuldeinsicht und Verheißung auf, deutet sie aber in Bitte – für den einzelnen – um (V 12; vgl. Ez 36, 26 u.a.): »Schaffe mir, Gott, ein reines Herz!«

Einige Psalmengruppen sind kaum durch Gemeinsamkeit der Gattungsmerkmale, sondern des Inhalts, Themas oder Motivs verbunden. An ihnen läßt sich Aufnahme und Abwandlung der Überlieferung – damit auch die Umgestaltung vorgegebener altorientalischer religiöser Vorstellungen durch den Jahweglauben, das allmähliche Eindringen des Eigenen in ursprünglich Fremdes – beobachten.

Gelegentlich könnten die Psalmen außerisraelitische Vorbilder (z.B. in Ps 29; 93) aufgreifen, allerdings mit charakteristischen Zusätzen (29,11; 93,5); häufiger nehmen die Psalmen eher nur fremde Überlieferungen auf (wie in Ps 19; 104), allerdings wiederum von den Eigenarten des eigenen Glaubens durchdrungen.

Bezeugen innerhalb der Königspsalmen etwa Ps 2; 110, unter den Zionspsalmen Ps 46; 48 und unter den sog. Thronbesteigungs- bzw. Jahwe-Königs-Psalmen Ps 47; 93 jeweils die ältere Tradition (vgl. zuletzt die eingehende Analyse dieser dritten Gruppe von J. Jeremias, Das Königtum Gottes in den Psalmen, 1987)?

Einzelne Psalmen können die Überlieferung, aus der sie erwachsen sind, so verallgemeinern, daß grundsätzlich-allgemeingültige Aussagen vom Menschen entstehen. So fragt Ps 8 von dem »Herrscher«, der königliche Attribute trägt: »Was ist der Mensch?« Ps 90 beschreibt nicht mehr eine bestimmte Notlage des Volkes, sondern bedenkt die menschliche Vergänglichkeit: »Du läßt den Menschen zu Staub zurückkehren.« In Ps 51 wird das Schuldbekenntnis (vgl. 38,5.19 u.a.) gleichsam verselbständigt und zugespitzt: »An dir *allein* habe ich gesündigt.« Jedoch: »Wenn du Sünden anrechnest, Herr, wer kann bestehen?« (Ps 130)

So beziehen die Psalmen Erfahrungen von Freud und Leid – in strenger Konzentration – auf Gott, bezeugen auch den verborgenen Gott als anrufbar (Ps 22; vgl. Hi 3) und bekennen vielfältig seine Zuwendung (Ps 33; 103; 113,6f; 136 u.a.).

Nicht wenige Psalmen zeigen *weisheitlichen* Einfluß (etwa Ps 37; 49; 73; 90,12 u.a.; auch die Tora-Psalmen 1; 19B; 119), und dieser scheint im Laufe der Zeit zuzunehmen.

V. Die Weisheit

Baumgartner, W., Die israelitische Weisheitsliteratur, ThR 5, 1933, 259–288. – Ders., The Wisdom Literature, Rowley, H. H. (Hg.), The Old Testament and Modern Study, 1951, 210–237. – Emerton, J. A., Wisdom, Anderson, G. W. (Hg.), Tradition and Interpretation, 1979, 214–237. – Gerstenberger, E., Zur atl. Weisheit, VF 14/1, 1969, 28–44. – Koch, K.

(Hg.), Um das Prinzip der Vergeltung in Religion und Recht des AT, 1972. – MURPHY, R. E., Die Weisheitsliteratur des AT, Conc 1, 1965, 855–862. – PREUSS, H. D., Einführung in die alttestamentliche Weisheitsliteratur, 1987. – SCOTT, R. B. Y., The Study of Wisdom, Interp 24, 1970, 20–45.

Lexikonartikel: FOHRER, G., ThWNT VII, 1964, 476–496 = ders., Studien zur alttestamentlichen Theologie und Geschichte, 1969, 242–274. – GESE, H., RGG VI, ³1962, 1574–1581. – MÜLLER, H. P., ThWAT II, 1977, 920–944 (Lit.). – SAEBØ, M., THAT I, 1971, 557–567.

Zu Geschichte und Inhalt der Weisheit: BAUMGARTNER, W., Israelitische und altorientalische Weisheit, 1933. – DOLL, P., Menschenschöpfung und Weltschöpfung in der alttestamentlichen Weisheit, SBS 117, 1985. – FICHTNER, J., Die altorientalische Weisheit in ihrer israelitisch-jüdischen Ausprägung, 1933. – GESE, H., Lehre und Wirklichkeit in der alten Weisheit, 1958. – HERMISSON, H. J., Studien zur israelitischen Spruchweisheit, 1968. – KAISER, O., Der Mensch unter dem Schicksal. Studien zu Geschichte, Theologie und Gegenwartsbedeutung der Weisheit, 1985. – LANG, B., Die weisheitliche Lehrrede, 1972. – PREUSS, H. D., Das Gottesbild der älteren Weisheit Israels, VT.S 23, 1972, 117–145. – RAD, G. v., Weisheit in Israel, ³1985. – SCHMID, H. H., Wesen und Geschichte der Weisheit, 1966. – SKLADNY, U., Die ältesten Spruchsammlungen in Israel, 1961. – WÜRTHWEIN, E., Die Weisheit Ägyptens und das AT (1960), Wort und Existenz, 1970, 197–216. – ZIMMERLI, W., Zur Struktur der alttestamentlichen Weisheit, ZAW 51, 1933, 177–204. – DERS., Ort und Grenze der Weisheit, Gottes Offenbarung, 1963, 300–315 (= GO).

Zur Nachwirkung der Weisheit in der Prophetie: FICHTNER, J., Jesaja unter den Weisen (1949), Gottes Weisheit, 1965, 18–26 (vgl. 27–43). – HERMISSON, H. J. (s. o.) 88ff. – DERS., Weisheit und Geschichte, FS G. v. Rad, 1971, 136–154. – SCHMID, H. H., Amos. Zur Frage nach der ›geistigen Heimat‹ des Propheten (1969), Altorientalische Welt in der alttestamentlichen Theologie, 1974, 121–144 (Lit.). – WOLFF, H. W., Amos' geistige Heimat, 1964 (vgl. ders., Joel/Amos. BK XIV/2, ²1975). – DERS., Michas geistige Heimat, Mit Micha reden, 1978, 30–40.

1. Weisheit als eigenes Phänomen

In seiner »Theologie« behandelt G. V. RAD die (ältere) »Erfahrungsweisheit« und die (jüngere) »theologische Weisheit« gemeinsam mit den Psalmen unter dem Gesamtaspekt »Die Antwort Israels«, nämlich als Antwort auf die grundlegenden Heilstaten (I⁴ 430ff). Besteht so aber nicht die »Gefahr, die theologischen Probleme des Alten Testaments zu einseitig im Bereich des Geschichtstheologischen zu sehen« (GSt I³ 311)? Es bedurfte wohl einer gewissen Distanzierung von der »Theologie der geschichtlichen Überlieferungen« – eher zu häufig wird jetzt v. Rads gesprächsweise geäußertes Votum zitiert:

»Ich war ein bißchen geschichtsmonoman« (FS v. Rad, 1971, 657) –, um die liebevolle Hinwendung zur »Weisheit in Israel« (1970) mit dem ihr eigenen Selbst- und Weltverständnis zu ermöglichen. Mit diesem letzten großen Werk faßt v. Rad die ihm vorausgegangene Forschung zusammen und bringt nach intensivem Hinhören die zunächst eher spröde und verschlossen anmutenden Sprüche mit ihrem Bemühen, Lebenserfahrungen – des einzelnen, nicht des Volkes – zu ordnen, sprachlich zu verdichten und zu sammeln, neu zum Reden.

Zuvor hatte besonders J. Fichtner seine Lebensarbeit diesem Bereich gewidmet und zwei bis heute wichtige Aspekte der Forschung hervorgehoben. »Die altorientalische Weisheit in ihrer israelitisch-jüdischen Ausprägung« (1933) sieht Weisheit als altorientalisches, vor allem dem ägyptischen, aber auch dem babylonisch-assyrischen Raum wohlvertrautes Phänomen und fragt innerhalb dieses Rahmens nach der – in späterer Zeit zunehmend stärker hervortretenden – Besonderheit alttestamentlicher Weisheit. Nachdem man die Abhängigkeit der Sammlung Spr 22,17–23,11 von der 1923 veröffentlichten Lehre des Amenemope erkannt hatte, war diese vergleichende Fragestellung aktuell (vgl. u. a. H. Gressmann, Die neugefundene Lehre ..., ZAW 42, 1924; W. Baumgartner, Israelitische und altorientalische Weisheit, 1933; E. Würthwein, Die Weisheit Ägyptens und das AT). Sie nimmt auch H. Gese »Lehre und Wirklichkeit in der alten Weisheit« (1958) auf und findet in den Sprüchen (wie 16,1.9; 21,1.30f), die die Freiheit Jahwes hervorheben, israelitisches »Sondergut« (45ff). Demgegenüber urteilt H. H. Schmid, der umfassend die altorientalischen Quellen zu Wort kommen läßt, zurückhaltender: »Die ältere israelitische Weisheit bewegt sich in ihrer Theologisierung ganz innerhalb gemeinorientalischer Vorstellungs- und Ausdrucksmöglichkeiten. Ein israelitisches Sondergut läßt sich hierin nicht feststellen.« (Wesen 148; zustimmend H. D. Preuss, Gottesbild; auch Einführung 50ff).

Darüber hinaus weist schon J. Fichtner betont auf die Nachwirkungen weisheitlichen Denkens weit außerhalb ihres eigenen Literaturbereichs hin. Zwar gibt es »im Geistesleben Israels wenig Erscheinungen, die einander so konträr entgegengesetzt sind, wie der Prophetismus und die Chokma (Weisheit)«, dennoch kann Fichtner in einer wichtigen und wirkungsvollen Arbeit »Jesaja unter den Weisen« darstellen (mit anderen Studien abgedruckt in: Gottes Weisheit, 1965, bes. 18). Gleichsam in Fortführung dieses Ansatzes findet H. W. Wolff weisheitliches Traditionsgut bei Amos (Amos' geistige Heimat, 1964; BK XIV/2) und auch bei Micha (Michas geistige Heimat). Außerdem stößt man auf weisheitliche Elemente in den Geschichtswerken, der Josepherzählung oder beim Jahwisten.

Die Weisheit ist also kein erst nachexilisches Phänomen (vgl. außer Jes 5,11f. 20f; 31,2 u.a. auch Spr 25,1; dazu 1Kön 5,10ff).

Daß die Aufdeckung von Weisheitszügen bei Amos – anders als bei Jesaja – nicht allgemeine Anerkennung findet (vgl. den Widerspruch von H. H. SCHMID, Altorientalische Welt 121ff), hängt damit zusammen, daß der »Sitz im Leben«, die Herkunft weisheitlichen Redens und Denkens, umstritten ist: Gab es neben der höfischen Weisheit (vgl. 1Kön 5; Spr 25,1ff u.a.), die der Beamtenschulung diente, auch eine in der Sippe oder bei den Ältesten der Landstädte gepflegte Weisheit (E. GERSTENBERGER, H. W. WOLFF)? Die Sprüche könnten Elemente der Familienerziehung (vgl. Spr. 4,3f) aufgenommen haben (B. LANG, Lehrrede 36ff). Jedenfalls wendet sich das Sprüchebuch nicht nur an einen bestimmten Stand, sondern an jedermann.

2. Weisheit als Schöpfungstheologie? Der Tun-Ergehen-Zusammenhang

In Korrektur eines frühen, leider nicht mehr nachgedruckten Aufsatzes »Zur Struktur der alttestamentlichen Weisheit« (1933), der – nicht ganz zu Unrecht – die dem Menschen zugewandte, »anthropozentrische« Seite der Weisheit hervorhebt, stellt W. ZIMMERLI später fest: »Die Weisheit des Alten Testaments hält sich ganz entschlossen im Horizonte der Schöpfung. Ihre Theologie ist Schöpfungstheologie« (GO 302). Dieses Verständnis kehrt nicht nur in Zimmerlis »Grundriß der alttest. Theologie« (138ff) wieder, sondern beherrscht noch stärker C. WESTERMANNS »Theologie des AT in Grundzügen« (1978, 85f), der auf die Weisheit nur in einem knappen Exkurs im Rahmen von »Schöpfung und Urgeschehen« zu sprechen kommt: »Die Weisheit ist profan... Im Gewinnen und Bewahren von Erfahrung, Erkenntnis und Wissen hat der Schöpfer sein Geschöpf sich selbst überlassen.« Gewiß wird damit zu Recht festgehalten, daß die älteren Sprüche erstaunlich »profan« zu argumentieren vermögen. Können aber die in den frühen Sammlungen insgesamt eher wenigen Worte über den Schöpfer (Spr 14,31; 17,5; 22,2 u.a.) die Folgerung tragen, die Weisheit betreibe – seit je – Schöpfungstheologie? Es sei denn, der Begriff würde so ausgeweitet, daß er überhaupt die Wirklichkeitserfahrung des Menschen umfaßt.

Allerdings gewinnt in den längeren, unter Aufnahme älterer Tradition wohl erst später formulierten Sprüchen, in denen die Weisheit personifiziert erscheint, das Thema Schöpfung große Bedeutung (bes. Spr 8,22ff; vgl. 3,19f; auch Ps 104 u. a.). Ob v. RAD aber einen glücklichen Begriff wählte, wenn er dabei von »Selbst-« oder »Uroffenbarung« spricht (Weisheit 189ff, bes. 227)?

Jenes Problem stellt sich ähnlich an anderer Stelle. Da die Weisheit Ordnungen in Natur und Gesellschaft zu ergründen, auf diese Weise Gefahren für das Leben zu meiden sucht (vgl. Spr 13,14), beachtet sie vor allem den Zusammenhang zwischen *Tun und Ergehen* des Menschen. In einem anregenden Aufsatz »Gibt es ein Vergeltungsdogma im Alten Testament?« (1955, Prinzip 130–180) hat K. KOCH betont herausgestellt, daß Strafe kein nachträglich von einer richterlichen Instanz auf Grund gesetzlicher Norm herbeigeführtes Geschehen, sondern Wirkung der sündigen Tat selbst ist, die die Strafe aus sich heraussetzt.

Mit der bösen Tat war »ein Böses in Lauf gesetzt, das sich früher oder später gegen den Täter oder seine Gemeinschaft wenden mußte. Die ›Vergeltung‹, die den Bösen erreicht, ist nach dieser Vorstellung jedenfalls nicht ein nachträgliches forensisches Geschehen ..., sondern sie ist eine Ausstrahlung des nunmehr weiterwirkenden Bösen; in ihr erst kommt das ... Böse wieder zur Ruhe« (G. v. RAD, TheolAT I 278).

Vergleichbares läßt sich auch über den Zusammenhang zwischen guter Tat und Heil sagen.

Was K. H. FAHLGREN schon 1932 als »synthetische Lebensauffassung« beschrieb, bestimmte K. Koch als »schicksalwirkende Tatsphäre«; dasselbe Phänomen heißt auch »Tun-Ergehen-Zusammenhang« oder, da die Sprüche nicht nur auf eine Einzeltat, sondern mit den typisch israelitischen Gegensatzpaaren »Gerechter – Frevler« o. ä. häufiger auf eine Grundhaltung des Menschen verweisen, »Haltung-Schicksal-Zusammenhang« (U. SKLADNY, Spruchsammlungen 71ff). Um ein naheliegendes Mißverständnis auszuschließen, betont G. v. Rad, daß die Sprichwörter damit keineswegs ein »Gesetz« fixieren wollen; vielmehr bleibt ein entsprechendes Verhalten eine Sache der Einsicht und des Vertrauens, zumal Fälle, die die Lebensordnung durchbrechen, nicht ausgeschlossen sind (Weisheit 129. 170. 247 u. a.).

Darüber hinaus macht F. HORST schon früh (1956) darauf aufmerksam:

»Jenes organische Ordnungsgefüge« ist »nicht mehr einer selbstwachsenden und selbstwirkenden Mächtigkeit überlassen. Der Gottesglaube Israels weiß vielmehr dieses Ordnungsgefüge umspannt und gewährleistet vom Willen Gottes« (in dem einschlägigen Sammelband »Um das Prinzip der Vergeltung« 208).

Hinter dieser gewiß berechtigten Feststellung verbirgt sich aber eine Fülle von Fragen, etwa: Wird Gott als Wächter der gegebenen Ordnung verstanden, oder hat sie der Schöpfer in den Ablauf der Welt eingesetzt? Darf man nicht doch von Vergeltungsglauben sprechen, wenn Gott die gute oder böse Tat des Menschen »vollendet«? Vor allem: Hat man schon bei Sprüchen wie »Wer Unrecht sät, erntet Unheil« (Spr 22,8) vorauszusetzen, daß es »natürlich« Jahwe war, »der diese Ordnung begründet hatte und der über ihr wachte« (G. v. RAD, Weisheit 172; vgl. TheolAT I[4] 450)? Wohl ist die Weisheit »eine Form des Jahweglaubens« – ist sie dies »durch und durch und von Anfang an« (Weisheit 390) oder doch erst im Laufe der Zeit? Dieser Bereich der Lebenserfahrung ist, selbst wenn er (wie schon im Ägyptischen) seit je religiös gedeutet wurde, wohl erst allmählich in den Jahweglauben eingedrungen. Die Anfänge bleiben zeitlich wie sachlich schwer zu durchschauen; offenkundig ist die zunehmende »Theologisierung« in der Spätzeit – von dem »Motto« (Spr 1,7) bis hin zum Buch Hiob oder Kohelet. Auch für den Weg zur Kanonbildung war die Weisheit wichtig (vgl. Hos 14,10; Ps 1 u.a.).

In seinen »Studien zur israelitischen Spruchweisheit« (1968), in denen er den »Redeformen ... als Formen weisheitlichen Denkens« nachspürt, betont H. J. HERMISSON: »Es geht jedenfalls in Israel nicht um eine Weltordnung insgesamt..., sondern um Einzelordnungen« (190f Anm. 2). Dennoch stellt H. H. Schmid in verschiedenen Arbeiten den Begriff und das Thema *»Weltordnung«* in die Mitte (Gerechtigkeit als Weltordnung, 1968; Altorientalische Welt u.a.), so daß er von J. Halbe mit der Gegenüberstellung »›Altorientalisches Weltordnungsdenken‹ und alttestamentliche Theologie« (ZThK 76, 1979, 381–418) lebhaften Widerspruch erfahren kann. Wieweit läßt sich für das Bemühen, »über die verschiedenartigen Verwendungsweisen« etwa des Gerechtigkeitsbegriffs im AT »nach deren (implizitem) Gesamt-Denkrahmen« zurückzufragen (so in Auseinandersetzung mit seinen Kritikern H. H. SCHMID, Gerechtigkeit und Glaube, EvTh 40, 1980, 397f Anm. 7), wiederum eine exegetische Basis finden, so daß es vor dem Vorwurf geschützt ist, Konstrukt des Exegeten zu sein, der die Textaussagen über- bzw. untergreift? Ist entsprechend die Gefahr der Verallgemeinerung –

und damit auch der Verzeichnung – nicht zu groß, wenn man in der »Schöpfungstheologie« den Gesamtrahmen alttestamentlicher Theologie einschließlich seiner Geschichtsaussagen sieht (Altorientalische Welt 9ff)? Fügt das AT nicht doch eher die Schöpfung in die Geschichte ein – von ihrem »Anfang« (Gen 1,1) bis zu ihrem Ende (Jes 65,17)?

Schon die ältere Weisheit beobachtet vielfältig die Grenzen menschlicher Erkenntnis (Spr 16,1.9 u.a.) – bis hin zu der grundsätzlichen Frage (20,24): »Wie kann der Mensch seinen Weg verstehen?« So liegt hier kaum ein in sich geschlossenes, starres Weltbild vor (vgl. 10,22; 21,30f). Ausdrücklich mahnen die Sprüche zur Demut (16,12f; 18,12 u.a.) und formulieren, gleichsam aller Selbstherrlichkeit entgegen (26,12): »Siehst du einen Menschen, der sich selbst für weise hält – ein Tor hat mehr Hoffnung als er«. Die Propheten können solche (selbst-)kritische Intention aufnehmen, zuspitzen und weiterführen (Jes 5,21; 29,14; 31,2; bes. Jer 9,22f).

Die prophetische Polemik richtet sich vielleicht gegen den Stand der Weisen (vgl. Jer 18,18) als politischer Berater (vgl. 2Sam 17,14).

VI. Die Prophetie

FOHRER, G., Literatur zur atl. Prophetie, ThR 28, 1962, 1–75. 235–297. 301–374; 40, 1975, 337–377; 41, 1976, 1–12; 45, 1980, 1–39. 109–132. 193–225; 47, 1982, 105–135. 205–218. – JEREMIAS, J., Grundtendenzen gegenwärtiger Prophetenforschung, EvErz 36, 1984, 6–22. – MCKANE, W., Prophecy and Prophetic Literature, ANDERSON, G. W. (Hg.), Tradition and Interpretation, 1979, 163–188. – NEUMANN, P. H. A. (Hg.), Das Prophetenverständnis in der deutschsprachigen Forschung seit H. Ewald, 1979. – OSSWALD, E., Aspekte neuerer Prophetenforschung, ThLZ 109, 1984, 641–650. – PREUSS, H. D. (Hg.), Eschatologie im AT, 1978. – SCHARBERT, J., Die prophetische Literatur, FS J. Coppens I, 1969, 58–118. – SCHMIDT, J. M., Probleme der Prophetenforschung, VF 17/1, 1972, 39–81. – DERS., Ausgangspunkt und Ziel prophetischer Verkündigung im 8. Jh., VF 22/1, 1977, 65–82. – VAWTER, F., Neue Literatur über die Propheten, Conc 1, 1965, 848–854.

Lexikonartikel: JEREMIAS, J., THAT II, 1976, 7–26. – MEYER, R. - FICHTNER, J. - JEPSEN, A., RGG V, [3]1961, 613–633. – RENDTORFF, R., ThWNT VI, 1959, 796–813.

Zusammenfassende Darstellungen u.ä.: BUBER, M., Der Glaube der Propheten (1950), Werke II, 1964, 231–484. – DUHM, B., Israels Propheten, [2]1922.

– Fohrer, G., Die Propheten des AT I–VII, 1974–77. – Ders., Studien zur alttestamentlichen Prophetie, 1967. – Ders., Geschichte der israelitischen Religion, 1969, bes. 222–294. – Gunkel, H., Einleitung zu: Schmidt, H., Die großen Propheten, SAT II/2, ^{2}1923, XVIIff. – Hölscher, G., Die Profeten, 1914. – Koch, K., Die Profeten I, ^{2}1987; II, ^{2}1988. – Kuhl, C., Israels Propheten, 1956. – Rad, G. v., Theologie des AT II (1960), NA 1987 (vgl. ders., Die Botschaft der Propheten, ^{4}1981). – Scharbert, J., Die Propheten Israels bis 700 v. Chr./um 600 v. Chr., 1965. 1967. – Wallis, G. (Hg.), Von Bileam bis Jesaja. Studien zur alttestamentlichen Prophetie von ihren Anfängen bis zum 8. Jahrhundert v. Chr., 1984. – Westermann, C., Grundformen prophetischer Rede, (1960) ^{5}1978. – Wolff, H. W., Hauptprobleme alttestamentlicher Prophetie (1955), GSt zum AT, ^{2}1973, 206–231. – Ders., Studien zur Prophetie. Probleme und Erträge, 1987.

Zur Kultprophetie: Boecker, H. J., Überlegungen zur Kultpolemik der vorexilischen Propheten, FS H. W. Wolff, 1981, 169–180. – Fohrer, G., Bemerkungen zum neueren Verständnis der Propheten, Studien (s. o.) 18–31. – Ders., Tradition und Interpretation im AT (1961), Studien zur alttestamentlichen Theologie und Geschichte, 1969, 54–83, bes. 77–82. – Gross, H., Gab es in Israel ein »prophetisches Amt«?, TThZ 73, 1964, 336–349 (vgl. BiKi 38, 1983, 134–139). – Gunneweg, A. H. J., Mündliche und schriftliche Tradition der vorexilischen Prophetenbücher, 1959, bes. 81ff. – Hentschke, R., Die Stellung der vorexilischen Schriftpropheten zum Kultus, 1957. – Jeremias, J., Kultprophetie und Gerichtsverkündigung in der späten Königszeit Israels, 1970, bes. 128ff. – Jöcken, P., Das Buch Habakuk, 1977, bes. 377ff (Lit.). – Neumann, P. H. A. (s. o.), 24ff (Lit.). – Graf Reventlow, H., Das Amt des Propheten bei Amos, 1962. – Ders., Wächter über Israel. Ezechiel und seine Tradition, 1962. – Ders., Liturgie und prophetisches Ich bei Jeremia, 1963. – Würthwein, E., Amos-Studien (1949/50), Wort und Existenz, 1970, 68–110. – Ders., Kultpolemik oder Kultbescheid? (1963), a.a.O. 144–160.

Zum Problem »wahre – falsche Prophetie« zuletzt: Haag, E., Jahwes Opposition oder die Autorität der Propheten Israels, TThZ 90, 1981, 224–237. – Hossfeld, F. L. - Meyer, I., Prophet gegen Prophet, 1973. – Münderlein, G., Kriterien wahrer und falscher Prophetie, ^{2}1979. – Neumann, P. H. A. (s. o.) 33ff (Lit.).

Zur Sozialkritik der Propheten: Donner, H., Die soziale Botschaft der Propheten im Lichte der Gesellschaftsordnung Israels, OrAnt 2, 1963, 229–245 (auch in: Neumann, P. H. A., 483–514). – Fendler, M., Zur Sozialkritik des Amos, EvTh 33, 1973, 32–53. – De Geus, J. K., Die Gesellschaftskritik der Propheten und die Archäologie, ZDPV 98, 1982, 50–57. – Holm-Nielsen, S., Die Sozialkritik der Propheten, FS C. H. Ratschow, 1976, 7–23. – Koch, K., Die Entstehung der sozialen Kritik bei den Profeten, FS G. v. Rad, 1971, 236–257 (auch in: Neumann, P. H. A., 565–593). – Kraus, H. J., Die prophetische Botschaft gegen das soziale Unrecht Israels (1955), Biblisch-theologische Aufsätze, 1972, 120–133. – Schwantes, M., Das Recht der Armen, 1977 (Lit.). – Stolz, F., Aspekte religiöser und sozialer Ordnung im alten Israel, ZEE 17, 1973, 145–159. – Wanke, G., Zu Grundlagen und Absicht prophetischer Sozialkritik, KuD 18, 1972, 1–17.

Zum »Wesen« prophetischer Verkündigung: Herrmann, S., Das prophetische Wort, für die Gegenwart interpretiert, EvTh 31, 1971, 650–664. – Jeremias, J., Kultprophetie und Gerichtsverkündigung (s. o.). – Ders., Die Vollmacht des Propheten im AT, EvTh 31, 1971, 305–322. – Markert, L. – Wanke, G., Die Propheteninterpretation, KuD 22, 1976, 191–220. – Schmidt, W. H., Zukunftsgewißheit und Gegenwartskritik. Grundzüge prophetischer Verkündigung, 1973 (Lit.). – Ders., »Rechtfertigung des Gottlosen« in der Botschaft der Propheten, Die Botschaft und die Boten. FS H. W. Wolff, 1981, 157–168 (vgl. Alttestamentlicher Glaube in seiner Geschichte, [6]1987, § 14). – Tångberg, K. A., Die prophetische Mahnrede, 1987. – Wolff, H. W., Die eigentliche Botschaft der klassischen Propheten (1977), Studien zur Prophetie (s. o.) 39–49. – Zimmerli, W., Wahrheit und Geschichte in der atl. Schriftprophetie, Congress Volume Göttingen. VT.S 29, 1978, 1–15.

1. Die Eigenart prophetischer Botschaft

Gegenüber den vorangegangenen Entwürfen, etwa von W. Eichrodt oder L. Köhler, löst G. v. Rads »Theologie« die Prophetie aus der übrigen Darstellung des AT heraus und widmet den Propheten einen eigenen, zweiten Band – aus der Einsicht in die grundlegende Besonderheit dieses Teils des Kanons: Pentateuch und Geschichtswerke blicken auf die Heilstaten Gottes zurück und suchen sie zu aktualisieren, während die Propheten die für ihre Gegenwart entscheidende Gottestat erst von der Zukunft erwarten. Diese neue Gottestat bringt zunächst Gericht und erst in ihm Heil.

»Der sicherste Prüfstein für die Anlage einer Theologie des AT ist aber das Phänomen der Prophetie ... So überwältigend vielseitig sie auslädt, so hat sie doch ihren Ausgangspunkt in der Überzeugung, daß die bisherige Geschichte Israels mit Jahwe abgelaufen ist und daß Jahwe mit Israel ein Neues beginnen wird.« (TheolAT I[4] 142) »Die Propheten haben das Todesurteil Jahwes über Israel ausgerufen; ja, sofern sie durch ihre Verkündigung die Verstockung Israels noch verstärkten, traten sie sogar in den Kreis der Vollstrecker dieses Urteils ein. Etwas ganz Neues und in Israel bisher noch nicht Erhörtes war aber die Verkündigung der Propheten dadurch, daß sie – noch mitten im Vollzug der Gerichtsbotschaft – schon die Ansätze einer ganz neuen Heilszuwendung erkennen ließ« (81).

Dabei verstehen sich die Propheten nach v. Rad einerseits »als Sprecher und aktuelle Interpreten alter und altbekannter sakraler Traditionen«; er sucht aufzuzeigen, »wie tief sie in den religiösen

Überlieferungen ihres Volkes wurzeln« (II[4] 181. 183). Andererseits bringen die Propheten »etwas fundamental Neues«; »diese Gerichtsbotschaft hatte keine Begründung in der alten Jahwetradition« (191). So betont v. Rad sowohl die Verbundenheit der Propheten mit den grundlegenden Traditionen Israels als auch den Widerspruch zu ihnen.

Diese Unausgeglichenheit oder gar Zwiespältigkeit durchzieht die Forschung eigentlich, seitdem sie das Phänomen der Prophetie entdeckte. Über Jahrhunderte sah man in den Propheten Dichter, Lehrer, Weissager und Gesetzesausleger, die das überlieferte Gesetz auf ihre Gegenwart anwenden. Ein echtes Verständnis für die Eigenart der Propheten konnte erst im 19. Jahrhundert – mit der Spätdatierung der Priesterschrift und ihrer Kultgesetze – aufkommen. Es ist nach Vorgängern, wie H. Ewald, vor allem B. DUHM zu verdanken (Die Theologie der Propheten, 1875; Das Buch Jesaja, 1892. [4]1922 u.a.). J. WELLHAUSEN konnte von den Propheten sagen: »Sie predigen nicht über gegebene Texte, sie reden aus dem Geist, der alles richtet und von niemand gerichtet wird« und trotzdem hinzufügen: »Sie wollen nichts Neues, nur alte Wahrheit verkündigen« (Proleg.[6] 398; vgl. Isr. u. jüd. Gesch. [9]1958, 107). Demgegenüber urteilte B. Duhm: »Propheten sind die Männer des ewig Neuen« (Israels Propheten, [2]1922, 8).

Erkannte er in den Propheten freie, gottunmittelbare, schöpferische Persönlichkeiten, die die Religion aus der Natur- und Kultgebundenheit auf die Stufe der Sittlichkeit erheben, so erhielt diese Betonung der Individualität ein Gegengewicht in der Entdeckung der »geheimen Erfahrungen der Propheten« (H. GUNKEL, zuletzt: SAT II/2, [2]1923, XVIIIff; vgl. G. Hölscher, Die Profeten, 1914). Wesentlicher, ja von weittragender Bedeutung wurde Gunkels Entdeckung der prophetischen Redeformen: Insbesondere die Aufteilung in Droh- und Scheltwort, d.h. Zukunftsankündigung und sie begründende Situationsanalyse, erschloß erst die Grundbestandteile des üblichen Prophetenwortes.

Die »beherrschende Sprachform ist die durch die Anklage begründete Gerichtsankündigung. Sie ist also zweiteilig: Sie kündigt Kommendes an, das durch einen gegenwärtigen Tatbestand begründet ist.« Die »angekündigte Vernichtung ist ... kein Schicksal, sondern Jahwes Tat als Strafe; das bringt die Zweigliedrigkeit der Strafansage zum Ausdruck« (C. WESTERMANN, Theologie des AT in Grundzügen, 1978, 110f; vgl. ders., Grundformen prophetischer Rede, 1960. [5]1978).

Auch G. v. RAD hebt hervor: »So original, so persönlich und gottunmittelbar ... waren die Propheten doch nicht«; »man könnte ja fast das Ganze ihrer Verkündigung als ein einziges aktualisierendes Gespräch mit der Überlieferung bezeichnen« (TheolAT II[4] 13.183). Am stärksten werden die Propheten dort in die Traditionen und Institutionen Israels integriert, wo man sie als *Kultpropheten* (vgl. Jer 29,26 oder Gottes Ichreden im Psalter, wie Ps 2,7; 110,1) ansieht und damit in die Nähe der Priester rückt.

Im Anschluß an S. MOWINCKEL (Psalmenstudien III. Kultprophetie und prophetische Psalmen, 1923), A. R. Johnson und A. Haldar versteht E. WÜRTHWEIN (Amos-Studien, 1949/50; mit weiteren Arbeiten zum Thema abgedruckt in: Wort und Existenz, 1970) Amos zunächst als Kultpropheten, der sich mit Heilsverkündigung und Fürbitte für Frieden und Wohlergehen des Volkes einsetzt und erst allmählich von der Gewißheit kommenden Unheils überzeugt wird. Obwohl damit »auch der Unheilsprophet Amos in einer Tradition steht«, darf jedoch »das Neue, das er zu bringen hat ... nicht überschätzt werden« (110).

Einen erheblichen Schritt darüber hinaus tut A. H. J. GUNNEWEG. Zwar stellt schon H. W. WOLFF (1955) fest: »Es geht nicht an, die sog. Schriftpropheten insgesamt als kultische Amtsträger zu deuten« (GSt 225), doch kommt Gunneweg zu dem Ergebnis: »Die Schriftpropheten sind ursprünglich Nabis und als solche Inhaber eines offiziellen Amtes am Heiligtum«, und ebenda wurde auch ihre Botschaft schriftlich tradiert (Mündliche und schriftliche Tradition, 1959, bes. 122).

Allerdings vermag Gunneweg auch zu urteilen: Die Schriftpropheten »wollen selbst Nabi sein, werden aber – innerlich sich von wesentlichen Funktionen ihres Amtes trennend – zu phänomenologisch nicht recht faßbaren Einzelgestalten, zu Nabis, die ›nicht-mehr-Nabi‹ sind« (118).

Am weitesten geht wohl H. GRAF REVENTLOW. Er erschließt ein prophetisches Amt und folgert, daß »sich die Amos-Verkündigung als amphiktyonische Verkündigung erwies, die auf das Bundesfest als ihr Zentrum bezogen ist«; der »amtliche Charakter der Prophetie« ist »auch für den Inhalt der prophetischen Botschaft in allen ihren Formen bestimmend« (Das Amt des Propheten bei Amos, 1962, 113.116; ähnlich zu Ez und Jer). Schon zuvor (1961) betonte jedoch G. FOHRER, daß man Tradition und Interpretation, Form und Funktion des Prophetenwortes zu unterscheiden habe (Studien zur atl. Theol. 77ff). R. SMEND (Das Nein des Amos, 1963) widerspricht grundsätzlich: »Amos ist ein einzelner«; er hat den »Standpunkt des schlechthinnigen Außenseiters« (GSt 1, 99.102).

Tritt damit nicht aber wieder die Andersartigkeit, ja Neuheit prophetischer Botschaft hervor? Sie bedeutet in der Tat einen Bruch im Selbstverständnis Israels; denn die Propheten können sowohl den Ungehorsam des *ganzen* Volkes denken (Hos 1,2; 3,1; 4,1f; 5,3; Jes 1,2f; 6,5; 30,9; Jer 2,29; 5,1; 6,27ff; Ez 2,3ff u.a.) als auch die Gemeinschaft zwischen Gott und Volk aufkündigen (Hos 1,9; Jer 16,5; vgl. Jes 6,9ff; 22,14; 28,18ff u.a.). Sie sagen an, daß Gottes Herrschaft sich im Leiden des Volkes erweisen oder gar das »Ende« Israels (Am 8,2) herbeiführen werde. So wird aus der in Israels Geschichte hineingesprochenen Verheißung (Ex 3 u.a.) Drohung unmittelbar bevorstehenden, schon die Gegenwart prägenden Gerichts. Die Botschaft wirkt etwa in der radikalen Kultkritik (Am 5,21ff; Jes 1,10ff u.a.) nach, die sich bis zu dem harten Verbot der Fürbitte steigern kann (Jer 14,11; 15,1 u.a.; vgl. J. JEREMIAS, Vollmacht). Von daher läßt sich zugleich die Eigenart der sog. großen Schriftpropheten gegenüber anderen prophetischen Phänomenen abgrenzen – so gegenüber der Umwelt:

»Prophetische Predigt, die sich an das Volk wendet und eine eigene Tradition begründet wie in Israel, findet sich in Mari oder sonst im Alten Orient nicht. Gar eine unbedingte Gerichtsankündigung, die das ganze Land oder sogar das ganze Universum betrifft ... ist Mari fremd« (F. NÖTSCHER, Prophetie im Umkreis des alten Israel, BZ 10, 1966, 161–197, bes. 186).

Zugleich gehen die Schriftpropheten mit ihrer Verkündigung sowohl über Israels Tradition, die durch Ausscheidung des einzelnen Übeltäters oder auch der ungehorsamen Gruppe das Heil des Ganzen zu bewahren sucht (Jos 7; Dtn 13,6ff u.a.), als auch über die Botschaft der sog. Heils- oder Kultpropheten hinaus, die eben nicht das Unheil über das Volk insgesamt denken (können) und zur Unzeit »Heil« verheißen (Jer 14,13; 23,16ff u.a.).

Micha (3,5–8) kündet seinen prophetischen Gegenspielern, die Heil oder Unheil ansagen können, auf Grund eigener Vollmacht (»Kraft, Recht, Stärke«) für die aktuelle Zukunft das Ende ihres Offenbarungsempfangs (»ohne Gesicht«) und damit ihrer Wirksamkeit an; Gott entzieht sich (vgl. 3,4; auch Hos 3,4 u.a.). Micha selbst deckt – ohne Hinweis auf Mahnung oder Bußruf – die Schuld des Volksganzen auf (3,8; im Rückblick aus dem Exil aufgenommen: Klgl 2,14).

Jeremia führt die Polemik weiter; vgl. J. JEREMIAS, Kultprophetie, 1970, 128ff (mit Lit.).

Zwar gibt es keine allgemein einleuchtenden und überzeugenden Kriterien für die Unterscheidung zwischen »wahrer« und »falscher« Prophetie, aber eben die oben angegebenen Eigenarten der sog. großen Schriftpropheten.

Die sog. Schrift- oder Unheilspropheten sagen eine unmittelbar bevorstehende, das Volksganze betreffende Zukunft an, die ein

»Ende« setzt. Darum kann man ihre Verkündigung mit G. v. RAD u.a. »eschatologisch« nennen, wobei man sich jedoch vor Augen halten muß, daß »Diesseits – Jenseits«, »innerzeitlich – endzeitlich« für das AT kaum angemessene Gegensätze sind:

»Das Charakteristikum der prophetischen Botschaft ist ihre Aktualität, ihre Naherwartung«. So »besteht durchaus die Möglichkeit, dem Geschehen, das sie weissagen, den Charakter des Endgültigen zuzuerkennen, auch wenn wir von unsern Denkvoraussetzungen aus dieses Geschehen immer noch als ›innergeschichtlich‹ bezeichnen... Dabei scheint uns allerdings die Unterscheidung zwischen einem innergeschichtlichen und einem endgeschichtlichen Handeln Jahwes von den Texten her nicht gefordert und infolgedessen ist es auch nicht geboten, den Begriff des Eschatologischen nur auf das endgeschichtliche Handeln anzuwenden. Entscheidend ist u.E. vor allem die Feststellung des Bruches, der so tief ist, daß das Neue jenseits davon nicht mehr als die Fortsetzung des Bisherigen verstanden werden kann« (TheolAT II^4 124f).

Wie umstritten diese Verwendung des Begriffs »Eschatologie« allerdings bleibt, zeigt übersichtlich der einschlägige, von H. D. PREUSS besorgte Sammelband, der auch über die – bisher kaum allgemein überzeugenden – Versuche informiert, nach dem »Ursprung« der Eschatologie zurückzufragen. Liegt er nicht eher im Jahweglauben selbst als im alten Orient?

Dies ist eindeutig bei der Heilsverheißung nach der Unheilsansage über das Volksganze: »Das *Volk,* das im Finstern wandelt, sieht ein großes Licht« (Jes 9,1; vgl. Ez 37,1–11 u.a.). Schon bald wird auch das Heil als endgültig erwartet: »Friede ohne Ende« (Jes 9,6; vgl. 2,4 u.a.).

2. »Nachgeschichte« und Redaktionsgeschichte

Die prophetische Botschaft in ihrer Eigenart zu erfassen, ist erst nach Ausscheidung späterer Zusätze möglich. Eher in noch schärferer Form als im Pentateuch stellt sich in den Prophetenbüchern das Problem der Redaktion, und zwar keineswegs erst seit neuerer Zeit. Um ein auffälliges Beispiel anzuführen: Schon B. DUHM (Das Buch Jeremia, 1901) hatte nur 280 Verse des Jeremiabuches dem Propheten selbst, 220 dem Biographen Baruch zugeschrieben; »der Rest von rund 850 Versen kommt auf Rechnung der Ergänzer«, die »ein religiöses Lehr- und Erbauungsbuch« schaffen wollten (XVI). Bei der Ausgliederung eines so erheblichen Anteils spielt die Unterscheidung zwischen poetischer Form und Prosa, den Gedichten Jeremias und breiteren, predigtartigen Ausführungen, eine wichtige Rolle. In der Tat gaben die Propheten ihrer Botschaft zumeist eine poetisch-rhythmische Sprachgestalt, so daß dieses Merkmal als erste grobe Hilfe für die Abhebung des »echten« (d.h. vom Propheten stammenden) vom »unechten« (d.h. später hinzugefügten) Gut dienen kann. Dabei möchte die Gegenüberstellung »echt – unecht« zumindest kein sachlich wertendes, sondern ein historisches Urteil sein. Da Zusätze vielfach einer Zeit entstammen, in der das angesagte Unheil bereits eingetroffen ist, haben sie andere theologische Intentionen als die Prophetenworte, können nichtsdestoweniger sachlich »echte«, d.h. bedenkenswerte und wahre Aussagen enthalten. Jedenfalls kommt in ihnen die Wirkungs- oder, wie H. W. Hertzberg in einem Vortrag 1935 formulierte, die »Nachgeschichte« des Textes zur Geltung.

Sie zeigt, »daß das ›Wort nicht wieder leer zurückkommt‹, sondern daß es seinen Weg macht. Oft wird es durch Unverstand der Menschen entstellt, oft in einer späteren Zeit aktuell. Oft spricht es zu einer späteren Zeit in anderer Weise als zu der, in der man es niederschrieb.« (Die Nachgeschichte alttestamentlicher Texte innerhalb des AT, Beiträge zur Traditionsgeschichte und Theologie des AT, 1962, 69–80, bes. 70).

Solche Ergänzungen können erläuternder Art sein (z.B. Jes 7,17.20; 8,7; 29,10) oder stärker die Betroffenheit späterer Hörer und Leser verraten (vgl. das »Wir« Jes 1,9; 2,5; Mi 4,5). Manche Zusätze wirken wie eine Antwort auf die gottesdienstliche Verlesung des Prophetenwortes (vgl. Doxologien wie Am 4,13; auch Jes 12). Im Rückblick fragt man, warum das Unheil eintrat, sucht es also näher zu begründen, oder ergänzt und erweitert die – ansatzweise schon von den Propheten selbst (u. VI 4) ausgesprochene – Heilsverheißung.

Insbesondere scheint die sog. *deuteronomistische* Schule (s.o. S. 24) hier und da in die Prophetenbücher eingegriffen zu haben, so in das Amos- (vgl. W. H. Schmidt, Die deuteronomistische Redaktion des Amosbuches, ZAW 77, 1965, 168–193; H. W. Wolff, BK XIV/2), gelegentlich auch das Jesaja- (1,4b; 5,24b u.a.) und vor allem das Jeremiabuch (zusammenfassend W. Thiel, Die deuteronomistische Redaktion von Jer 1–25.26–45, 1973. 1981; anders H. Weippert, Die Prosareden des Jeremiabuches, 1973).

Im *Protojesajabuch* sucht H. Barth »Die Jesaja-Worte in der Josiazeit« (1977), d.h. die Interpretationsschicht des auf den Propheten folgenden Jahrhunderts, auszugrenzen. Erheblich weiter geht – im Anschluß an W. Werner (Eschatologische Texte in Jesaja 1–39, 1982) – R. Kilian, indem er dem Propheten jedes Heilswort abspricht: »Jesaja hat nur Unheil und Gericht angesagt« (Jesaja 1–39, EdF 200, 1983, bes. 139). Vgl. auch O. Kaiser, Jesaja(buch), TRE 16, 1987, 636–658.

Nach J. JEREMIAS' Auslegung des *Hoseabuches* bieten Kap. 4–14 »nicht eine lose Spruchsammlung, sondern eine höchst durchdachte Zusammenfassung der Botschaft Hoseas« – als »Werk von Schülern«. So sucht Jeremias die Tatsache ernst zu nehmen, daß das Prophetenbuch »als schriftlicher Text vorliegt, hinter dem die mündlich gesprochenen Worte nicht immer eindeutig erkennbar werden« (ATD 24/1, 1983, Vorwort).

Überhaupt wird die redaktionsgeschichtliche Fragestellung vielfach geübt. Mit wie vielen Unsicherheiten allerdings jede Auffassung belastet ist, zeigt, wie verschieden die Ergebnisse – etwa der Kommentare von H. W. WOLFF und W. RUDOLPH zu Amos, von O. KAISER und H. WILDBERGER zu Jesaja oder gar J. GARSCHA (Studien zum Ezechielbuch, 1974) und W. ZIMMERLI zu Ezechiel – ausfallen können.

Mittlerweile hat sich die redaktionsgeschichtliche Fragestellung verschärft. In Anlehnung an das Postulat E. Käsemanns, daß nicht die Unechtheit, sondern die Echtheit des Jesusgutes glaubhaft zu machen sei, urteilt W. SCHOTTROFF: »Nicht mehr der Erweis des Späteren und seine Sonderung von einem Grundbestand, der sodann ohne weiteres für authentisch zu halten wäre, stellt das eigentliche Problem dar, sondern umgekehrt der Aufweis des prophetischen Traditionskerns« (Jeremia 2,1–3, ZThK 67, 1970, 294). Diesem Votum stimmt O. KAISER mit der Konsequenz zu, »dem Propheten grundsätzlich jedes Wort abzusprechen, das auch aus einer anderen Zeit erklärt werden kann« (ATD 18, 1973, 4). Bei einem solchen Ausgangspunkt schrumpft der Anteil des »echten« Gutes verständlicherweise zusammen.

Gelangt man auf diese Weise aber noch zu wahrscheinlichen Ergebnissen, die das Wachstum des Prophetenbuches in seiner Vielfalt und literarischen Schichtung von den – nur erschließbaren – Anfängen in der mündlichen Verkündigung bis zur vorliegenden Endgestalt erklären können? Eine Entscheidung über »Echtheit« bzw. »Unechtheit« sollte nur auf Grund verschiedenartiger Kriterien (wie sprachlicher, motivlicher, historischer u.a. Art) erfolgen; dabei sind geistesgeschichtliche Argumente wieder nur eingeschränkt tauglich (o. III 2). Bleibt zwischen den eindeutig nachexilischen Texten (Haggais, Sacharjas, Tritojesajas u.a.) und den Prophetenworten des 8. (und 7.) Jahrhunderts nicht ein erheblicher sprachlicher wie sachlicher Unterschied, der es schwermacht, beide als gleichzeitig anzusehen? Kann man – generell gesprochen – noch ein geschichtliches Verständnis von der Entstehung des AT gewinnen, wenn man umfangreiche Teile sowohl des vorpriesterschriftlichen (jahwistisch-elohistischen) Pentateuch als auch der Bücher eines Hosea oder Jesaja in die Spätzeit datiert?

Darüber hinaus ist für die Deutung prophetischer Botschaft die Frage (nach dem sog. Kohärenzkriterium) wichtig: Ist der – stets nur mit großen Vorbehalten – ausgrenzbare Grundbestand der einzelnen Prophetenbücher in sich stimmig, so daß eine gewisse einheitliche Intention der Verkündigung erkennbar wird? Auch wenn sich schon die Botschaft eines Propheten (erst recht der Prophetie) schwer systematisch darstellen läßt, so bleibt diese Aufgabe doch notwendig.

3. Zukunftsgewißheit, Gegenwartskritik und Bußruf

Wo ist die eigentliche Intention, das Entscheidende, Wesentliche prophetischer Verkündigung zu suchen – (a) in der Situationsanalyse einschließlich der Sozialkritik, (b) im Bußruf oder (c) in der Zukunftsansage? Hier sind die Ansätze der Prophetenforschung sehr unterschiedlich.

»Ebensowenig wie in der auswärtigen war die Stellungnahme der Propheten in der inneren Politik, so prononciert sie hervortraten, primär politisch oder sozialpolitisch motiviert« beobachtet M. Weber (Das antike Judentum, 1920, 291) mit Recht. Wieweit lassen sich die »rein religiösen Motive« (ebenda) näher bestimmen? Zu ihnen gehört wesentlich die Zukunftsbezogenheit. Gelten die Propheten nur als Deuter und Kritiker ihrer Zeit, so ist der Zukunftsaspekt vernachlässigt. Schon J. Wellhausen stellt gegenüber:

»Nicht die Sünde des Volkes, an der es ja nie fehlt und deretwegen man in jedem Augenblick den Stab über dasselbe brechen kann, veranlaßt sie (die Propheten) zu reden, sondern der Umstand, daß Jahwe etwas tun will, daß große Ereignisse bevorstehn« (Israelitische und jüdische Geschichte, [9]1958, 107).

Zwar findet H. Gunkel das »Grunderlebnis aller Propheten« gewiß zu Unrecht in der Ekstase, betont aber mit mehr Recht:

Was der Prophet erfährt, »ist eine übermenschliche Kenntnis der Zukunft... Will man einen Propheten, auch der höchsten Art, richtig verstehen, so muß man stets zuerst danach fragen, welches Ereignis der nächsten Zukunft er zu verkündigen aufgetreten ist.« Dabei verkündigen sie »die Gedanken ihres Gottes... Sie vermögen es, Jahves Gründe anzugeben; sie wissen, weshalb ebendies jetzt kommen muß.« ([o. S. 50] XXXII).

a) In letzter Zeit hat man mehrfach die prophetische *Sozialkritik* untersucht und dabei ähnliche Beobachtungen gemacht:

Es »zeigt sich bei den scheltenden und verdammenden Äußerungen der Schriftprofeten des 8. Jhs. etwas grundlegend Neues, insofern nicht mehr Einzeltaten und Einzelpersonen angeprangert werden, sondern das ganze ›System‹... Die totale Skepsis gegen Erneuerungsversuche geht Hand in Hand mit einer Kritik, die nicht mehr moralische oder kultische Einzelverfehlungen rügt, sondern alles Bestehende bis in die tragenden, rechtlichen, politischen und kultischen Institutionen hinein restlos in Frage stellt« (K. Koch, FS G. v. Rad, 1971, 238).

Amos »kommt über die Negation des Beschriebenen nicht hinaus, erreicht aber gerade damit seine analytische und seine angreifende Schärfe« (M. Fendler, EvTh 33, 1973, 53).

»Ein neues Bild von Gesellschaft wird nicht entworfen« (G. Wanke, KuD 18, 1972, 11).

»Ausgeführte Rechtsentwürfe... fehlen noch« (F. Stolz, ZEE 17, 1973, 154).

Übereinstimmung besteht in der Erkenntnis, daß die sog. großen Propheten in ihrer radikalen Kritik durchweg kein heilvolles Zukunftsbild einer gerechten Gesellschaft entwerfen (vgl. aber Ansätze Jes 11,4f; Joel 3,1f u.a.). Umstritten ist die Interpretation dieses Sachverhalts: Hat man diese radikale Kritik (nur) als Begründung und Bestätigung der Ankündigung bevorstehenden Gerichts oder (auch) als mahnenden Aufruf zu gerechterem Handeln (vgl. Jes 1,16f, allerdings im Kontext von 1,10–15) anzusehen? Wieweit darf man aus der Negation ein positives Gegenbild erschließen, das der Prophet als Heilsmöglichkeit für seine Hörer noch vor Augen hat?

Gewiß mißt er seine Gegenwart an einem auch seinen Hörern bekannten »Bild« – dabei kann er sich anscheinend verschiedener Maßstäbe bedienen (vgl. K. Koch, FS G. v. Rad, 239ff), um seine Botschaft den Hörern »bejahbar« (H. W. Wolff) zu machen. Auch hegt S. Herrmann Bedenken gegen das naheliegende Verständnis, der Prophet setze sich für die Kleinen, Schwachen und Armen ein: »Ob es deshalb richtig ist, wie man lesen kann, daß die Propheten ›eintraten‹ für entrechtete und benachteiligte Gruppen und Personen, ... ist fraglich. Nicht das ›Eintreten‹ war Grund und Absicht ihrer Rede, sondern das Aufdecken des Unrechts« (EvTh 31, 1971, 655). Entspricht diese Feststellung nicht der Einsicht, daß die Propheten dem Volksganzen Gericht ansagen?

b) Unter den Exegeten betont vor allem G. Fohrer, daß die Propheten die Zukunft ankündigen, um ihre Hörer zu einem Tun oder Lassen, zur Entscheidung, letztlich zur Buße, aufzurufen:

»Die wirkungsmächtige Ankündigung der kommenden Dinge ist in Wirklichkeit vorerst konditional und gewinnt ihren endgültigen Charakter auf Grund der Korrelation zwischen menschlichem und göttlichem Verhalten und Handeln durch die Entscheidung des Menschen für oder gegen Gott. Darum, daß die richtige Entscheidung getroffen wird, ringt der Prophet« (Studien zur atl. Prophetie 264).

»Das Thema der prophetischen Botschaft war die mögliche Rettung des schuldigen und eigentlich dem Tode verfallenen Menschen. Die erste Antwort auf die Frage, wie es zu solcher Rettung kommen könne, war der Ruf zur Umkehr, der sich bei allen großen Einzelpropheten findet« (Geschichte der israelitischen Religion, 1969, 275; vgl. L. MARKERT – G. WANKE, KuD 22, 1976, 191ff).

Demgegenüber stellt H. W. WOLFF schon 1951 heraus, daß »Das Thema ›Umkehr‹ in der alttestamentlichen Prophetie« nicht in die Mahnrede, sondern zunächst in die Gerichtsankündigung, dann in die Heilsverheißung gehört (GSt 1964, 130–150). Ähnlich betont in einem Einzelbeitrag »Die Umkehrforderung in der Verkündigung Jesajas« G. SAUER: »Davon, daß das bevorstehende Gericht gleichsam in letzter Minute noch eine Wendung beim Volke herbeiführen könnte, ist bei Jesaja nichts zu verspüren« (FS W. Eichrodt, 1970, 277–295, bes. 291). Gegenüber dem Versuch, »Die Intention der Verkündigung Jesajas« (H. W. HOFFMANN, 1974) dennoch als Umkehrruf zu deuten, äußert auch W. ZIMMERLI Bedenken:

Die prophetische Botschaft »ist kaum richtig verstanden, wenn man etwa Jesaja nun einfach zum Umkehrprediger macht, der dann im Grunde eine konditionale Gerichtsankündigung lautwerden läßt und sich einfach der jeweiligen Situation anpaßt... Die tatsächliche Verkündigung der vorexilischen Schriftpropheten ist härter gewesen« (Wahrheit 13).

In seinem Beitrag für die Festschrift W. Zimmerli (1977) nimmt H. W. WOLFF das Thema nochmals auf und faßt zusammen:

»Zur Hauptsache geht die prophetische Verkündigung davon aus, daß die Umkehr erfolgen sollte, daß sie aber nicht erfolgt ist. Eben darum kündet sie das Gericht Gottes an... Das wird bestätigt durch diejenigen Texte, in denen die Propheten von ihrem Auftrag sprechen. Nirgendwo ist hier zu hören, daß Jahwe ihnen eine Mahnpredigt befohlen habe... Dem Auftrag zur Gerichtsverkündigung entspricht die Masse der überlieferten Prophetenworte. Sie decken Schuld auf und künden Jahwes Strafe an« (549 = Studien zur Prophetie 41).

Mahnworte (wie Am 5,4.14f; Jes 1,16f) bilden eher eine Ausnahme und dürfen nur in ihrem Kontext, nicht isoliert, betrachtet werden (vgl. G. WARMUTH, Das Mahnwort, 1976; anders K. A. TÅNGBERG).

Gewiß kann man mit H. GRAF REVENTLOW einwenden:

»Entscheidend ist das grundsätzliche Ziel, das einer auch noch so konsequenten Unheilsbotschaft, sofern sie Verkündigung ist, gesetzt ist: sie ist selbst eine letzte von Jahwe dem Volk gebotene Gelegenheit, sein Wort zu hören und sich ihm zu unterwerfen« (Rechtfertigung im Horizont des AT, 1971, 52 im Anschluß an S. Amsler).

Erlaubt dieser Hinweis aber die Umdeutung von Anklage und Gerichtsankündigung in Mahnung oder Warnung? Er läßt doch nur die – richtige und wichtige – Folgerung zu: Die Propheten zielen mit ihrer begründeten Unheilsansage auf die Anerkennung des drohenden Gerichts als Strafe für Schuld, letztlich auf die Anerkennung Gottes, in dessen Namen sie auftreten und dessen »Ich« sie im Munde führen.

In ähnlicher Weise ist umstritten, ob die Propheten, zumal Jesaja, ihre Unheils- und Heilsbotschaft verbinden oder gar ausgleichen mit der Hoffnung auf einen *»Rest«*, der das Gericht übersteht (vgl. 1Kön 19,17f). Nach W. E. MÜLLER ist »Die Vorstellung vom Rest im AT« (1939; mit Forschungsgeschichte neu hg. von H. D. PREUSS, 1973) in der altorientalischen Kriegsführung beheimatet. Eindeutig erscheint der Rest in umstrittenen Texten, die den Eintritt der vom Propheten angedrohten Zukunft schon vorauszusetzen scheinen, als Ziel des Gerichts und Träger des Heils (Jes 4,3; 6,13; auch Am 5,15 u.a.). Dagegen kann der Rest in unbestritten »echten« Prophetenworten statt Repräsentant der Hoffnung auf neues Leben vielmehr Zeichen der Katastrophe sein, das nicht mehr zukunftsträchtige oder gar selbst noch bedrohte Überbleibsel, das die Größe des Untergangs bezeugt (Am 3,12; 8,10; 9,4; Jes 17,5f; 30,17 u.a.; vgl. Hi 1,15ff). In diesem Sinne ist wohl auch der Name von Jesajas Sohn *Sche'arjaschub* nicht als »Ein Rest kehrt um«, sondern »Der Rest, der – aus der verlorenen Schlacht – zurückkehrt« zu verstehen.

Vgl. R. KILIAN, Die Verheißung Immanuels, 1968, 47ff; EdF 200, 27ff; auch G. F. HASEL, The Remnant, [2]1974; J. HAUSMANN, Israels Rest, 1987.

Im Zephanjabuch (2,7.9; 3,12f) stellt sich die Frage vielleicht noch einmal anders. Oder denken die Propheten (nicht nur) in dieser Hinsicht verschieden?

c) Schon 1929 beobachtet A. WEISER am Amosbuch: In den Visionen sucht man die »Begründung der Gerichtsgewißheit durch rechtlich-sittliche Erwägungen vergeblich« und folgert: »Die Gewißheit des Endes steht dem Profeten fest, ehe er die Begründung in einzelnen Mißständen des Lebens seiner Zeitgenossen findet« (Die Profetie des Amos, 1929, 310f). Ähnliche Intentionen vertritt G. v. RAD:

»In den Visionen hat Amos nur erfahren, daß Jahwe nicht mehr vergeben wolle. Aber was nicht mehr vergeben werden könne, worin die Verfehlungen Israels bestanden, das zu erkennen und zu benennen hat Jahwe seinem Propheten überlassen.« »Offenbar ist dem Propheten zuerst nur das Daß des Endes und des Gerichtes mitgeteilt worden, während er über das Wie erst unter besonderen Umständen und gewiß nicht ohne eigenes Nachdenken und Beobachten Gewißheit erhielt... Amos ist in einem Volk umhergegangen, dessen Todesurteil gesprochen war. Von da her sah seine Umgebung mit einem Male anders aus, und jetzt erst wurden Mißstände als unerträgliche offenbar. So sehen wir den Amos vor allem mit der Aufgabe einer schlagenden Motivation des kommenden Unheils beschäftigt« (TheolAT II[4] 141.138f; aufgenommen von H. W. WOLFF, BK XIV/2, 123).

Zweifellos setzt die Einsicht in kommendes Gericht, die dem Propheten in der Vision zuteil wird, die Schuld des Volkes voraus (vgl. Am 7,8; 8,2; Jes 6,5 u.a.); die bevorstehende Katastrophe ist Strafe. Die Frage ist jedoch: Kann man in der »Zukunftsgewißheit« (vgl. W. H. SCHMIDT, Zukunftsgewißheit und Gegenwartskritik, 1973; H. J. HERMISSON, Zukunftserwartung und Gegenwartskritik in der Verkündigung Jesajas, EvTh 33, 1973, 54–77) gleichsam den Grundansatz prophetischer Verkündigung erkennen? Hat der Prophet die Freiheit, seine Gewißheit vom drohenden Gericht und von der Schuld des Volkes in seiner Botschaft zu konkretisieren und zu exemplifizieren? Dann würden die mannigfaltigen Einzelworte der Propheten ansatzweise als Anwendung seiner allgemeinen Einsicht auf die bestimmte Person oder Gruppe und den einzelnen Fall verständlich.

Gegen »die Behauptung, der Gerichtsgedanke sei das Zentrum der Unheilsprophetie,« wendet sich K. KOCH, legt den Ton auf die Themen »Recht, Gerechtigkeit« mit dem Tun-Ergehen-Zusammenhang und spricht deshalb von zwei Brennpunkten:

»Die Gedanken der vorexilischen Schriftprofeten lassen sich mit einer Ellipse vergleichen. Sie kreisen unablässig um zwei Brennpunkte, um die unhaltbaren Zustände im Staat Israel oder Juda einerseits, um die von außen in naher Zukunft einbrechende Katastrophe andererseits« (FS G. v. Rad, 1971, 236).

Dieses Bild macht den in der prophetischen Verkündigung gegebenen Zusammenhang zwischen Gerichtsansage und Schuldaufweis anschaulich. Mittlerweile bringt K. Koch die prophetische Zukunftsgewißheit jedoch insofern stärker zur Geltung, als er zwischen der dem Propheten intuitiv zuteilgewordenen Gewißheit und der »nachlaufenden Erkenntnis« unterscheidet:

»Was von Profeten geschrieben vorliegt, erst recht, was sie einst mündlich vorgetragen haben, will nicht Resultat empirischer Analysen, sondern gottgeschenkter *Visionen und Auditionen* sein... Deshalb muten sie sich selbst und ihren Hörern zu, was ihnen gleichsam durch einen göttlichen Vorlauf eröffnet schien, in *nachlaufender Einsicht* zu verifizieren« (Die Profeten I, 1978. ²1987, 15; vgl. 9).

In dem Zielpunkt und Spitzensatz von Amos' beiden Visionspaaren »Gekommen ist das Ende für mein Volk« (Am 8,2) hat H. W. WOLFF die Grundeinsicht dieses Propheten gefunden: »Alles, was sonst über Israels Zukunft von Amos gesagt wird, legt diesen härtesten Satz aus« (BK XIV/2, ²1975, 125). So unterschiedlich die Propheten in ihrer Sprache wie ihrer Argumentationsweise sind, so nehmen sie doch jene Einsicht auf (Hos 13,14f; Jes 6,11f; 28,18ff; Jer 1,14; 16,5; Ez 7 u.v.a.). B. DUHM empfindet wohl mit Recht: »Die seit Amos aufkommende Eschatologie isolierte die Propheten« (Das Buch Jesaja, ⁴1922, 220).

Überhaupt stimmen die Propheten in den grundlegenden Redeformen, wie Unheilsansage mit Begründung, Weheruf und Leichenklage, oder in wichtigen Themen, wie Kult- und Sozialkritik, überein.

»Die prophetische Verkündigung vom Tage Jahwes, die bei Amos noch an ihrem Ursprungsort in der Konfrontation mit einem Volksglauben faßbar wird, wird in der Folge als spezifisch prophetisches Theologumenon weitergetragen. Das Bild der zerstörten Ehe zwischen Jahwe und Israel, das bei Hosea in einer unmittelbar von ihm geforderten Zeichenhandlung wurzelt, wird bei Jeremia und Ezechiel Teil der prophetischen Verkündigung. Und die Rede vom ›Heiligen Israels‹, deren prophetischen Ursprungsort man gerne in Jes 6 sehen würde, kehrt bei Deuterojesaja wieder« (W. ZIMMERLI, Die kritische Infragestellung der Tradition durch die Prophetie, O. H. STECK [Hg.], Zu Tradition und Theologie im AT, 1978, 57–86, bes. 80).

Solche Gemeinsamkeiten kommen kaum durch direkte, schriftliche Abhängigkeit, sondern eher durch mündliche Überlieferung (vgl. das Zitat von Mi 3,12 in Jer 26,18) zustande – eventuell vermittelt durch Prophetenschüler (vgl. Jes 8,16), die auch an der Gestaltung der Prophetenbücher beteiligt sind? Jedenfalls behalten alle Propheten trotz der Beziehungen zwischen Amos und Jesaja oder deutlicher zwischen Hosea und Jeremia (vgl. in der Heilsverheißung Hos 14,5; 11,8 mit Jer 3,12.22; 31,20) ihre unverwechselbare Eigenart.

4. Unheils- und Heilsbotschaft

Vom ersten Schriftpropheten Amos abgesehen, scheinen die sog. großen Unheilspropheten keineswegs nur Unheil, sondern auch

Heil angesagt zu haben. Allerdings nimmt die Heilsbotschaft »in der klassischen Prophetie des 8. Jahrhunderts keinen beträchtlichen Raum ein. Was in erster Linie zu verkünden ist, läuft auf Unheil hinaus. Wenn die Propheten dennoch hin und wieder den Blick über die zu verkündende Katastrophe hinauswenden..., dann ist das die Ausnahme, nicht die Regel« (S. HERRMANN, Die prophetischen Heilserwartungen im AT, 1965, 104, der nach »Ursprung und Gestaltwandel« der Heilsweissagungen fragt). Schon deshalb ist das Problem »Echtheit oder Unechtheit« – Wort des Propheten, seiner Schüler oder erst der Spätzeit? – in diesem Textbereich besonders verwickelt. Beispielsweise führt W. RUDOLPH (KAT XIII/2) sogar die Verheißungen am Schluß des Amosbuches, die H. W. WOLFF (BK XIV/2) mit der großen Mehrheit der Exegeten für nachexilische Ergänzungen hält, auf den Propheten selbst zurück. Wie umstritten bleibt erst recht die »Echtheit« der messianischen Weissagungen Jes 9 und 11! Vom Hoseabuch an fällt es jedoch schwer, die Verheißungen – wie viele auch jüngere Zusätze darstellen mögen – insgesamt den Propheten abzusprechen. Auch scheint die spätere Zeit mit ihren Hoffnungen nicht selten die Heilserwartungen früherer Zeiten aufzunehmen.

Die Form des Heilsworts ist noch wenig untersucht. Hat J. BEGRICH mit der – zumal für das Verständnis der Botschaft Deuterojesajas wichtigen – Rekonstruktion eines »priesterlichen Heilsorakels« (GSt zum AT, 1964, 217–231) weithin Anerkennung gefunden, so unterscheidet C. WESTERMANN: Heilszusage, Heilsankündigung und Heilsschilderung (Der Weg der Verheißung durch das AT, Forschung am AT II, 1974, 230–249; vgl. Prophetische Heilsworte im AT, FRLANT 145, 1987).

Sachlich kommt der Frage entscheidende Bedeutung zu: Bleibt die prophetische Botschaft letztlich unausgeglichen oder gar widerspruchsvoll, weil der Prophet zu verschiedenen Zeiten und vor wechselnden Hörerkreisen Unterschiedliches, ja Gegensätzliches sagen konnte? Oder stehen Unheils- und Heilsansage in einem inneren Zusammenhang?

Gewiß stellen sie die Hörer nicht vor ein Entweder-Oder (die Form von Jes 1,19f ist eine seltene Ausnahme). Das Heil ist zumindest durchweg nicht als Zustand gedacht, den der Mensch bewahren oder gar sichern kann, sondern wird ihm – in oder nach dem Gericht – von Gott neu zuteil (vgl. Hos 2,16f; Jes 1,21–26; 11,1; auch 9,1; Jer 24,5; 29,5–7; 32,15; Ez 37 u.a.). »Hofft« Jesaja gar auf den Gott, der »sein Angesicht verbirgt« (Jes 8,17)? Später kann die Erneuerung des Menschen (Ez 36,26; Joel 3 u.a.), ja ein neuer Bund erwartet werden (Jer 31,31ff; vgl. Jes 54,6ff u.a.). Dabei gewinnt im

Rahmen der Heilszusage neben dem Aufruf zur Freude (Sach 2,14; 9,9; vgl. Jes 42,10ff u. a.) auch der Bußruf Raum (Jer 3,12; Jes 44,21f u. a.). »Die Bekehrung ist nicht Bedingung für den Empfang des Heils, sondern das zugesagte Heil ist die Voraussetzung, die Begründung für die Bekehrung. Das Mahnwort ist als Einladung eindeutig vom Heilsspruch her bestimmt« (H. W. WOLFF, GSt 144).

Angesichts des Spannungsverhältnisses zwischen Unheils- und Heilsbotschaft der Propheten verweist W. ZIMMERLI auf die Freiheit Gottes:

»Die Wahrheit der von den Propheten angekündigten geschichtlichen Ereignisse besteht, so wollen die Propheten sagen, in der Begegnung mit dem in diesen Ereignissen kommenden Jahwe. So ist es in den Gerichtsworten, so aber gleichermaßen auch in den scheinbar ganz gegenläufigen Ankündigungen heilvoller Geschichte zu hören.« Hinter dem »eigentümlichen Dilemma..., daß der hier Richter war, dort zum Erlöser wird, ... steht keine allgemein zu erschließende Regel, ein neutral zu fassender Ordnungsgedanke, sondern die Freiheit des Herrn, der nicht unter Regeln gebunden ist, sondern nur an seinen freien Entscheid« (Wahrheit 12).

Gewiß stellt der Prophet, wie insbesondere seine in göttlichem Auftrag gesprochenen »Ich«worte zeigen, seine Hörer vor Gott, doch begegnet ihnen dieses »Ich« in Unheil (Am 8,2; 5,21f; Hos 5,14; Jes 1,15 u. a.) und Heil (Hos 11,8f; 14,5; Jes 1,26; 28,16f; Ez 37,5f u. a.). So liegt die Einheit in der Spannung zwischen beidem kaum im Wissen um die Freiheit Gottes verborgen, sondern wird ausgesagt in der Ankündigung dessen, der nur durch Gericht zum Heil führt.

5. Die Propheten – Prediger des Gesetzes?

»Unmittelbar sind die Propheten, wenn man es summarisch nimmt, ›die Begründer der Religion des Gesetzes, nicht die Vorläufer des Evangeliums‹. Amos sagt Gottes Nein, nicht Gottes Ja, er kündigt den Zorn, nicht die Gnade an« (R. SMEND, GSt 1, 102f). Dies Urteil hat Tradition. Es nimmt im Wortlaut ein Zitat von J. Wellhausen auf und geht der Sache nach noch weiter zurück. So konnte M. LUTHER in den Propheten, obwohl er ihren kritischen Umgang mit der Mosetradition bemerkte, »Handhaber und Zeugen Moses und seines Amts« sehen (WA DtB VIII, 28; vgl. G. KRAUSE, Studien zu Luthers Auslegung der Kleinen Propheten, 1962, 295ff).

Ähnlich kommt nach W. ZIMMERLI in der prophetischen Botschaft die »Tora des Pentateuch« zur Geltung: »An der Feststellung, daß diese verurteilende Macht des ›Gesetzes‹ sich in der vorexilischen Prophetie drohend gegen Israel erhebt, es von seinem Gott scheidet und ins Gericht führt, kann kein Zweifel bestehen« (Alttestamentliche Prophetie und Apokalyptik auf dem Wege zur ›Rechtfertigung des Gottlosen‹, FS E. Käsemann, 1976, 575–592, bes. 576). Jedoch enthalten die älteren Rechtstraditionen noch nicht die Möglichkeit eines Gerichts über ganz Israel. Gegenüber der gleichen von W. Zimmerli schon früher (Das Gesetz und die Propheten, 1963) vertretenen These wandte G. v. RAD ein: »Nach wie vor aber möchte ich die Gerichtsbotschaft der vorexilischen Propheten von diesem Vorstellungskreis (Bund/Erwählung, Fluch) abrücken und in ihr etwas Neues sehen... Sie sahen den heilsamen Bezug Jahwes zu Israel überhaupt als gelöst an«, so daß »von einer Zukehr Jahwes zu Israel nur aufgrund ganz neuer Heilssetzungen gesprochen werden« konnte (TheolAT II[4] 421 Anm. 12).

Zwar meint auch G. v. Rad, »daß die Verkündigung der vorexilischen Propheten vornehmlich ›Gesetzespredigt‹ sei« (422), schränkt diese Feststellung aber erheblich ein. Zum einen: Die »Sünde wird ganz unmittelbar an dem Heilswalten Gottes offenbar und nicht an einem richtenden Gesetz, das diesem Heilswalten gegenübersteht« (vgl. Am 3,2; Hos 11,1f; Jes 1,2f; 5,1ff u.a.). Zum andern: »Der positive Appell zum Gehorsam nimmt in ihrer Verkündigung bekanntlich einen sehr geringen Raum ein. Am allerwenigsten bestehen sie auf der menschlichen Gehorsamsleistung als einer Vorbedingung des göttlichen Heiles.« Der gewisse Widerspruch zwischen der »Schärfe der Verurteilung« und dem »Fehlen der großen Imperative« erklärt sich »aus dem Blick der Propheten auf das Kommende« (423f).

In der Tat wird man, wenn man einerseits nicht allein auf den Schuldaufweis, sondern auch die Zukunftsansage der Propheten achtet, andererseits im Gesetz die Forderung »Du sollst« vernimmt, die prophetische Botschaft nicht angemessen als Gesetzespredigt beurteilen können. Versteht man die Unterscheidung von Gesetz und Evangelium als Unterscheidung zwischen Tat Gottes und Tat des Menschen, so stehen die Propheten zumindest auch auf seiten des Evangeliums (vgl. den Versuch »Rechtfertigung des Gottlosen« in der Botschaft der Propheten, FS H. W. Wolff, 1981).

6. Apokalyptik – Erbe der Prophetie und der Weisheit

DEXINGER, F., Henochs Zehnwochenapokalypse und offene Probleme der Apokalyptikforschung, 1977. – HELLHOLM, D. (Hg.), Apocalypticism in the

Mediterranean World and the Near East, 1983. – LEBRAM, J. - MÜLLER, K., Apokalyptik/Apokalypsen II–III, TRE 3, 1978, 192–251 (Lit.). – KOCH, K., Ratlos vor der Apokalyptik, 1970. – DERS., Das Buch Daniel, EdF 144, 1980 (Lit.). – KOCH, K. - SCHMIDT, J. M., Apokalyptik. WdF 365, 1982. – NICHOLSON, E. W., Apocalyptic, ANDERSON, G. W. (Hg.), Tradition and Interpretation, 1979, 189–213. – SCHMIDT, J. M., Die jüdische Apokalyptik, [2]1976. – DERS., Forschung zur jüdischen Apokalyptik, VF 14/1, 1969, 44–69. – STECK, O. H., Überlegungen zur Eigenart der spätisraelitischen Apokalyptik, Die Botschaft und die Boten. FS H. W. Wolff, 1981, 301–315 (Lit.).

»Auch nach dem Verstummen der Prophetie hat Israel nicht aufgehört, erwartungsvoll in die Zukunft zu schauen« – allerdings in einer »anderen Form von Eschatologie«, nicht mit der Ansage »einer äußersten Krise zwischen Jahwe und Israel«, sondern mit Jenseitshoffnung, endzeitlicher Berechnung der Weltgeschichte und pseudonym (G. v. RAD, TheolAT II[4] 315). Diese Bewegung, die Apokalyptik, wird üblicherweise aus dem Zusammenhang mit der Prophetie verstanden; auch darin besteht in der Forschung weithin Einmütigkeit, »daß dieser Zusammenhang durch eine gemeinsame eschatologische Blickrichtung verkörpert wird« (O. PLÖGER, Theokratie und Eschatologie, [2]1962, 38, der umsichtig nach den Kreisen fragt, in denen sich allmählich der Übergang von der prophetischen Eschatologie zur Apokalyptik vollzog). Dagegen scheint für G. v. Rad die Apokalyptik »in den Überlieferungen der Weisheit zu wurzeln«; wegen des anderen deterministischen Geschichtsbilds hält er die Ableitung von der Prophetie für »nicht möglich« (II[4] 317. 319f; vgl. die Kritik von P. v. D. OSTEN-SACKEN, Die Apokalyptik in ihrem Verhältnis zu Prophetie und Weisheit, 1969).

Offenkundig nimmt die Apokalyptik Züge der Weisheit auf, ja es erscheint »zweifelhaft, in der Herkunftsfrage... Prophetie und Weisheit als Alternativen zu werten« (J. M. SCHMIDT, VF 14/1, 1969, 55); dennoch ist der Zukunftsbezug, wohl das Hauptmerkmal der Apokalyptik, zweifellos prophetisches Erbe. Läßt sich in späten Texten (wie Ez 38f; Joel 3f; Sach 12–14; Jes 24–27) nicht auch eine allmähliche Ausbildung apokalyptischer Denkformen und Motive (Gottes- und Messiasherrschaft, Königtum Gottes, Gericht über Israel und die Völker, Visionen u.a.) beobachten? So bleiben die Übergänge fließend, die Grenzen zwischen Prophetie und aufkeimender Apokalyptik sind schwer eindeutig zu ziehen.

Die durch die Wirkungsgeschichte bedeutsame, aber höchst unterschiedlich (vgl. K. KOCH, Das Buch Daniel, 216ff) gedeutete Gestalt, die nach Dan 7,13f »wie ein Menschensohn mit den Wolken des Himmels kommt«, erscheint – wie etwa der messianische Zukunftsherrscher Jes 9,1–6 – erst, nachdem Gott die feindliche Macht besiegt und Gericht gehalten hat. In dieser Hinsicht besteht trotz anderer Vorstellungswelt überlieferungsgeschichtlich wohl ein Zusammenhang.

Neuerdings wird zudem viel stärker die Möglichkeit diskutiert, daß die Anfänge der Apokalyptik in eine Zeit vor dem Danielbuch zurückreichen. Um so schwieriger wird es, fremden, zumal persischen Einflüssen nicht erst bei der späteren Ausgestaltung, sondern schon beim Aufkommen der Apokalyptik entscheidende Bedeutung zuzumessen.

VII. Die Frage nach dem sog. Monotheismus

Balscheit, B., Alter und Aufkommen des Monotheismus in der israelitischen Religion, 1938. – Haag, E. (Hg.), Gott, der einzige, 1985 (mit forschungsgeschichtlichem Überblick: N. Lohfink S. 9ff). – Hossfeld, F.-L., Einheit und Einzigkeit Gottes im frühen Jahwismus, FS W. Breuning, 1985, 57–74. – Keel, O. (Hg.), Monotheismus im Alten Israel und seiner Umwelt, 1980. – Lang, B. (Hg.), Der einzige Gott, 1981 (vgl. ders., Monotheism and the Prophetic Minority, 1983, 13–59; außerdem ThQ 160, 1980, 53–60; 163, 1983, 54–58). – Preuss, H. D., Verspottung fremder Religionen im Alten Testament, 1971. – Schmidt, W. H., Das erste Gebot, 1969 (vgl. Alttestamentlicher Glaube in seiner Geschichte, [6]1987, § 6). – Ders., Die Frage nach der Einheit des Alten Testaments – im Spannungsfeld von Religionsgeschichte und Theologie, JBTh II, 1987, 33–37. – Seebass, H., Geschichtliche Vorläufigkeit und eschatologische Endgültigkeit des biblischen Monotheismus, A. Falaturi u. a. (Hg.), Zukunftshoffnung und Heilserwartung in den monotheistischen Religionen, 1983, 49–80. – Wildberger, H., Der Monotheismus Deuterojesajas (1977), Jahwe und sein Volk. Gesammelte Aufsätze zum Alten Testament, 1979, 249–273.

Jahwe war »von Haus aus der Gott Israels und wurde dann sehr viel später der universale Gott« – so urteilt schon J. Wellhausen (Israelitische und jüdische Geschichte, [7]1914, 32). Die Frage nach »Alter und Aufkommen des Monotheismus« (B. Balscheit, 1938) wird mittlerweile neu gestellt, veranlaßt nicht nur durch eine kritische Sicht des AT, sondern auch durch archäologische Funde, die noch in der Königszeit auf polytheistische Züge schließen lassen.

Die einschlägigen Texte sind leicht zugänglich in dem Überblick bei K. A. D. Smelik, Historische Dokumente aus dem alten Israel, 1987, 137ff.

Vielleicht darf man angesichts solcher – meist mehrdeutiger – Phänomene auf das AT selbst verweisen: Es berichtet vielfältig, daß der Jahweglaube

Anfechtungen ausgesetzt blieb oder in seiner Ausschließlichkeit durchbrochen wurde (2Kön 1; Hos 2; Jer 2; 44 u. v. a.).

Die sog. Monotheismus-Debatte weist mit Recht auf die Geschichte des Glaubens hin, verschiebt aber die Problemstellung, indem nach einem »Theismus« gesucht wird.

Um die Zeit des babylonischen Exils finden sich in unterschiedlichen Literaturbereichen monotheistische oder monotheistisch klingende Aussagen, so in der Priesterschrift (Gen 1,1 u. a.), im deuteronomisch-deuteronomistischen Schrifttum (Dtn 4,39; 32,39; 2Sam 7,22; 2Kön 5,15 u. a.), zumal bei dem Propheten Deuterojesaja: »Ich bin der Erste und der Letzte, außer mir ist kein Gott« (Jes 44,6; vgl. 43,10 u. a.).

W. ZIMMERLI (TheolAT [u. VIII] 34) warnt vor einem Mißverständnis solcher Sätze: »Einen theoretischen Monotheismus kennt Israel nicht«; alttestamentlicher Glaube »kämpft nicht um ein gereinigtes Welt- und Götterbild, sondern läßt das Phänomen fremder Götter« zu, »nimmt diesen aber alle Macht«. Zwar ist die begriffliche Gegenüberstellung »theoretischer – praktischer Monotheismus« unglücklich, jedoch wird mit ihr zu Recht ein Sachverhalt angedeutet. Deuterojesaja bestreitet mit der Existenz zugleich die Macht der Götter (41,24: »euer Tun ist nichts«), und noch in jüngerer Zeit bekennt die Gemeinde:

»Alle Völker wandeln jeweils im Namen ihres Gottes, wir wandeln im Namen Jahwes, unseres Gottes, auf immer und ewig.« (Mi 4,5; vgl. selbst 1Kor 8,6f)

Schon im 8. Jahrhundert spricht der Prophet Hosea die Ausschließlichkeit des Glaubens wie eine Feststellung, zugleich als Folge der Zusage »dein Gott«, aus:

»Einen Helfer außer mir gibt es nicht.«
(Hos 13,4; aufgenommen Jes 43,11)

Dies ist »das älteste datierbare Zeugnis im Alten Testament für die Verbindung von Selbstvorstellung Jahwes (Dekaloganfang) und erstem Gebot« (J. JEREMIAS, ATD 24/1, 1983, 163). Dabei kann die strittige Frage nach dem Alter des Dekalogs in diesem Zusammenhang offen bleiben; denn »erstes Gebot« meint allgemein die – im Wortlaut von Ex 20,3 allerdings konzentriert zum Ausdruck kommende – Ausschließlichkeit des Glaubens.

Vor den sog. Schriftpropheten des 8. Jahrhunderts (auch Jes 2,17 u. a.) tritt der im Nordreich wirkende Elija für diese Allein-Zuständigkeit des einen Gottes ein (2Kön 1; vgl. 1Kön 18f). Nach B. LANG (58ff im Anschluß an M. SMITH) ist das Bekenntnis zu »Jahwe allein« erst einer Bewegung dieses 9. Jahrhunderts zu verdanken. F.-L. HOSSFELD (FS Breuning 57ff) korrigiert: In dieser Epoche vollzog sich der Übergang von der »integrierenden« zur »intoleranten« – bzw. (so E. ZENGER, Gott, der Einzige 53) von einer »unpolemischen« zu einer »polemischen« – Monolatrie.

Vor das 9. Jahrhundert können einzelne Rechtssätze des Bundesbuches (bes. Ex 22,19), auch die jahwistische Erzählschicht (Gen 2,5ff; 8,22 u. a.) zurückreichen. In der Frühzeit besingt das Deboralied (Ri 5,11) »die Heilstaten Jahwes«; erst recht erzählen die verschiedenen Überlieferungen des Exodusbuches (Ex 3; 14f; 19; 24 u. a.) von der alleinigen Zuwendung des einen Gottes zu den Betroffenen. Diese Texte geben von sich aus eigentlich keinen Anlaß, eine »Zensur« anzunehmen, welche »die Erinnerungen an die polytheistische Vergangenheit getilgt hat« (vgl. F. STOLZ, 167).

So spricht das Exodusbuch (wie das Richterbuch) etwa für folgende Auffassung:

»Vielleicht setzt ... das erste Gebot die geschichtliche Erfahrung voraus, daß der Jahweglaube fremdem Kult ausgesetzt ist... Sollte sich der Jahweglaube tatsächlich erst in der Begegnung mit dem kanaanäischen Pantheon vom Polytheismus abgegrenzt haben und damit der Differenz Einheit – Vielheit bewußt geworden sein, so ist jedenfalls die Zuwendung Gottes zum Menschen bzw. zu einer bestimmten Gruppe seit je einzig.« (W. H. SCHMIDT, Das erste Gebot 13)

In der Intention gleich, aber vielleicht schon zu scharf formuliert:

»Sicher ist, daß die Ausschließlichkeitsforderung in allen alttestamentlichen Gesetzessammlungen bereits vorkommt, und sicher ist auch, daß zumindest Vorformen des Ausschließlichkeitsgebots alle noch erkennbaren Gottesbeziehungen Israels bestimmen.« (H. J. BOECKER, Altes Testament [o. III] 213)

Der Unterschied Jahwe – fremde Götter kann schon früh »empfunden« sein (vgl. Ex 5,2), auch wenn ein Verbot erst später artikuliert worden sein mag.

Der »persönliche Schutzgott« oder »Familiengott« ist etwa für Hanna (1Sam 1) selbstverständlich Jahwe. Auch ist Jahwe jedenfalls seit der Botschaft des Propheten Amos (9,2f; vgl. 2,1; 8,2 u. a.) kein »Nationalgott« mehr.

Insgesamt bezeugt das AT die Zuwendung des einen Gottes, der seine Gegenwart zusagt (Ex 3) und sich als Helfer erweist (Ex 14f; Hos 13,4; Ps 103 u. a.), und fordert umgekehrt die Ganzheit menschlicher Zuwendung zu diesem einen Gott (Dtn 6,4f).

VIII. Theologie des AT

ABRAMOWSKI, R., Vom Streit um das Alte Testament, ThR 9, 1937, 65–93. – DENTAN, R. C., Preface to Old Testament Theology, [2]1963. – HASEL, G. F., Old Testament Theology. Basic Issues in the Current Debate, 1972 (dazu OSSWALD, E., ThLZ 99, 1974, 641–657). – JEPSEN, A., Theologie des AT (1971), Der Herr ist Gott, 1978, 142–154. – KRAUS, H. J., Geschichte der historisch-kritischen Erforschung des AT, [3]1982. [4]1988, bes. 503ff. – DERS., Die Biblische Theologie. Ihre Geschichte und Problematik, 1970. – OEMING, M., Gesamtbiblische Theologien der Gegenwart, [2]1987. – GRAF REVENTLOW, H., Hauptprobleme der alttestamentlichen Theologie im 20. Jahrhundert, EdF 173, 1982. – DERS., Hauptprobleme der Biblischen Theologie im 20. Jahrhundert, EdF 203, 1983. – DERS., Zur Theologie des Alten Testaments, ThR 52, 1987, 221–267 (Lit.). – SCHMID, J. H., Biblische Theologie in der Sicht heutiger Alttestamentler, 1986. – SCHMIDT, W. H., »Theologie des AT« vor und nach Gerhard von Rad, VF 17/1, 1972, 1–25. – SEEBASS, H., Zur biblischen Theologie, VF 27/1, 1982, 28–45. – WESTERMANN, C., Zu zwei Theologien des AT, EvTh 34, 1974, 96–112. – WÜRTHWEIN, E., Zur Theologie des AT, ThR 36, 1971, 185–208. – ZIMMERLI, W., Biblische Theologie I, TRE 6, 1980, 426–455.

Neuere Darstellungen: EICHRODT, W., Theologie des AT, (1933) I, [8]1968; II/III, [7]1974. – FOHRER, G., Theologische Grundstrukturen des AT, 1972. – KÖHLER, L., Theologie des AT, (1935) [4]1966. – RAD, G. v., Theologie des AT I, 1957, geändert [4]1962; II, 1960. [4]1965 (= I–II, NA 1987). – VRIEZEN, T. C., Theologie des AT in Grundzügen, 1956 (holl. und engl. neuere Auflagen). – WESTERMANN, C., Theologie des AT in Grundzügen, [2]1985. – ZIMMERLI, W., Grundriß der alttestamentlichen Theologie, (1972) [5]1985.

Einschlägige Monographien und Aufsätze: BARTH, C., Grundprobleme einer Theologie des AT, EvTh 23, 1963, 342–372. – FOHRER, G., Der Mittelpunkt einer Theologie des AT, ThZ 24, 1968, 161–172. – GESE, H., Erwägungen zur Einheit biblischer Theologie (1970), Vom Sinai zum Zion, [2]1984, 11–30. – DERS., Tradition und biblische Theologie, STECK, O. H. (Hg.), Zu Tradition und Theologie im AT, 1978, 87–111. – GUNNEWEG, A. H. J., Vom Verstehen des AT, [2]1988. – DERS., »Theologie« des AT oder »Biblische Theologie«?, FS E. Würthwein, 1979, 39–46. – HAACKER, K. (Hg.), Biblische Theologie heute, 1977. – HASEL, G. F., The Problem of the Center in the OT Theology Debate, ZAW 86, 1974, 65–82. – DERS., A Decade of Old Testament Theology, ZAW 93, 1981, 165–183 (Lit.). – HÖFFKEN, P., Anmerkungen zum Thema Biblische Theologie, FS A. H. J. Gunneweg, 1987, 13–29. – HONECKER, M., Zum Verständnis der Geschichte in Gerhard von Rads Theologie des AT, EvTh 23, 1963, 143–168. – Jahrbuch für biblische Theologie (= JBTh), Bd. 1: Einheit und Vielfalt Biblischer Theologie, 1986, bes. 210–244 (Lit.); Bd. 2: Der eine Gott der beiden Testamente, 1987. – OTTO, E., Erwägungen zu den Prolegomena einer Theologie des AT, Kairos 19, 1977, 53–72. – RAD, G. v., Offene

Fragen im Umkreis einer Theologie des AT (1963), Gesammelte Studien zum AT II, 1973, 289–312. – RENDTORFF, R., Alttestamentliche Theologie und israelitisch-jüdische Religionsgeschichte (1963), GSt zum AT, 1975, 137–151. – SCHMID, H. H., Ich will euer Gott sein, und ihr sollt mein Volk sein, FS G. Bornkamm, 1980, 1–25. – DERS., »Was heißt ›Biblische Theologie‹?«, Wirkungen hermeneutischer Theologie. FS G. Ebeling, 1983, 35–50. – SCHMIDT, W. H., Das erste Gebot, 1969. – DERS., Die Frage nach der Einheit des Alten Testaments – im Spannungsfeld von Religionsgeschichte und Theologie, JBTh II (s.o.), 33–57. – SMEND, R., Die Mitte des AT (1970), GSt I, 1986, 40–84. – ThQ 4/167, 1987. – WAGNER, S., »Biblische Theologien« und »Biblische Theologie«, ThLZ 103, 1978, 785–798. – ZIMMERLI, W., Alttestamentliche Traditionsgeschichte und Theologie (1971), Studien zur alttestamentlichen Theologie und Prophetie. GAufs II, 1974, 9–26. – DERS., Erwägungen zur Gestalt einer alttestamentlichen Theologie (1973), ebd. 27–54. – DERS., Zum Problem der »Mitte des AT«, EvTh 35, 1975, 97–118. – DERS., Von der Gültigkeit der »Schrift« Alten Testaments in der christlichen Predigt, FS E. Würthwein, 1979, 184–202. – DERS., Biblische Theologie, BThZ 1, 1984, 5–26.

1. Die »Mitte« des AT

Das AT ist ein literarisch vielfältiges Buch, das im Verlauf einer langen Geschichte entstand und von ihr erzählt. Besteht für eine »Theologie des AT« darum nicht notwendig die Aufgabe »zusammenzudenken« (W. Zimmerli), nach »Wesen« und »Einheit« im Wandel zu fragen?

W. EICHRODT hat diese Notwendigkeit gesehen und in seinem höchst beachtlichen Entwurf versucht, »die Religion, von der die Urkunden des Alten Testaments berichten, als eine trotz wechselvoller geschichtlicher Schicksale in sich geschlossene Größe von beharrender Grundtendenz und gleichbleibendem Grundtypus darzustellen« (Vorwort zur 1. Aufl., 1933). Zwar wollte Eichrodt ausdrücklich kein geschlossenes Lehrgebäude errichten, doch kam es ihm auf »eine Darstellung der alttestamentlichen Gedanken- und Glaubenswelt« (I^4 2) an, wie auch L. KÖHLER eine »Zusammenstellung derjenigen Anschauungen, Gedanken und Begriffe des AT bietet, welche theologisch erheblich sind oder es sein können« (Vorwort, 1935). Auch wenn Aufriß und Durchführung verschieden waren, bezog man die wesentlichen Gedanken des AT über Gott, Israel, die Welt und den Menschen auf einen Grundansatz, um so den Zusammenhang der Einzelmomente mit dem Ganzen, die Geschichtlichkeit der Offenbarung wie ihre Verbindlichkeit aufzuweisen. Je mehr man aber die Einheit des AT suchte, desto mehr drohte sie verlorenzugehen; denn die Autoren bestimmten die Mitte des AT auf je verschiedene Weise.

Als Mitte des AT wurden etwa genannt: Gottes Heiligkeit (A. Dillmann, G. Hänel), der Bund (W. Eichrodt), die Gegenwart des gebietenden Herrn (L. Köhler), die Gotteserkenntnis als Gemeinschaftsverhältnis (Th. C. Vriezen), die Grundverheißung »Ich bin der Herr, dein Gott« (F. Baumgärtel), die Königsherrschaft Gottes (auch W. Eichrodt; vgl. G. Klein, »Reich Gottes« als biblischer Zentralbegriff, EvTh 30, 1970, 642–670), das Miteinander von Gottesherrschaft und Gottesgemeinschaft (G. Fohrer) u. a.

Die verschiedenartigen Versuche, dem AT in seiner Mannigfaltigkeit und Geschichtsbezogenheit einen Einheitsgedanken zu entnehmen, führten zu keinem allgemein anerkannten Ergebnis; keinem Entwurf will es gelingen, den Grundansatz in allen Bereichen durchzuhalten. Entweder verdeckt die systematische Gliederung die historische Vielfalt, oder der Ansatz wird bei der Behandlung der Einzelphänomene bald verlassen. Die Aussagen des AT lassen sich schwer systematisieren, erst recht nicht auf einen Begriff bringen.

Von dieser Einsicht geht G. v. Rad aus:

Die alttestamentliche Jahweoffenbarung zerlegt sich »in eine lange Folge von einzelnen Offenbarungsakten mit sehr verschiedenen Inhalten. Sie scheint einer alles bestimmenden Mitte, von der aus die vielen Einzelakte ihre Deutung und auch das rechte theologische Verhältnis zueinander bekommen könnten, zu ermangeln. Man kann von der alttestamentlichen Offenbarung nur als von einer Mehrzahl von verschiedenen und verschiedenartigen Offenbarungsakten reden« (TheolAT I[4] 128). So ist »die Frage nach einer inneren Einheit des Alten Testaments von ihm selbst aus schwer zu beantworten...; denn das Alte Testament hat keine Mitte wie das Neue Testament« (II[4] 386).

Nicht einmal Israel kann als »Gegenstand der geglaubten Geschichte« Einheitsprinzip sein (I 132). Auch in Jahwe die Mitte des AT zu finden, würde »nicht ausreichen; denn wir sahen dieses Israel ja kaum je in seinem Gott wirklich ruhend« (II 386). »Ist es nicht ein Jahwe, der sich von Mal zu Mal in seinen Selbstoffenbarungen vor seinem Volk tiefer und tiefer verbirgt?« (GSt II 295)

Die einzelnen Geschichtszeugnisse bilden weder eine gedankliche Einheit, noch berufen sie sich alle auf dasselbe Offenbarungsgeschehen. Diese Einsicht nimmt G. v. Rad gewissermaßen als Leitfaden, indem er die einzelnen Literaturwerke an ihrem Geschichtsbezug – bzw. ihrer Kraft, die Betroffenheit durch Gott in der Geschichte auszusagen – mißt (vgl. M. Honecker, EvTh 1963, 143ff).

Auch prinzipiell gibt v. Rad die Frage nach der Einheit nicht ganz auf; er stellt sie nur ein wenig anders, nämlich als »die Frage nach dem für den Jahweglauben und seine Bezeugungen Typischen« (TheolAT II 447; vgl. GSt II 295). Wird damit nicht die Unaufgebbarkeit des Bemühens um die Einheit des AT im Wandel der Geschichte deutlich?

Auf die Ablehnung einer »Mitte« des AT durch G. v. Rad bleiben die Reaktionen unterschiedlich, ja gegensätzlich. Einerseits setzt C. WESTERMANN in seiner »Theologie des AT in Grundzügen« mit der zustimmenden Stellungnahme ein: Es ist »nicht möglich, die Frage nach der Mitte vom Neuen auf das Alte Testament zu übertragen« (5) und gliedert grob analog zum Kanon in Retten – Segnen Gottes (Pentateuch), Gericht – Erbarmen Gottes (Prophetie) und Antwort (Psalter u.a.). A. H. J. GUNNEWEG fragt sogar, »ob denn überhaupt das Alte Testament für eine christliche Theologie eine ›Mitte‹ haben kann, wo doch in der christlichen Theologie Christus die Mitte und der Grund ist« (Verstehen 79; vgl. FS Würthwein 42).

Andererseits hält W. ZIMMERLI die Frage nach der Mitte des AT – d.h. einem Grundmotiv, Leitfaden o.ä. – für »unaufgebbar« (EvTh 1975, 102). Schon in einer Besprechung von G. v. Rads Entwurf äußert Zimmerli den Wunsch, »es möchte doch nach diesem *einen* Wort Gottes im Rahmen des theologischen Zusammendenkens noch ausdrücklicher gefragt und das Wort in den Worten ... entschiedener zur Geltung gebracht werden« (VT 13, 1963, 109). In seinem »Grundriß der alttestamentlichen Theologie« sucht Zimmerli den »Zusammenhang« des alttestamentlichen Redens von Gott nicht »in der geschichtlichen Kontinuität, d.h. im strömenden Fluß geschichtlicher Abfolgen«, sondern im Glauben des AT »an die Selbigkeit des Gottes, den es unter dem Namen Jahwe kennt« (10f). So setzt Zimmerli bei dem »offenbaren Namen« ein, doch tritt dieses Programm nach den Einleitungskapiteln in der Durchführung zurück. Liegt dies daran, daß man – trotz v. Rads Votum – vielleicht Gott als »Mitte« des AT verstehen kann (so ausdrücklich FS v. Rad 640f; EvTh 1975, 118), aber kaum seinen Namen, der schon innerhalb des AT in nachexilischen Schriften (wie Hiob, Kohelet) gemieden wird und über den ausdrücklich nur in bestimmten literarischen Schichten (Ex 3,14f; Dtn u.a.) nachgedacht wird?

Außerdem bleibt im Vergleich zu v. Rads »Theologie« an den Entwürfen von W. Zimmerli wie C. Westermann auffällig, daß das Phänomen der Prophetie stark zurücktritt, obwohl in ihr »die Konfrontation Jahwes mit seinem Volke Israel ihre radikale Tiefe erreicht« (W. Zimmerli, Grundriß, Vorwort).

Auch sonst kann man trotz v. Rads Vorbehalten argumentieren: »Da das NT klar christozentrisch ist, das AT aber theozentrisch, kann die Mitte des AT nicht(s) anders sein als Gott selbst« (E.

Osswald, ThLZ 99, 1974, 644 nach G. F. Hasel; zuvor schon H. Graf Reventlow, ThZ 17, 1961, 96; vgl. EdF 173, 145ff). Dem hat jedoch S. Wagner entgegengehalten: »Das ist ganz gewiß nicht falsch, ... aber es ist so pauschal und allgemein und es überspielt die Fülle der Fragen. Darum geht es ja, um diesen Gottesglauben im Wandel der Geschichte, im Wandel der Verhältnisse« (ThLZ 103, 1978, 791). Zudem ist jene Definition »der Ergänzung fähig und bedürftig. Es handelt sich ja im Alten Testament um diesen Gott nicht an sich, sondern in seiner Beziehung zum Menschen« (R. Smend, GSt 1,74).

In diesem Zusammenhang ist auch an ein Problem zu erinnern, das G. v. Rads Stellungnahme aufwarf. Da das AT in seinen Geschichtszeugnissen »nicht auf seinen Glauben, sondern auf Jahwe hingewiesen« hat (I[4] 124), kann der eigentliche Gegenstand einer »Theologie des AT« nicht der Glaube, sondern nur »die Offenbarung Jahwes in der Geschichte in Worten und Taten« selbst sein (127 u.a.). Faktisch – und m.E. mit Recht – entspricht jedoch v. Rads Darstellung diesem Grundsatz nicht; denn sie entfaltet durchweg die »Theologie der geschichtlichen bzw. prophetischen Überlieferungen«. Das Spannungsverhältnis wird aber am Urteil der Kritiker deutlich. C. A. Keller stellte fest, daß v. Rad »nicht, wie Israel, die Taten Gottes nacherzählt, sondern die Nacherzählungen Israels« (ThZ 14, 1958, 308). Entsprechend forderte C. Barth, von einer Theologie sei vor allem »eine Entfaltung der Heilsfakten zu erwarten« (EvTh 23, 1963, 372), und nach H. Graf Reventlow ist ihre Aufgabe, »dem Wort des Gottes selbst, der in ihm (dem AT) spricht, Raum zu geben« (ThZ 17, 1961, 96). Diese Bedingung kann eine Theologie des AT jedoch nicht erfüllen. Gewiß unterscheidet sich der Glaube von seinem Grund; denn der Glaube bezieht sich nicht auf sich selbst und ist nach seinem eigenen Verständnis nicht durch sich selbst hervorgerufen und ermöglicht. Aber Gottes Tat und des Menschen Wort, Offenbarung und Glaube lassen sich nicht so trennen, daß das erste ohne das zweite darstellbar wäre. Um an R. Bultmanns Votum zu erinnern: Eine Theologie stellt »nicht den Gegenstand des Glaubens dar, sondern den Glauben selbst in seiner Selbstauslegung«; denn von Gottes Wort kann »nie anders als in einer menschlichen Sprache, durch menschliches Denken geformt, gesprochen werden« (Theologie des NT, [6]1968, 587. 589). Nicht die Offenbarung, Gottes Wort und Tat (auch nicht die Frömmigkeit Israels), sondern die Offenbarungs*aussage* bzw. das Glaubens*zeugnis,* also das *Reden* von Gott im AT, ist Thema der Theologie.

In seiner umsichtigen Darstellung zum Problem »Mitte des AT« hält R. SMEND mit Recht fest, »daß auch die ›Mitte‹ nichts Statisches sein darf« (55), und findet sie im Anschluß an J. Wellhausen in der sog. Bundesformel »Jahwe der Gott Israels, Israel das Volk Jahwes« (bes. 74ff).

Gewiß wird mit ihr auf eine »zentrale« Aussage des AT verwiesen. Allerdings wird man gewisse Fragen (VF 17/1, 1972, 12 Anm. 25) nicht unterdrücken können: Erscheint die Bundesformel nicht zu spät – etwa um die Exilszeit – im AT, um als Leitfaden für eine Darstellung des alttestamentlichen Glaubens dienen zu können? Darauf wird R. Smend antworten: »Was dieser Satz besagt, ist aber viel älter; es steht bereits am Anfang der israelitischen Geschichte und wird im Zeugnis des Alten Testaments als deren eigentliches Thema durch die Jahrhunderte sozusagen durchkonjugiert« (GS 2,22f). Dann wäre zwischen impliziter und expliziter Mitte zu unterscheiden.

Aber kann in der Bundesformel auch die Kritik der Propheten am Verhältnis von Gott und Volk und ihre Hoffnung auf Ausweitung dieses Verhältnisses über Israel hinaus genügend zur Geltung kommen? Läßt sich außerdem mit Hilfe jener Formel der das AT durchziehende Prozeß der Auseinandersetzung mit den Umweltreligionen verständlich machen? Bleiben schließlich nicht die Weisheitsliteratur und die Psalmen, die das Leben des einzelnen vor Gott bedenken, ausgeklammert?

H. H. SCHMID geht der Formel erneut nach und erhebt vom Zeitansatz wie vom Inhalt her Bedenken, in ihr die Mitte des AT zu erkennen, ja macht überhaupt geltend: Die Beschreibungen der Mitte des AT »umgreifen alle eine lange Geschichte israelitischen Gottesverständnisses, die in ihren jeweiligen Konkretionen qualitativ und theologisch erhebliche Differenzen aufweist« (FS Bornkamm 24). Müßte die Frage nach der Mitte darum nicht die Geschichtsbezogenheit in sich aufnehmen (vgl. u. VIII 3)?

2. Geschichte und Geschichtszeugnis

G. v. RAD empfand stark die Diskrepanz zwischen dem von der historisch-kritischen Exegese entworfenen und dem von Israels Glauben bzw. Bekenntnis erstellten Geschichtsbild.

»Es wäre unsinnig, dem einen oder anderen sein Daseinsrecht zu bestreiten«, da »beide das Produkt ganz verschiedener Geistesbeschäftigungen sind... Die historische Forschung sucht ein kritisch gesichertes Minimum; das kerygmatische Bild tendiert nach einem theologischen Maximum. Daß diese beiden Aspekte der Geschichte Israels so weit auseinanderfallen, das gehört zu der schwersten Belastung, unter der die Bibelwissenschaft heute steht.«

Jedoch: »Auch das ›kerygmatische‹ Bild … gründet in der realen Geschichte«, auch wenn »Israel mit seinen Aussagen aus einer Tiefenschicht geschichtlichen Erlebens kommt, die für die historisch-kritische Betrachtungsweise unerreichbar ist« (I 119f).

Das Plädoyer für die »Zeugnisse« des AT, damit für die vom Glauben Israels gemeinten »Geschichtstatsachen« (I 118), wurde nach Erscheinen von Band I zum Anlaß einer heftigen und umfangreichen, aber wenig ersprießlichen Diskussion über die Bedeutung des geglaubten bzw. des kritisch rekonstruierten Geschichtsbilds für die Theologie.

Zu erinnern ist dazu etwa an v. Rads später nicht mehr nachgedrucktes Vorwort zur 1. Auflage von Band II oder F. Hesses Vermittlungsversuch »Bewährt sich eine ›Theologie der Heilstatsachen‹ am Alten Testament?«, ZAW 81, 1969, 1–18; ders., Abschied von der Heilsgeschichte, 1971, bes. 41f.

Weitere Verweise bei M. Weippert, Fragen des israelitischen Geschichtsbewußtseins, VT 23, 1973, 415–442; R. Smend, Überlieferung und Geschichte (1978), Zur ältesten Geschichte Israels. GSt 2, 1987, 13–26; K. Koch, Geschichte … II, TRE 12, 1984, 569–586.

R. Rendtorff wies darauf hin, daß sich in v. Rads »Theologie« die beiden – etwa jenem Zwiespalt entsprechenden – Hauptteile »Abriß einer Geschichte des Jahweglaubens« und »Theologie der geschichtlichen Überlieferungen« methodisch weniger unterscheiden, als es erscheint: »Es sind also nicht wirklich zwei Bereiche oder auch nur Betrachtungsweisen, die den beiden Teilen zugrunde liegen« (GSt 28); »hier ist also auf der ganzen Linie die historische Fragestellung durchgehalten« (139). G. v. Rad stimmte dem zu (TheolAT II[1] 11f). Darüber hinaus setzt sich R. Rendtorff für ein erweitertes Verständnis historisch-kritischer Fragestellung ein:

»Die Geschichte Israels vollzieht sich in den äußeren Vorgängen, die herkömmlicherweise Gegenstand der historisch-kritischen Geschichtsforschung sind, *und* in den vielfältigen und vielschichtigen inneren Vorgängen, die wir in dem Begriff der Überlieferung zusammenfassen. Erst das Gesamtbild, das sich aus beiden ergibt, zeigt im vollen Sinne Israels Geschichte« (GSt 37f).

Mag diese Auffassung trotz der traditionellen Aufteilung des Fachs in »Geschichte Israels«, »Einleitung« und »Theologie« noch Beifall finden, so wird dies weniger bei dem Urteil der Fall sein: Das AT »ist der Niederschlag einer Geschichte, die *als* Geschichte grundlegende theologische Bedeutung hat und deren Darstellung Aufgabe der alttestamentlichen Theologie sein muß«

(GSt 150). Hier klingt das zeitweilig lebhaft umstrittene Programm »Offenbarung als Geschichte« nach.

Vgl. etwa das Gespräch zwischen W. Zimmerli, »Offenbarung« im AT, EvTh 22, 1962, 15–31 und R. Rendtorff, Geschichte und Wort im AT, GSt zum AT, 1975, 60–88; darüber hinaus H. Graf Reventlow, EdF 173, 71ff, bes. 78ff.

Auch für H. Gese gewinnen Geschichte und Überlieferungsgeschichte für eine alttestamentliche bzw. biblische Theologie tragende Bedeutung:

»Die die Geschichte durchziehende Tradition spiegelt die Gotteserfahrung Israels wider, und der geschichtliche Charakter der Offenbarung wird als Prozeß der Traditionsbildung greifbar« (Tradition 91). »Die Traditionsgeschichte kann die Methode der biblischen Theologie werden, weil sie über historische Fakten und religiöse Phänomene hinaus den Lebensprozeß der Überlieferungsbildung beschreibt« (102). »Eine biblische Einheit ist nicht erst kunstvoll durch exegetische Inbezugsetzungen von Altem und Neuem Testament herzustellen, sondern aufgrund der Traditionsgeschichte von vornherein gegeben« (106).

Stellt der Traditionsprozeß aber wirklich ein »Entwicklungskontinuum«, eine »wachstümliche Ganzheit« dar, »der Fortgefallenes ersetzt, abgeschnittene Entwicklungen kompensiert« (100f)? Ist dieses Vertrauen in die Geschichte angesichts ihrer tiefen Wandlungen und Umbrüche nicht doch zu groß? Besteht nicht auch die Gefahr, die Überlieferungsgeschichte zu idealtypisch zu rekonstruieren, und was sagen die alttestamentlichen Texte dem, der den »Offenbarungsprozeß« als ganzen übersieht? Solche Fragen (vgl. VF 17/1, 1972, 18f) und andere Probleme lösten eine lebhafte Diskussion aus.

Vgl. etwa Biblische Theologie heute, hg. von K. Haacker, 1977; W. Zimmerli, FS Würthwein 190ff; das Gespräch zwischen E. Grässer und P. Stuhlmacher, ZThK 77, 1980, 200–238; auch E. Grässer, Der Alte Bund im Neuen, 1985 sowie G. Strecker, FS G. Bornkamm, 1980, 425–445 (s. auch »Grundkurs Theologie« Bd. 2, Abschn. X 3).

In dieser Auseinandersetzung über das Grundsatzprogramm gerieten H. Geses anregende Einzelauslegungen, in denen er Verbindungslinien vom Alten zum Neuen Testament zu ziehen sucht (gesammelt in: Vom Sinai zum Zion, 1974; Zur biblischen Theologie, 1977), in den Hintergrund.

3. Drei Grundfragen einer »Theologie des Alten Testaments«

Der – gewiß zu knappe – Abschnitt VIII soll abgeschlossen werden mit einigen Fragen, auf die eine »Theologie des AT« eine Antwort suchen sollte.

a) Aus der Einsicht, daß dem Israel der älteren Zeit eine Theologie im Sinne einer Lehre oder eines Bekenntnisses fehlt, folgert L. KÖHLER:

»Die Theologie erschöpft sich in dem Satze: Jahwe und nicht Baal oder andere Götter. Anders ausgedrückt: die alttestamentliche Theologie der älteren Zeit teilt mit den heidnischen ›Theologien‹ den Vorrat an Sätzen und Aussagen bis auf deren Subjekt. Sie sagt Jahwe, wo die anderen ›Theologien‹ Baal oder sonstige Götter nennen.« (TheolAT [4]1966, 184)

Ist dieses Urteil sachgemäß? Es zwingt doch gerade zu der Frage: Was unterscheidet über die bloße Namensverschiedenheit hinaus den Jahweglauben sachlich-wesensmäßig von den Umweltreligionen? D.h. vereinfacht gesprochen: Was ändert sich, wenn man statt Baal Jahwe »nachfolgt« (1Kön 18,21), wenn Jahwe an die Stelle Baals tritt?

Auch eine »Theologie« kann sich religionsgeschichtlicher Fragestellung nicht entziehen. Historisch-exegetische Beobachtungen machten – zumal in der sog. religionsgeschichtlichen Schule, kontinuierlich in den Arbeiten O. EISSFELDTS, verstärkt nach dem Erscheinen von v. Rads »Theologie« – auf die enge Verflochtenheit des AT mit seiner Umwelt aufmerksam. Dabei handelt es sich um ein komplexes Verhältnis, das sich nicht als reiner Widerspruch beschreiben läßt: Das AT negiert einerseits, integriert und interpretiert andererseits Vorstellungen der Nachbarreligionen. Diese Einsicht kann für eine Darstellung der »Theologie des AT« nicht folgenlos bleiben; vielmehr ist der Jahrhunderte währende, sich in den verschiedenen Situationen wandelnde Prozeß der kritischen Auseinandersetzung mit den Umweltreligionen für das AT so bedeutsam, daß er in einer »Theologie« seinen Platz erhalten muß.

»Es gehört zum Wesen des alttestamentlichen Glaubens, daß er ›polemischen und usurpierenden Charakter trägt, daß er nicht in sich selbst ruht, sondern in steter Auseinandersetzung lebt, aus den anderen Religionen assimilierbare Gedanken, Vorstellungen und Begriffe an sich reißt und sie umformend sich eingliedert‹, aber auch scharf von sich weist, was ihn gefährdet« (E. WÜRTHWEIN, Wort und Existenz, 1970, 198 mit einem Zitat von J. HEMPEL).

»Sind kanaanäische und ägyptische Vorstellungen, die in den Jahweglauben eingedrungen sind, minderen Gewichts, derart, daß man sie um dieses Umstandes willen als ›Import‹ bezeichnen oder bei ihrer theologischen Bewertung zurückhaltender behandeln sollte? Klar ist, daß solche Übernahmen wohl kaum aufgrund eines freiwilligen Entschlusses, sondern aufgrund von Notwendigkeiten erfolgen.« Dabei haben sich solche Übernahmen keineswegs »in ihrem alten, also außerisraelitischen Sinn weiter erhalten..., irgendwie abseits vom genuinen Jahweglauben« (G. v. RAD, GSt II 297f).

Damit drängt sich die religionsvergleichende Frage in diffizilerer Form auf: Nach welchen Kriterien wählt alttestamentlicher Glaube aus der Vielfalt der fremdreligiösen Phänomene aus, wandelt das Übernommene um und stößt mit seinem Wesen Unvereinbares ab? Diese Frage nach den Maßstäben im Umgang des AT mit den religiösen Vorstellungen seiner Umwelt nimmt zugleich v. Rads Frage nach dem »Typischen« des Jahweglaubens auf.

b) Stellt die Eigenart des Jahweglaubens zugleich das Gemeinsame des AT dar? Jedenfalls ist die Bemühung um eine »Mitte« oder Einheit des AT in doppelter Weise aufzunehmen:

(1) Welche Ansätze und Anstöße halten sich – insbesondere in Bezug auf das Gottesverhältnis – in den überlieferungsgeschichtlichen Umbrüchen und im Wandel geschichtlicher Epochen durch? Gewiß ist dieser »Leitfaden« selbst wieder geschichtsbezogen. Das Bestreben, in der Diskontinuität der Geschichte Kontinuität, im Wandel das Stetige, zu suchen, findet auch die Kontinuität nicht ohne Wandel.

(2) Welches Grundanliegen ist den alttestamentlichen Literaturwerken bei all ihrer Vielfalt gemeinsam? Zweifellos kann dieselbe Intention wiederum nur in wechselnder Sprachgestalt zur Geltung kommen.

c) H. W. WOLFF hat in bewußter Zuspitzung einmal die vielfach angegriffene These vertreten, der eigentliche Kontext des AT sei nicht der alte Orient, sondern das NT (Zur Hermeneutik des AT, GSt 1964, 251–288, bes. 256ff). In dieser Stellungnahme, die weniger Urteil als Anstoß sein möchte, verbergen sich zwei vollauf berechtigte Fragen: Gehört das »Christliche« erst zur Nachgeschichte des AT? Vor allem: Ist das »Typische, Eigene, Eigentliche« des AT zugleich das mit dem NT Gemeinsame?

In einem Beitrag »Das Problem des AT in der christlichen Theologie« betont H. DONNER, daß der Alttestamentler »als Einziger unter den Vertretern der klassischen theologischen Disziplinen einen Gegenstand hat, der nicht schon von vornherein christlich war, sondern erst christlich geworden ist«. Darum vermag historisch-kritische Exegese nicht am »christlichen ›Problem des Alten Testaments‹« mitzuarbeiten; »denn ihre Funktion besteht ja gerade darin, den ursprünglichen, d.h. nichtchristlichen Sinn der Texte zu erheben und damit das christianisierte Alte Testament auf seine vorchristliche Geschichte zu verfremden« (FS W. Trillhaas, 1968, 37–52, bes. 37f). Wurde eine christliche Interpretation des AT in der Kirche aber nicht erst darum möglich, weil man von vornherein tiefgehende Gemeinsamkeiten, eine letzte Übereinstimmung erkannte, das AT also auch einen solchen Rückbezug anbot?

E. HAENCHEN hat zwar die Einsicht ausgesprochen, daß »das in seinem *ursprünglichen* Sinn verstandene Alte Testament noch nie zum christlichen Kanon gehört hat«, demgegenüber aber mit Recht die Forderung erhoben:

Wir können »nur dann mit gutem Gewissen das Erbe des Alten Testaments in Anspruch nehmen, wenn und soweit wir den von der historischen Forschung wieder entdeckten ursprünglichen Sinn der alttestamentlichen Schriften als der neutestamentlichen Botschaft verwandt erkennen« (Die Bibel und Wir. GAufs II, 1968, 18 bzw. 27).

Der »ursprüngliche« meint also den historisch-kritischer Forschung erkennbaren Sinn, wie schon R. BULTMANN (Glauben und Verstehen I, [2]1954, 335) urteilte: »Das Alte Testament dürfte ... nicht gegen seinen ursprünglichen Sinn, so wie ihn allein die geschichtliche Forschung feststellen kann, verstanden werden. Denn wenn dieser Sinn umgedeutet würde, so würde ja gar nicht mehr das Alte Testament reden.«

In der Tat muß das AT »in seinem ursprünglichen Sinn«, in seiner – allerdings in sich vielfältigen – Selbstaussage zu Wort kommen.

Es reicht kaum aus, das beide Testamente Verbindende und ihnen Gemeinsame in den alttestamentlichen Zitaten im NT, im Überlieferungsprozeß, in bestimmten Begriffen (wie »Gerechtigkeit«, »Königsherrschaft« Gottes) oder in der Spannung zwischen Verheißung und Erfüllung, vorläufigem und endgültigem Wort zu sehen – so wichtige Momente alle diese und andere Ansätze enthalten. Die entscheidende Frage bezieht sich ja auch nicht nur auf den historischen Zusammenhang: Wieweit ist das Alte Testament Vorbereitung für das Neue?, sondern auf das Neben- und Miteinander beider Testamente im Kanon, damit auf die Einheit in der »Sache«.

Muß darum nicht »Christologisches auch schon im AT aufgesucht werden« (S. WAGNER, ThLZ 103, 1978, 796)? Ein Beispiel: Wieweit ist die Heilsverheißung an die, die sich im Unheil befinden: »Ein Volk, das im Finstern wandelt, sieht ein großes Licht« (Jes 9,1), christlich, auch wenn sie von ihrem Ursprung her nicht auf die Person Jesu bezogen ist?

In diesem Zusammenhang ist an G. v. RADs Bemühung in den Schlußkapiteln seiner »Theologie« zu erinnern, für das Ja und Nein des Neuen Testaments zum Alten (so zuletzt E. Grässer, ZThK 77, 1980, 219 im Anschluß an R. Smend) schon im AT selbst – mit seinen »fortwährenden Traditionsbrüchen, Neueinsätzen, unglaublichen Spannungen« (EvTh 24, 1964, 390) –

Anhalt zu finden. Jedenfalls ist das AT ein ungemein kritisches, zumal in der prophetischen Botschaft auch selbstkritisches Buch, das in seiner Hoffnung auch seinen »Partikularismus« übersteigt (vgl. Zeph 2,11; Jes 2,2ff u. a.).

Wiederum sei mit einer – auch persönlichen – Anmerkung geschlossen! Vielleicht gibt es *eine* Antwort auf die drei genannten Grundfragen nach dem Eigentümlichen des AT gegenüber seiner Umwelt, nach dem Gemeinsamen des AT in seiner wechselvollen Geschichte und vielfältigen Literatur sowie nach dem Verbindenden mit dem Neuen Testament oder gar der folgenden Theologiegeschichte: das erste Gebot. Die Ausschließlichkeit des Glaubens, die im ersten Gebot »gesammelt« zu Wort kommt, begleitet die Geschichte, mitgestaltend und mitgestaltet, von früh an, prägt Geschichtsbücher, Rechtssammlungen, Prophetie, aber auch das dem Geschichtsdenken fernere Kohelet- oder Hiobbuch und wirkt schließlich weit über das Alte, ja das Neue Testament hinaus.

Der Forschungsbericht sei mit einigen (EvTh 47, 1987, 457–459 entnommenen) Thesen abgeschlossen, die diese Linie ein wenig ausziehen möchten.

1. Das Alte Testament bewahrt und bezeugt eine Geschichte des Glaubens, nämlich des Glaubens an einen und denselben Gott (Ex 6,2f u. a.), und gliedert den heute Glaubenden – die christliche Gemeinde wie den einzelnen – in diese Geschichte des Glaubens ein.

Ist es für den Glaubenden nicht wichtig, über die Brüder hinaus auch Väter des Glaubens (vgl. Röm 4,10ff von Abraham) zu haben und um sie zu wissen?

2. Das Alte Testament fragt »Was ist der Mensch?«, stellt – oft farbig-bildhaft erzählend – Weite und Tiefe menschlichen Lebens einschließlich seiner Schuldverfallenheit und Endlichkeit dar. So gibt das Alte Testament Anteil an Wahrnehmungen und Deutungen menschlicher Wirklichkeit aus dem Glauben, an Erfahrungen des *homo coram Deo*.

Dabei kann es den in Israel gewonnenen Erfahrungen allgemeine Einsichtigkeit und Verbindlichkeit zusprechen: »Der Mensch lebt nicht vom Brot allein.« (Dtn 8,3; vgl. Gen 1,26f; 8,21; Mi 6,8; Jes 2,17; Spr 16 u. v. a.)

3. Das Alte Testament enthält nicht nur die Frage nach dem Menschen, gibt vielmehr auch eine Antwort – mit der Fortsetzung jenes Zitats (Ps 8,5) formuliert: »Du gedenkst seiner.« Diese Antwort bleibt nicht vorläufig-suchend, sondern kann mit Gewißheit, als unbedingte Verheißung oder Zusage, ergehen.

4. In der Mehrstimmigkeit des Alten Testaments ist dies der beherrschende Grundton: »Einen Gott außer mir kennst du nicht, und einen Helfer außer mir gibt es nicht.« (Hos 13,4; Jes 45,21)

Alles, was das Alte Testament der Christenheit weitergegeben und was für die Sprache des Glaubens bis heute Bedeutung behalten hat, ist durch diese Ausschließlichkeit, die im Ersten Gebot zugespitzt zum Ausdruck kommt, tief geprägt – etwa: das Bekenntnis zum Schöpfer, die Anrufung Gottes als »Vater«, Klage und Lob der Psalmen oder die Erwartung der Königsherrschaft Gottes. Selbst die messianischen Weissagungen verheißen letztlich *Gottes* Wirken: »Du machst die Freude groß; der Eifer Jahwe Zebaots wird es vollbringen.« (Jes 9,2.6; vgl. 11,2; Jer 23,6)

5. Alttestamentlicher Glaube umfängt die Zwiefältigkeit, wenn nicht Zwiespältigkeit menschlicher Erfahrung: »Zeit zum Geborenwerden – Zeit zum Sterben; Zeit zum Weinen – Zeit zum Lachen« (Koh 3), indem er Gott im Bösen wie im Guten wirkend bekennt: Wer macht den Menschen »sehend oder blind? Bin nicht ich es, Jahwe?« (Ex 4,11; vgl. Jes 45,7 u. v. a.)

Trotz der Einsicht: »Du bringst die Menschen zu Staub zurück« spricht Ps 90 Gott als »Zuflucht« an, bedenkt so die zeitliche Begrenztheit des Menschen in der Anrede. Die Klagen der Psalmen, die Anklagen Hiobs oder die Konfessionen Jeremias sind angesichts leidvoller Erfahrungen ein Ringen um dieses »Du« und mit diesem »Du«. Indem das Alte Testament solche Worte überliefert, hält es fest, daß der gegenüber Gott kritische Mensch nicht nur über Gott (in 3. Person: »Es ist kein Gott« Ps 14,1; vgl. 10,4.11; 73,11; Zeph 1,12 u. a.) reden, sich vielmehr mit seiner Klage oder Anklage an Gott wenden kann. So brauchen Anfechtungen und Zweifel nicht aus dem Glauben herauszuführen, sondern können im Glauben ausgesprochen werden.

6. Wenn das Alte Testament die Heiligkeit (Jes 6) oder Herrschaft Gottes (Ps 47,8f; 145,13 u. a.) betont und verbietet, sich von Gott ein Bild zu machen, so hebt es damit hervor, daß sich Gott nicht in menschliche Vorstellungen einfangen läßt, nicht Garant menschlicher Wünsche (vgl. Am 5,18; Jer 6,14) ist, vielmehr ein »sich verbergender« (Jes 8,17; vgl. 29,14; 45,15) ferner (Jer 23,23) Gott sein kann.

Damit bewahrt das Alte Testament die Einsicht, daß Gott »tötet und lebendig macht« (1Sam 2,6 u. a.); dabei verbirgt sich in dieser Reihenfolge eine Aussageabsicht. So entspricht Luthers Erklärung im Kleinen Katechismus einer Intention des Alten Testaments (Dtn 6,5.13 u. a.): »Wir sollen Gott fürchten und lieben.«

Demgemäß gibt das Alte Testament die Zusage weiter, daß Gott letztlich nicht vor, sondern in Gefahren bewahrt (Jer 1,8; 15,20 u. a.). Die Propheten verheißen im Unheil neues Heil (Jes 1,21–26; 11,1; Jer 29; 32; Ez 37 u. a.), und die Psalmbeter vertrauen darauf, im Dunkeln getragen zu sein: Auch »im finsteren Tal – du bist bei mir« (Ps 23,4; vgl. 73,23ff u. a.).

7. Die Psalmen bekennen: »Jahwe ist nahe denen, die zerbrochenen Herzens sind« (Ps 34,19; vgl. 51; Jes 57,15). Von Mose heißt es: »Er war sehr demütig, mehr als irgendein Mensch auf Erden« (Num 12,3). Sogar der erwartete Zukunftskönig soll (nach dem hebräischen Text von Sach 9,9f) arm sowie auf Gottes Hilfe angewiesen sein und den Völkern Heil verkünden. Bedenkt man darüber hinaus, wie etwa Jeremia an seiner Verkündigung in seinem Volk oder der Gottesknecht für sein Volk leidet, so wird man D. Bonhoeffers Urteil beipflichten, »daß im AT der Segen auch das Kreuz, im NT das Kreuz auch den Segen in sich schließt«.

8. Gottes Urteil über seine Schöpfung »er sah an alles, was er gemacht hatte, und siehe, es war sehr gut« (Gen 1,31) gilt nicht der gegenwärtigen, in

sich zwiespältigen Welt aus Freud und Leid, sondern einer Welt ohne Blutvergießen (1,29f), insofern zumindest ohne gewaltsam herbeigeführtes Leid. Damit ist ein Unterschied gesetzt zwischen der geschaffenen und der vorfindlichen Welt; sie ist so, wie sie ist, Gott nicht recht. Darum brauchen Unrecht und Leid nicht beschönigt zu werden.

Jene Unterscheidung wird von der prophetisch-eschatologischen Hoffnung aufgenommen, die nach einem »Frieden ohne Ende« (Jes 9,6; 2,4), der Vernichtung des Todes (25,8) oder »einem neuen Himmel und einer neuen Erde« (65,17) ausblickt. Schon Jesaja (2,17) gestaltet die Zukunftserwartung von der Ausschließlichkeit des Glaubens her: »Da wird gedemütigt der Hochmut des Menschen, und erhaben ist Jahwe allein an jenem Tag.« Zwar bekennt die christliche Gemeinde – über das Alte Testament hinaus – die Zukunft des Gekommenen, hofft aber – mit dem Alten Testament und in seinem Sinne (Sach 14,9; vgl. Jes 24,23; 60,19 u.a.)–, daß »Gott sei alles in allem« (1Kor 15,28).

9. Wenn die christliche Gemeinde im Gottesdienst den aaronitischen Segen (Num 6,24–26; vgl. Ps 90,17; 121,8 u.a.) oder ein Gebet wie:

»Danket dem Herrn;
denn er ist freundlich
und seine Güte währet ewiglich« (Ps 136,1 u.ö.)

nach- und mitspricht, dann unterstellt sie sich der schon im Alten Testament gegebenen Zusage der gnädigen Gegenwart Gottes (»Ich bin mit dir«) und bekennt die Vergewisserung dieser Zusage im Neuen Testament.

Im Neuen Testament bleibt das Erste Gebot wie selbstverständlich in Geltung: »Niemand kann zwei Herren dienen« (Mt 6,24; vgl. 6,33; 22,37f; Röm 3,30 u.a.). Nach Mk 15,34 vertraut sich Jesus in der Gottverlassenheit am Kreuz diesem Gott mit den Worten von Ps 22 an: »Mein Gott, mein Gott, warum hast du mich verlassen?«

Verweist das frühe Zeugnis von Ostern auf das Werk dieses Gottes, »der Jesus von den Toten auferweckt hat« (Gal 1,1 u.a.), so wird später von der alten Kirche selbst die Trinitätslehre derart entfaltet, daß das Erste Gebot in Geltung bleibt. Demnach legt das Neue Testament einerseits Gott neu aus, andererseits wird die Christuserfahrung so verstanden, daß der Zusammenhang mit dem Alten Testament gewahrt bleibt.

Das für die Alte Kirche – etwa gegenüber Marcion – wichtige Bekenntnis der Identität des Schöpfers und Erlösers spricht seinerseits schon das Alte Testament (Jes 43,1; 44,6 u.a.) aus.

10. Die christliche Gemeinde deutet den aus dem Alten Testament übernommenen Begriff »Volk« in übertragenem Sinn auf das Volk aus Juden und Heiden (Eph 2; 3,6). Dabei versteht sich die Kirche, obwohl »Leib Christi«, als »Volk Gottes« (1Petr 2,9f nach Ex 19,6) – allerdings weder als »*das* Volk Gottes« noch als »*ein* Volk Gottes«.

So weiß sich die Kirche nicht auf sich selbst gegründet, sondern wie schon Israel »gerufen« (Hos 11,1), »erwählt« (Dtn 7,7f) und »geschaffen« (Jes 43,1 u.a.).

Die jüdische Gemeinde, die innerhalb der Hebräischen Bibel der Tora höhere Autorität zuspricht, bekennt damit zugleich, in dem Abraham gewährten »ewigen Bund« (Gen 17,19 u. a.) zu stehen. Die christliche Gemeinde beruft sich dagegen auf die prophetische Verheißung vom »neuen Bund« (Jer 31,31–34; vgl. 1Kor 11,25 u. a.).

Wie tiefgreifend dieser Unterschied auch ist, so stimmen Tora und Prophetie doch darin überein, daß sie einerseits Gottes Zuwendung als Gottes freie Tat verstehen, andererseits den Ungehorsam des Menschen nicht verkennen.

Während das von den Propheten verheißene Heil bereits ihre Kritik bis hin zum Vorwurf des Bundesbruches (Jer 31,32) voraussetzt, antwortet das Volk nach der Tora auf Gottes Hilfszusage sehr bald mit einem »Nicht-Hören« (Ex 6,9) und Murren (14,11f u. ö.). Selbst Mose ist nicht ausgenommen (Num 20,12 u. a.), wie ja auch die Erzväter oder David keineswegs fehlerlos dargestellt werden. Insofern erzählt die Tora von Gottes bleibender Zuwendung und erwartet die Prophetie Gottes neue Zuwendung zu denen, die Sünder werden bzw. sind.

IX. Nachwort

Der Überblick über die deutschsprachige alttestamentliche Forschung wollte weniger die Vielfalt der Ansätze und Meinungen, erst recht nicht die Fülle der Literatur – hier blieb allzu viel ungenannt – vorstellen als einige ausgewählte Probleme vor Augen führen. Soweit möglich, sollte der Leser an den Fragen teilhaben können. Als Leitfaden diente dabei – ähnlich wie in dem Aufsatz »Theologie vor und nach G. v. Rad« (VF 17/1, 1972, 1–25) – die Theologie G. v. Rads. Er und andere sollten mit den eingestreuten Zitaten möglichst selbst zu Wort kommen.

Forschung ist ein Strom, der sich wellenförmig auf und ab und in dieser Weise – hoffentlich – auch vorwärts bewegt. Im Rückblick scheint er in v. Rads »Theologie« eine Zeitlang zusammengeflossen zu sein, um dann wieder kräftig auseinanderzutreiben. Gegenwärtig ist die alttestamentliche Forschung so vielfältig und selbst in Grundsatzfragen so verschiedenartig, daß es schwerfällt, sie mit einfachen, groben Strichen nachzuzeichnen. So war es nicht zu ändern, daß der vorliegende Versuch nur eine Momentaufnahme aus bestimmtem Blickwinkel darstellt.

Manches wurde nicht oder kaum behandelt. Dies gilt nicht nur von Arbeitsmethoden, neueren Fragestellungen und Zugangsweisen, sondern auch von Arbeitsbereichen – wie der Urgeschichte mit den Schöpfungsberichten, den Rechtssammlungen, den Geschichtsbüchern mit ihren Prophetenerzählungen oder der Chronik; anderes, wie die Psalmen oder die Apokalyptik, wurde nur berührt.

Zunächst verdient die Neuausgabe der Biblia Hebraica als *Biblia*

Hebraica Stuttgartensia (1967/77), die weiterhin auf dem *Codex Leningradensis* aus dem Jahre 1008/9 basiert, erwähnt zu werden. Die Textgeschichte fand in E. WÜRTHWEINS »Der Text des AT« ([4]1973, [5]1988) eine allgemein anerkannte Darstellung. Umfangreiche Arbeit schlug sich in den beiden sehr hilfreichen Lexika »Theologisches Handwörterbuch zum AT« (I–II, 1971. 1976, hg. von E. JENNI – C. WESTERMANN) und »Theologisches Wörterbuch zum AT« (1970ff; hg. von G. J. BOTTERWECK – H. RINGGREN – H.-J. FABRY) nieder; sie besprechen ausgewählte Begriffe, während die von W. BAUMGARTNER, J. J. STAMM u.a. besorgte Neuausgabe »Hebräisches und Aramäisches Lexikon zum AT« (1967ff) des 1953 vornehmlich von L. KÖHLER getragenen »Lexicons« sorgfältig jedem einzelnen Wort nachgeht. Außerdem erscheint W. GESENIUS' klassisches »Hebräisches und Aramäisches Handwörterbuch über das AT« in Neubearbeitung (von H. DONNER, R. MEYER und U. RÜTERSWÖRDEN, 18. Aufl., ab 1987). Viel Entsagung verbirgt sich auch in den Kommentaren (BK, KAT, HAT, ATD, NEB u.a.).

Erwähnt seien schließlich die Stichworte (a) »strukturalistische« und (b) »materialistische« Exegese.

Zu (a) vgl. etwa: W. RICHTER, Exegese als Literaturwissenschaft, 1971. – K. KOCH, Was ist Formgeschichte?, [3]1974, 289ff. – DERS., Amos, 1976. – J. v. D. PLOEG, Zur Literatur- und Stilforschung im AT, ThLZ 100, 1975, 801–814. – C. HARDMEIER, Texttheorie und biblische Exegese, 1978. – DERS., Die Polemik gegen Ezechiel und Jeremia in den Hiskija-Jesaja-Erzählungen, Habilitationsschrift Bethel 1987. – H. D. PREUSS, Linguistik – Literaturwissenschaft – Altes Testament, VF 27/1, 1982, 2–28.

Zu (b) vgl. W. SCHOTTROFF - W. STEGEMANN, Der Gott der kleinen Leute I, 1979. – DIES., Traditionen der Befreiung I, 1980. – L. u. W. SCHOTTROFF, Mitarbeiter der Schöpfung, 1983.

Zur sozialgeschichtlichen Fragestellung etwa: W. SCHOTTROFF, Soziologie und AT, VF 19/2, 1974, 46–66. – W. THIEL (o. II 3).

Eine umfassende Standortbestimmung der alttestamentlichen Wissenschaft wird im Englischen regelmäßig unternommen.

H. H. ROWLEY (Hg.), The Old Testament and Modern Study, 1951. –. G. W. ANDERSON (Hg.), Tradition and Interpretation, 1979. – D. A. KNIGHT - G. M. TUCKER (Hg.), The Hebrew Bible and Its Modern Interpreters, 1985.

Vgl. auch R. E. CLEMENTS, A Century of Old Testament Study, [2]1983. – R. M. GRANT - D. TRACY, A Short History of the Interpretation of The Bible, [2]1984.

Ein solches Unternehmen ist im deutschsprachigen Raum leider nicht üblich, sollte als Gemeinschaftswerk aber doch gelegentlich versucht werden.

Vgl. außer L. DIESTEL, Geschichte des Alten Testaments in der christlichen Kirche, 1869. 1981, und H. J. KRAUS (o. III.): O. KAISER, Die alttestamentliche Wissenschaft, Wissenschaftliche Theologie im Überblick, hg. von W. Lohff und F. HAHN, 1974, 13–19. – H. C. SCHMITT, Die Krise der »Heilsgeschichte«, DtPfBl 80, 1980, 390–395. – J. W. ROGERSON - B. J. DIEBNER, Bibelwissenschaft I 2, TRE 6, 1980, 346–374. – R. SMEND, Alttestamentliche Wissenschaft gestern und heute, RKZ 121, 1982, 178–180.

Oder macht die zunehmende internationale Zusammenarbeit einen solchen Überblick innerhalb eines Sprachraums zu schwierig oder gar unmöglich?

B. Geschichte Israels

Winfried Thiel

Geschichten Israels (in chronologischer Ordnung, z.T. allerdings mit etwas anderem Titel): STADE, B., I (1887) ²1889, II 1889. – KITTEL, R., I (1888) ⁷1932, II (1892) ⁶·⁷1925, III,1 ¹·²1927, III,2 ¹·²1929. – WELLHAUSEN, J., (1894) NA 1981. – GUTHE, H., (1899) ³1914. – BENZINGER, I., (1904) ³1924. – SELLIN, E., I (1924) ²1935, II 1932. – JIRKU, A., 1931. – AUERBACH, E., I (1932) ²1938, II 1936. – NOTH, M., (1950) ¹⁰1986. – BEEK, M. A., (holl. 1957, dt. 1961) ⁵1983. – EHRLICH, E. L., (1958) ²1970. – BRIGHT, J., (engl. 1959, dt. 1966) engl. ³1981. – METZGER, M., (1963) ⁶1983. – AVI-YONAH, M. (Hg.), (engl. 1969) dt. 1971. – BEN-SASSON, H. H. (Hg.), I (engl. 1976) dt. 1978. – VAUX, R. DE, franz. I 1971, II 1973 (engl. 1978). – GUNNEWEG, A. H. J., (1972) ⁵1984. – HERRMANN, S., (1973) ²1980. – HAYES, J. H. – MILLER, J. M. (Hg.), engl. 1977. – FOHRER, G., (1977) ⁴1985. – JAGERSMA, H., (holl. 1979) dt. 1982. – SOGGIN, J. A., engl. 1984. – LEMCHE, N. P., (dän. 1984) engl. im Erscheinen. – DONNER, H., I 1984, II 1986. – CLAUSS, M., 1986. – MILLER, J. M. – HAYES, J. H., engl. 1986. – Die gründlichste neuere Darstellung stammt von R. DE VAUX, doch bricht sie mit der Richterzeit ab. Zum Einarbeiten in das Gebiet sind umfangreiche Werke zu empfehlen, die nicht nur Rekonstruktionen bieten, sondern auch die Quellen und ihre Problematik diskutieren, z.B. S. HERRMANN und H. DONNER. Zur Wiederholung und für den raschen Überblick genügen gestrafftere Entwürfe wie die von A. H. J. GUNNEWEG, M. METZGER und G. FOHRER.

Weitere Literatur von grundsätzlicher Bedeutung: ALBRIGHT, W. F., Von der Steinzeit zum Christentum, (engl. 1940) dt. 1949. – ALT, A., Kleine Schriften zur Geschichte des Volkes Israel, I (1953) ⁴1968, II (1953) ⁴1977, III (1959) ²1968. – NOTH, M., Aufsätze zur biblischen Landes- und Altertumskunde I–II, 1971. – HERRMANN, S., Geschichte Israels, TRE XII, 1984, 698–740.

I. Die Quellen

Textausgaben: BEYERLIN, W. (Hg.), Religionsgeschichtliches Textbuch zum Alten Testament, ²1985. – DONNER, H. – RÖLLIG, W., Kanaanäische und aramäische Inschriften I–III ³1971–1976. – GALLING, K. (Hg.), Textbuch zur Geschichte Israels, ³1979. – GRESSMANN, H. (Hg.), Altorientalische Texte zum Alten Testament, ^{2}1926. – Ders., Altorientalische Bilder zum Alten Testament, ^{2}1927. – Jepsen, A. (Hg.), Von Sinuhe bis Nebukadnezar. Dokumente aus der Umwelt des Alten Testaments, ^{3}1979 (NA von K.-D. Schunck in Vorb.). – Kaiser, O. (Hg.), Texte aus der Umwelt des Alten Testaments I Lfg. 4–6: Historisch-chronologische Texte I–III, 1984–1985. – Pritchard, J. B. (Hg.), Ancient Near Eastern Texts Relating to the Old Testament, ^{3}1969. – Ders., The Ancient Near East in Pictures Relating to the Old Testament, ^{2}1974. – Smelik, K. A. D., Historische Dokumente aus dem alten Israel, 1987.

Zur Quellendiskussion: Gese, H., Geschichtliches Denken im Alten Orient und im Alten Testament, Vom Sinai zum Zion, 1974, 81–98. – Malamat, A., Die Frühgeschichte Israels – eine methodologische Studie, ThZ 39, 1983, 1–16. – Noth, M., Grundsätzliches zur geschichtlichen Deutung archäologischer Befunde auf dem Boden Palästinas, Aufs. zur biblischen Landes- und Altertumskunde I, 1971, 3–16. – Ders., Hat die Bibel doch recht?, ebd., 17–33. – Ders., Der Beitrag der Archäologie zur Geschichte Israels, ebd., 34–51. – Rad, G. v., Der Anfang der Geschichtsschreibung im alten Israel, GSt zum Alten Testament, ^{4}1971, 148–188. – Ders., Das Alte Testament ist ein Geschichtsbuch, Westermann, C. (Hg.), Probleme alttestamentlicher Hermeneutik, ^{3}1968, 11–17. – Smend, R., Elemente alttestamentlichen Geschichtsdenkens, Die Mitte des Alten Testaments. GSt I, 1986, 160–185. – Ders., Überlieferung und Geschichte. Aspekte ihres Verhältnisses, Zur ältesten Geschichte Israels. GSt II, 1987, 13–26. – Vaux, R. de, On Right and Wrong Uses of Archaeology, Near Eastern Archaeology in the Twentieth Century. Essays in Honor of N. Glueck, 1970, 64–80.

Zur Chronologie: Andersen, K. T., Die Chronologie der Könige von Israel und Juda, StTh 23, 1969, 69–114. – Begrich, J., Die Chronologie der Könige von Israel und Juda, 1929. – Freedman, D. N. – Campbell, Jr., E. F., The Chronology of Israel and the Ancient Near East, Wright, G. E. (Hg.), The Bible and the Ancient Near East, 1961, 203–228. – Jepsen, A. – Hanhart, R., Untersuchungen zur israelitisch-jüdischen Chronologie, 1964. – Kutsch, E., Chronologie III., RGG I, ^{3}1957, 1812–1814. – Ders., Israel II., RGG III, ^{3}1959, 942–944. – Matthiae, K. – Thiel, W., Biblische Zeittafeln, 1985. – Meer, P. van der, The Chronology of ancient western Asia and Egypt, ^{2}1955. – Thiele, E. R., The Mysterious Numbers of the Hebrew Kings, ^{2}1965.

Die wichtigste Quelle für die Rekonstruktion der Geschichte Israels ist *das Alte Testament.* Seine Texte können allerdings nicht ohne kritische Hinterfragung ihres Geschichtswertes verwendet werden. Den Intentionen einer neuzeitlichen Historiographie stehen die alttestamentlichen Schriften fern. Zwar gibt sich das AT teilweise als ein Geschichtsbuch (vgl. dazu den Geschehensablauf Gen – 2Kön), doch ist das Interesse seiner Darstellung primär theologisch orientiert: Es will die Geschichte Gottes mit seinem Volk Israel darbieten und dabei Jahwe, den Gott Israels, als den Lenker der Geschichte zeigen. Die weit ausladenden Geschichtsentwürfe des AT sind zudem aus der Rückschau konzipiert und auf die Hörer und die Probleme ihrer Zeit zugeschnitten. Es handelt sich nicht um Konzeptionen aus einem Guß, sondern um Traditionswerke, deren Verfasser aus einem größeren Quellenbestand ausgewählt und in ihrer Geschichtsdarstellung ältere Literaturwerke, Einzelüberlieferungen und eigene Betrachtungen nebeneinandergestellt haben. Die Quellen sind also in ihrem Charakter selektiv und – auch einzeln betrachtet – tendenziös. Die für die alttestamentlichen Texte typische Nachinterpretation und Aktualisierung in neue Situationen hinein hat den ursprünglichen Aussagegehalt nicht selten modifiziert. Will man zum historischen Faktum zurückfinden, dem sich diese Traditionen verdanken, muß man ihren Überlieferungsgang rekonstruieren, ihren Sitz im Leben, ihre Trägergruppe und deren leitendes Interesse erfragen sowie die Entstehungsumstände eruieren. Erst eine Fülle von Detailarbeit kann zur Rekonstruktion einer Geschichte Israels führen.

Die Quellenlage ist für die Epochen der Geschichte Israels unterschiedlich günstig. Für die Frühgeschichte liegen fast ausschließlich Überlieferungen sagenhafter Art vor, deren historische Auswertung zu kontroversen Ergebnissen führt. Gelegentlich veranlaßt dieser Tatbestand sogar zum Verzicht auf eine Rekonstruktion der Frühgeschichte (vgl. MILLER-HAYES).

Erst mit dem Königtum entstand eine Institution, die in höherem Maße Bedarf an offiziellen Aufzeichnungen hatte und daher Listen, Verwaltungstexte und annalenartige Berichte anfertigen ließ. Die Königszeit ist daher die am besten dokumentierte Epoche der Geschichte Israels. Die neue Einrichtung des Königtums rief außerdem Literaturwerke hervor, die man mit Recht als Geschichtsschreibung bezeichnen kann (die sog. Geschichte von der Thronnachfolge Davids). Dieses Phänomen ist einzigartig im Alten Vorderen Orient und liegt Jahrhunderte vor dem »Vater der Geschichtsschreibung«, dem Griechen Herodot. Für die exilische und nachexilische Zeit, in der Juda eine Provinz fremder Großreiche war, existiert nur eine verhältnismäßig dünne Quellengrundlage, die die Geschichtsrekonstruktion lückenhaft gestaltet. Erst in der hellenistischen Epoche, in der unter dem Einfluß der griechischen Kultur und unter dem Eindruck des makkabäischen Aufbruchs mehr und mehr Literaturwerke entstehen, bessert sich die Quellenlage erheblich.

Außerbiblische Texte aus Palästina und aus der Umwelt Israels sind deshalb wichtig, weil Israel in vielfältiger Weise mit der Geschichte seiner Nachbarvölker verflochten war. Diese Dokumente können die Lücken unserer Kenntnisse auszufullen helfen, sie können die Nachrichten des AT ergänzen, erklären oder korrigieren. Schließlich erlauben sie es, bestimmte Perioden der israelitischen Geschichte mit der großpolitischen Konstellation des altvorderasiatischen Raumes in Beziehung zu setzen. Die relevantesten dieser außerbiblischen Dokumente sind in einschlägigen Textsammlungen mit Übersetzung und mehr oder weniger reichhaltigem Kommentar zusammengefaßt.

Die durch die Ausgrabungen bereitgestellten *nichtliterarischen Quellen* sind überwiegend »stumme« Zeugen, die einer Interpretation mit Hilfe von Texten bedürfen. Sie sind aber von Bedeutung, weil sie Stand und Entwicklung der materiellen Kultur in einer bestimmten Epoche widerspiegeln. Aber nicht nur als Illustration kultur- und sozialgeschichtlicher Tatbestände spielen die archäologischen Befunde eine Rolle. Besonders die Zerstörungsschichten von Städten, aber auch das Vorhanden- oder Nichtvorhandensein von Ortslagen kann Hinweise auf geschichtliche Vorgänge liefern. Insofern stellen die Resultate der Archäologie eine wichtige Ergänzung der schriftlichen Quellen und ein unentbehrliches Hilfsmittel bei der Darstellung auch der politischen Geschichte Israels dar. (Zu Reichweite und Grenzen der Archäologie Palästinas, zu ihren Methoden und Ergebnissen vgl. C.)

Ein besonderes Problem stellt die *Chronologie* der geschichtlichen Ereignisse dar. Auch hier stehen wir erst in der Königszeit auf einigermaßen sicherem Grund. Die Geschehnisse der vorstaatlichen Zeit lassen sich im allgemeinen nur sehr vage datieren. Je weiter man in die Frühgeschichte Israels zurückfragt, desto ungewisser wird die Möglichkeit zeitlicher Festlegungen. Auch in der Exils- und Nachexilszeit bleiben manche Datierungsprobleme ohne Lösung. Die Königszeit hingegen ermöglicht mit ihren in den Rahmenangaben der Königsbücher widergespiegelten Herrscherlisten, die die Könige Judas und Nordisraels synchronistisch zusammenordnen, eine relative Chronologie. Sie kann durch Verbindung mit den Daten aus den großen Nachbarreichen in eine absolute Chronologie übergeführt werden. Astronomische Beobachtungen und deren Aufzeichnungen in Ägypten und Mesopotamien erlauben eine Umrechnung der Daten in unsere Datierungsweise. Besonders gut datiert ist die neuassyrische Epoche, in der sich vielfältige Beziehungen zwischen Israel und Assyrien ergaben. Dennoch gibt es keine allgemein anerkannte Chronologie für die israelitische Königszeit. Die Möglichkeit von Überschneidungen, Regentschaften und unterschiedlichen Datierungsweisen in den Quellen schaffen Unsicherheiten. So kommt es zu unterschiedlichen Berechnungen, die sich etwa in den chronologischen Systemen von BEGRICH – JEPSEN, THIELE und

Andersen niederschlagen. Die Differenzen betragen in der Zeit nach dem Tod Salomos nur einige Jahre, übersteigen in einigen Fällen allerdings auch ein Jahrzehnt. Die in diesem Überblick genannten Zahlenangaben richten sich in der Regel nach dem von J. Begrich begründeten und von A. Jepsen verfeinerten System, wie es zuletzt in der Zeittafel vorliegt, die dem Dokumentenband von A. Jepsen als Anhang (204–218) beigegeben ist.

II. Die Voraussetzungen des Landes

Aharoni, Y., Das Land der Bibel. Eine historische Geographie, 1984. – Baly, D., Geographisches Handbuch zur Bibel, [3]1973. – Donner, H., Einführung in die biblische Landes- und Altertumskunde, [2]1988. – Guthe, H., Bibelatlas, [2]1926. – Ders., Palästina, [2]1927. – Noth, M., Die Welt des Alten Testaments, [4]1962, 1–95. – Reicke, B. – Rost, L. (Hg.), Biblisch-Historisches Handwörterbuch I–IV, 1962–1979. – Simons, J., The geographical and topographical texts of the Old Testament, 1959.

Palästina (West- und Ostjordanland) bildet zusammen mit Syrien ein territoriales Verbindungsstück zwischen Kleinasien und Mesopotamien im Norden und Ägypten bzw. Arabien im Süden. Es ist ein verhältnismäßig schmales Durchgangsland, das im Westen vom Mittelmeer und im Osten von der Wüste begrenzt wird. Es wird durchzogen von großen Nord-Süd-Verbindungen, die als Handelsrouten für die Karawanen und ebenso als Heerstraßen für die Großmächte des Zweistromlandes oder des Niltals dienten. Die wichtigsten dieser internationalen Durchgangsstraßen waren der »Weg am Meer« durch die Küstenebene im Westen und der »Königsweg« durch das Ostjordanland. Diese besondere Verkehrslage favorisierte den politischen, wirtschaftlichen und kulturellen Einfluß auswärtiger Mächte auf Palästina und Syrien.

Der Landescharakter Palästinas ist durch Vielfältigkeit und Kleinräumigkeit gekennzeichnet. Das tief eingeschnittene Jordantal trennt Ost- und Westjordanland voneinander. Obwohl Ost-West-Verbindungen über das Jordantal führten und der Jordan durch verschiedene Furten überschritten werden konnte, hemmte der tiefe Grabenbruch doch die Kommunikation zwischen Ost- und Westjordanland erheblich. Das Ostjordanland, soweit es von israelitischen Stämmen besiedelt war, spielte in der Geschichte Israels nur eine Nebenrolle. Das Kerngebiet Israels war immer das Westjordanland, und an ihm haftete ursprünglich auch der Begriff des »verheißenen Landes«. Das Westjordanland zerfällt in höchst unterschiedliche Landschaftsformen. Ein Zentrum der städtischen Besiedlung stellten die Ebenen dar, vor allem die Küstenebene und die Jesreelebene, während die sumpfige Scharonebene erst im Laufe der Zeit für die menschliche Ansiedlung erschlossen wurde. Während die Jesreelebene erst unter David von den Israeliten erobert wurde, kam die südliche Küstenebene niemals ganz in israelitischen Besitz. Hier siedelten seit dem 12. Jahrhundert v. Chr. die Philister; in der persischen Zeit erlangten die Phönizier Einfluß auf dieses Gebiet. Das Kerngebiet der israelitischen Besiedlung und damit auch der Hauptschauplatz der Geschichte Israels lag im Landesinnern, in den gebirgigen Regionen, die – unterbrochen durch die Jesreelebene – gleichsam das Rückgrat des Landes bildeten. Freilich hat das an die Jesreelebene nördlich anschließende galiläische Bergland, das teilweise im Einflußbereich phönizischer Städte lag, für die Geschichte Israels auch nur mehr periphere Bedeutung erlangt. Das Zentrum Israels lag im Raum des zentralpalästinischen Berglandes (›Gebirge Ephraim‹) einerseits und in der Landschaft Juda andererseits. Hier entstanden mit Samaria und Jerusalem die Hauptstädte der beiden Landeshälften, während das eigentliche geographische Zentrum Sichem aus geschichtlichen Gründen nicht zur Kapitale aufstieg. Während das freilich regional strukturierte mittelpalästinische Bergland keine allzu scharfen Unterschiede im Landschaftscharakter aufweist, ist das Territorium Judas stärker gegliedert. Der Ostabfall des Gebirges Juda liegt im Regenschatten und ist unfruchtbar (›Wüste Juda‹). Nach Westen hin trennt ein Hügelland (›Schefela‹) die zentrale Gebirgsregion von der Küstenebene. Nach Süden zu nimmt die Niederschlagsdichte sukzessive ab, so daß dieses ›Südland‹ (›Negeb‹) ein Gebiet mit geringer Siedlungsintensität war, das schließlich in die Wüste übergeht.

Dieser höchst unterschiedlich gegliederte Charakter der Landschaft hatte Einwirkungen auf die politische Gestaltung. Die Geschichte Palästinas tendierte sehr stark zur Regionalisierung, zu Sonderentwicklungen und zu kleinräumigen politischen Gebilden. In der kanaanäischen Epoche (Mittel- und Spätbronzezeit) zerfiel das Land in eine Fülle von Stadtstaaten. Versuche zu umfassenden Herrschaftsbildungen blieben die Ausnahme. Einen umgreifenden Territorialstaat vermochten erst die Israeliten zu schaffen. Aber die staatliche Einheit blieb eine Episode. Sie währte nur knapp acht Jahrzehnte in dem sog. Einheitsreich Davids und Salomos und lebte dann sehr viel später auch nur vorübergehend unter den Hasmonäern wieder auf. Angesichts dieser fast ständig fehlenden staatlichen Einheit muß es als besonders beachtlich gelten, daß Israel ein so starkes Gemeinschaftsbewußtsein entwickelt hat, wie es sich im AT darstellt.

Der Charakter Palästinas als Bindeglied zwischen Kleinasien und Ägypten machte das Land zu einem fast ständigen Objekt des Zugriffs fremder Mächte. Für Ägypten stellte Palästina das geeignete strategische und kommerzielle Vorgelände dar. Für die Großmächte des kleinasiatischen und mesopotamischen Raums war Palästina entweder das Sprungbrett zur Invasion Ägyptens, oder es diente umgekehrt als Puffer gegen Eingriffe Ägyptens in ihr Imperium. Der größte Teil der Geschichte Israels ist demnach mehr oder weniger von außen bestimmt gewesen. Eine eigenständige Machtpolitik konnten die Israeliten nur in den kurzen Intervallen führen, in denen die Großmächte zu geschwächt waren, um in Syrien-Palästina einzugreifen (Zeit Davids und Salomos), oder in denen sie sich gegenseitig neutralisierten (Zeit der Hasmonäer). Das war aber die Ausnahme, und so war Israel in der Regel ein Objekt der Politik der jeweiligen Großmächte.

Wie viele andere Regionen des Vorderen Orients grenzt auch Palästina an die Wüste. Es war daher in seiner Geschichte manchen Einflüssen offen, die von den Randzonen zwischen Kulturland einerseits, Steppe und Wüste andererseits aus ins Landesinnere wirkten. Die Peripherie des Landes war nicht nur ein Zufluchtsgebiet für Flüchtlinge aus dem Kulturland, sie war vor allem der Lebensbereich für unseßhafte, viehzüchtende Bevölkerungselemente, die sich als Nomaden von der seßhaften, landwirtschaftlich tätigen Bewohnerschaft des Kulturlandes zwar stark unterschieden, mit dieser aber vielfältige Kontakte pflegten.

Palästina war und ist ein karges Land. Die Rede vom »Land, das von Milch und Honig überfließt« ist ein überschwenglicher Ausdruck, der möglicherweise vom Gesichtspunkt des Wüstenlebens aus gewonnen ist. Jedenfalls nennt er die Hauptprodukte des Landes, Getreide, Wein und Öl, nicht. Nennenswerte Bodenschätze besaß das Land Israels nicht. Sein Reichtum bestand in der Landwirtschaft und in der Viehzucht. Beide waren vom regelmäßigen Regenfall abhängig (Regenfeldbau). Ein Bewässerungsfeldbau wie in Ägypten und in Mesopotamien war in Palästina nicht möglich. Zum landwirtschaftlichen Anbau eigneten sich in erster Linie die großen, fruchtbaren Ebenen, während die Gebirgsregionen erst durch Rodung, Terrassierung und den Bau von Bewässerungsanlagen für die agrarische Nutzung erschlossen werden mußten. Eine weitere Einnahmequelle für das Land war der Durchgangshandel. Allerdings kam er Israel nur mit Abstrichen zugute, denn die wichtigsten Handelsrouten verliefen im

Westen und Osten am Gebiet Israels vorbei und berührten es nur streckenweise.

III. Die Ansiedlung der Frühisraeliten

BRIGHT, J., Altisrael in der neueren Geschichtsschreibung, 1961. – HERRMANN, S., Israels Frühgeschichte im Spannungsfeld neuer Hypothesen, Rheinisch-Westfälische Akademie der Wissenschaften Abh. 78: »Studien zur Ethnogenese« II, 1988, 43–95. – WEIPPERT, M., Die Landnahme der israelitischen Stämme in der neueren wissenschaftlichen Diskussion, 1967.

Die alttestamentliche Darstellung setzt zwar mit der Geschichte der Erzväter ein und schildert dann die Entstehung der zwölf Stämme aus den Söhnen des Stammvaters Jakob-Israel, den Auszug des ganzen Volkes aus Ägypten, seine Errettung am Schilfmeer, seinen Weg durch die Wüste, seine Gottesbegegnung am Sinai, seine Durchquerung des Ostjordanlandes und seine Eroberung des Westjordanlandes. Dieses Geschichtsbild ist aber aus dem Rückblick gewonnen und stellt eine Komposition aus den Erlebnissen und Überlieferungen unterschiedlicher Gruppen des nachmaligen Israel dar, die keineswegs gleichzeitig, sondern in verschiedenen Teilen Palästinas unter jeweils andersartigen Umständen Fuß faßten. Es empfiehlt sich deshalb, vor der Betrachtung der Erzväter-, Exodus- und Gottesbergtraditionen den großen Rahmen der Ansiedlung Israels in Palästina darzustellen. Dabei handelt es sich wohl um den gegenwärtig umstrittensten Bereich der Geschichte Israels.

Zur Lösung des Problems wurden in der Forschung mehrere Modelle vorgelegt, die auf unterschiedlichen methodischen Prämissen beruhen und daher auch zu miteinander unvereinbaren Ergebnissen führten.

1. Das Eroberungsmodell

ALBRIGHT, W. F., Von der Steinzeit zum Christentum, 1949, 273ff. – DERS., Archäologie in Palästina, 1962, 107ff. – BRIGHT, J., Geschichte Israels, 1966, 116ff. 126ff. – WRIGHT, G. E., Biblische Archäologie, 1958, 62f. 69ff.

Die Vertreter dieser Auffassung, vor allem ALBRIGHT und seine Schüler, meinen, daß die Israeliten das Land im 13. Jahrhundert v. Chr. durch eine kriegerische Eroberung (»conquest«) einnahmen.

Die wichtigsten Zeugnisse dafür seien die Berichte des Josua-Buches von der Eroberung und Zerstörung wichtiger kanaanäischer Städte. Sie seien substantiell historisch zuverlässig, denn sie würden durch außerbiblische Zeugnisse (»external evidence«) bestätigt, nämlich durch die Resultate der Archäologie (M. WEIPPERT: »archäologische Lösung« des Landnahmeproblems). Besonders aussagekräftig seien die Brandschichten palästinischer Ortslagen, die eine Zerstörung dieser Städte im 13. Jahrhundert bewiesen. Auf die Einäscherung folge ein Kulturabbruch, also ein auffälliger Niedergang der materiellen Kultur. Die nächsten Besiedlungsstrata seien viel ärmlicher und könnten den sich ansiedelnden Israeliten zugeschrieben werden. Zerstörung und neue Aufsiedlung dieser Ortslagen seien mit der Ankunft der Israeliten im Lande in Verbindung zu bringen. Der archäologische Befund lasse sich schließlich auch mit dem Zeitpunkt des Auszugs aus Ägypten vereinbaren (nach ALBRIGHT: Exodus etwa in der ersten Hälfte des 13. Jahrhunderts, »conquest« in der zweiten Hälfte).

Dieses Modell ist gegenwärtig aus der wissenschaftlichen Diskussion nahezu verschwunden. Sein Vorzug ist der enge Bezug auf die alttestamentlichen Texte; sein entscheidendes Defizit liegt darin, daß es diese Überlieferungen zu wenig analysiert, sie gleichsam in ihrer Oberflächenstruktur als historische Zeugnisse wertet und sie zu rasch mit den archäologischen Befunden in Beziehung setzt. Damit wird weder dem Aussagewillen der Texte noch der Eigenart der Ausgrabungsergebnisse Genüge getan. In Einzelfällen läßt sich beobachten, daß biblischer und archäologischer Befund verzerrt oder uminterpretiert werden, um die gewünschte Übereinstimmung zu erreichen. Texte, die dem Modell entgegenstehen (z.B. Ri 1), werden unterbewertet.

Die Zerstörungsschichten, die die Ausgrabungen nachgewiesen haben, können verschiedene andere Ursachen gehabt haben: natürliche Feuersbrünste, Kämpfe der kanaanäischen Stadtstaaten untereinander, Straffeldzüge der Ägypter oder der Einfall der Seevölker. Die sich daran anschließenden, kulturell kargeren Besiedlungsschichten können in manchen Fällen auf die Israeliten zurückgehen, die zwar nicht die Eroberer der Siedlung waren, wohl aber eine aufgegebene Ortslage neu besetzten. Es ist nicht ausgeschlossen, daß auch den Israeliten die Überrumplung einer Stadt bzw. ihre Einnahme durch List oder Verrat gelang. Doch scheint das nicht die Regel gewesen zu sein. Ein ganzes Eroberungsmodell zur Erklärung der Entstehung Israels in Palästina kann daraus schwerlich abgeleitet werden.

2. Das Einwanderungsmodell

Alt, A., Die Landnahme der Israeliten in Palästina, KS zur Geschichte des Volkes Israel I, [4]1968, 89–125. – Ders., Erwägungen über die Landnahme der Israeliten in Palästina, ebd., 126–175. – Noth, M., Geschichte Israels, [10]1986, 67–82.

Diese von Alt entwickelte und von Noth ausgebaute Konzeption beruht vor allem auf einer konsequenten überlieferungsgeschichtlichen Analyse der einschlägigen alttestamentlichen Texte sowie auf einem Vergleich der Besiedlungsdichte in den verschiedenen Landesteilen (M. Weippert: »territorial- und traditionsgeschichtliche Lösung«). Die Eroberungsberichte des Josua-Buches erweisen sich zum großen Teil als Sagen ätiologischer Abzweckung, die Gegebenheiten aus der Gegenwart der Tradenten auf Vorgänge der Vergangenheit zurückführen, also nicht einfach als Geschichtsquellen für die früheste Zeit genutzt werden können. Die Besiedlung des Landes, die sich aus Listenmaterial und anderen Texten erschließen läßt, zeigt eine höchst unterschiedliche Dichte in den verschiedenen Teilen des Landes gegen und nach der Mitte des 2. Jahrtausends v. Chr.: Die für Palästina charakteristischen Stadtstaaten drängten sich in den fruchtbaren Ebenen und in der Schefela eng aneinander, während sie in den gebirgigen Regionen weitaus seltener waren. Besonders zwei Stadtstaatenkonzentrationen waren von Bedeutung, weil sie wie Ketten das Land von West nach Ost durchzogen: im Norden die Städte von Akko bzw. Dor quer durch die Jesreelebene bis Bet-Schean (›nördlicher Querriegel‹), im Süden eine Kette von Aschdod, Ekron in der Küstenebene aus über Geser, Ajalon, Zora im Hügelland bis nach Jerusalem im Landesinneren (›südlicher Querriegel‹).

Während sich die Städte in den Ebenen gegenseitig begrenzten, bot die geringere Siedlungsdichte in den gebirgigen Regionen Raum zur Expansion. In diesen Bereichen erkennt Alt auch über das Stadtstaatensystem hinausgreifende Versuche zur territorialen Machtbildung. Diese schwach besiedelten und politisch kaum kontrollierten Regionen boten Neuankömmlingen wie den Israeliten die Möglichkeiten für eine relativ konfliktlose Ansiedlung. Dies ergibt sich vor allem aus Ri 1,27–36 (›negatives Besitzverzeichnis‹). Das sich hier ergebende topographische Bild deckt sich mit den Zeugnissen aus vorisraelitischer Zeit: Es waren die Gebiete der Stadtstaatenkonzentrationen, die die Israeliten nicht einnahmen. Die Territorien der Stämme lagen im wesentlichen in den Gebirgsregionen. »Israel wuchs mit der Landnahme nicht geradewegs in die städtische Kultur Palästinas hinein, sondern blieb zunächst sozusagen vor den Toren der Städte wohnen«. (ALT 125).

Die Seßhaftwerdung der Israeliten leitet ALT aus dem bis in die Gegenwart zu beobachtenden Rhythmus des nomadischen Weidewechsels zwischen Steppenzone und Kulturland ab. In der Konsequenz dieser langwährenden Transhumanz lag es, daß die nomadischen Sippen zunehmend in den schwach besiedelten Teilen des Landes Fuß faßten und schließlich zur vollen Seßhaftigkeit und zur agrarischen Lebensweise übergingen. Demnach war die Ansiedlung eine langwährende, friedliche Infiltration von frühisraelitischen Kleinviehnomaden aus den Randgebieten des Kulturlandes in das Landesinnere, eine ›Landnahme‹.

Auf diese überwiegend friedliche Phase folgte das Stadium des ›Landesausbaus‹, in dem die Stämme ihre Siedlungsgebiete abzurunden und auszuweiten begannen. Dabei kam es auch zu Auseinandersetzungen mit kanaanäischen Stadtstaaten, die unterschiedliche Ergebnisse zur Folge hatten: Einnahme meist isoliert gelegener Städte durch List, Verrat oder Überfall (Ri 1,22–26; 18,27–29), vertragliche Regelungen zwischen Stadt und Stamm (Jos 9), zunehmende Einschnürung einer Stadt durch Besetzung seines Umlandes (Jerusalem), Einrücken eines Stammes in Lücken der Stadtstaatengebiete (Issachar).

Diese besonders in der deutschsprachigen Forschung lange Zeit hindurch dominierende Erklärung ist gegenwärtig in die Kontroverse geraten. Dabei bringen sich als leitende Gesichtspunkte zur Geltung: eine Neubestimmung des Wesens des Nomadentums bzw. des Verhältnisses von Nomaden und Seßhaften, eine erhebliche Höherschätzung des kanaanäischen Anteils an der Bildung Israels und die Einführung ethnosoziologischer Gesichtspunkte und Theoreme in die Fragestellung.

3. Das Revolutionsmodell

Anfänge Israels, BiKi 37, 1983, H. 2. – FREEDMAN, D. N. – GRAF, D. F. (Hg.), Palestine in Transition, 1983. – GOTTWALD, N. K., The Tribes of Yahweh, 1979. – MENDENHALL, G. E., The Hebrew Conquest of Palestine, BA 25, 1962, 66–87 (= BA Reader III, 1970, 100–126). – DERS., The Tenth Generation, ²1974.

Diese zuerst von MENDENHALL skizzierte und dann von GOTTWALD ausgebaute und auf eine breite theoretische Grundlage (die von MENDENHALL übrigens abgelehnt wird) gestellte Hypothese erklärt das Werden Israels aus innerkanaanäischen Konstellationen, wobei der Zustand der spätbronzezeitlichen kanaanäischen Gesellschaft eine entscheidende Rolle spielt (M. Weippert: »soziologische Lösung«). Hier existierte eine große Kluft zwischen den Städten einerseits und dem von den Stadtstaaten abhängigen Land mit seiner Dorfbevölkerung andererseits. Der wirtschaftliche und kulturelle Niedergang der Stadtstaatengesellschaft verschärfte den Widerspruch und verstärkte den Widerstand der Landbevölkerung gegen die Stadtherrschaften. Gleichzeitig schuf die soziale Entwicklung ein starkes Potential von Menschen, die – durch Überschuldung und die Gefahr der Schuldsklaverei gezwungen – aus der etablierten Gesellschaft ausschieden und sich an deren Rand am Leben erhalten mußten.

Von diesen Randgruppen der Gesellschaft (›Hebräern‹) ging der Anstoß zur Bildung Israels aus. Er bestand in einer von den Ausgestoßenen und von der Bauernschaft des Landes getragenen Revolution gegen das Stadtstaatensystem (»peasant's revolt«). Ausgelöst wurde sie durch eine religiöse Motivation: Aus Ägypten geflohene palästinische Gefangene lernten den Gott Jahwe kennen und verpflichteten sich in einem Vertrag zur alleinigen Bindung an ihn, wobei sie auch den Namen ›Israel‹ annahmen. Als Kontrast zur feudalen Ordnung der Stadtstaaten konstituierten sich die ›Israeliten‹ in einer egalitären, auf der Sippenordnung beruhenden Stämmeverfassung. Von den religiösen Impulsen getragen, sprang die Revolutionsbewegung vom Ost- in das Westjordanland über. Ihr gelang schließlich der Sturz des feudalen Städtesystems, teils durch Zerstörung der urbanen Zentren und die Abschaffung der Herrenschicht, teils durch vertragliche Regelungen, teils durch eine ›Bekehrung‹ der Bevölkerung. Das Werden Israels und seine (vermeintliche) Ansiedlung stellt sich also als gelungener sozial-ökonomischer Umsturz dar, als eine innerkanaanäische Revolution, an der von außen kommende Elemente nur einen geringen Anteil hatten. ›Israel‹ bedeutet demnach keine ethnische Einheit, sondern ein aus einer ökonomischen Zwangslage entstandenes neues gesellschaftliches Bewußtsein, das dann auch zu einer neuen, religiös-sozial bestimmten Größe führte.

Die Schwierigkeit dieser Konzeption besteht darin, daß sie sich von den Aussagen der alttestamentlichen Zeugnisse weit entfernt. Hier wird immer wieder betont, daß Israel eine von außen nach Palästina gekommene Größe ist, die nicht von Haus aus in dieses Land gehört, das ihr vielmehr von seinem Gott Jahwe geschenkt worden ist. Die Texte sprechen von einer so grundsätzlichen Differenz zwischen Kanaan und Israel, daß es schwerfällt, darin nur zwei soziale Stufen innerhalb der kanaanäischen Gesellschaft zu erkennen. Die Erzväter Israels werden als im Land nomadisierende Fremdlinge geschildert, die Konflikte mit den Kanaanäern auszutragen haben. Hingegen wird ihre Verwandtschaft mit denjenigen Völkerschaften betont, die etwa gleichzeitig mit Israel in der zweiten Hälfte des 2. Jahrtausends v. Chr. in Palästina erscheinen: den Aramäern, den Ammonitern, den Moabitern und den Edomitern.

4. Das Evolutionsmodell

GEUS, C. H. J. DE, The Tribes of Israel, 1976. – LEMCHE, N. P., Early Israel, 1985. – THIEL, W., Vom revolutionären zum evolutionären Israel?, ThLZ 113, 1988, 401–410.

Diese Konzeption ist mit dem Revolutionsmodell verwandt, insofern sie das Werden Israels ebenfalls aus innerkanaanäischen Verhältnissen erklärt, dabei aber die Annahme einer »peasant's revolt« ablehnt. Nachdem schon DE GEUS von der Revolutionshypothese abgerückt war und die Entstehung Israels als friedliche Entwicklung aus einer seßhaften ›amoritischen‹ Bevölkerung erklärt hatte, hat LEMCHE eine weiterreichende Ausarbeitung des Modells vorgelegt. Demnach entstand Israel aus einer kanaanäischen sozialen Entwicklung (»evolution«). Dabei spielte die Sezession unfreier Bauern oder Pächter in die geringer besiedelten zentralen Gebirgsregionen eine große Rolle. Denn aus ihnen bildeten sich durch einen Prozeß der ›(Re-)Tribalisierung‹ in der Zeit um 1200 agrarische Gemeinschaften, die schon durch die Stele des Pharaos Merenptaḥ als ›Israel‹ bezeugt sind. In diesem sozialen Vorgang spielen religiöse Einflüsse keine besondere Rolle. Vielmehr stammen wichtige Spezifika des Jahweglaubens aus der kanaanäischen Religion. Dieses Bild entsteht im wesentlichen auf der Grundlage außerbiblischer Texte und archäologischer Befunde. Die alttestamentlichen historischen Überlieferungen werden als Quellen für die Frühgeschichte Israels abgelehnt, ein schwerlich überzeugendes Verfahren. Ansonsten erheben sich gegen diese Konzeption dieselben Bedenken wie gegen die Revolutionshypothese.

5. Zum Stand der Debatte

AHARONI, Y., Nothing Early and Nothing Late: Rewriting Israel's Conquest, BA 39, 1976, 55–76. – AXELSSON, L. E., The Lord Rose up from Seir,

1987. – FRITZ, V., Die kulturhistorische Bedeutung der früheisenzeitlichen Siedlung auf der Ḫirbet el-Mšāš und das Problem der Landnahme, ZDPV 96, 1980, 121–135. – DERS., Conquest or Settlement? The Early Iron Age in Palestine, BA 50, 1987, 84–100. – ROWTON, M. B., Urban Autonomy in a Nomadic Environment, JNES 32, 1973, 201–215. – DERS., Dimorphic Structure and Topology, OrAnt 15, 1976, 17–31. – WEIPPERT, M., The Israelite »Conquest« and the Evidence from Transjordan, Symposia, 1979, 15–34.

Den alttestamentlichen Texten entspricht am meisten die Infiltrationshypothese, ebenso aber auch den neueren Ausgrabungsbefunden. Freilich sind dadurch verschiedene Modifikationen geboten.

Im 12. Jahrhundert v. Chr. überziehen Dörfer das Land, besonders in Galiläa, im zentralen Bergland und im Negeb. Sie lassen sich am besten durch den Zuzug neuer Bevölkerungselemente erklären, die in die dünnbesiedelten Landesregionen eingesickert waren. Die materielle Kultur in diesen Siedlungen ist teils von der kanaanäischen abhängig (Keramik, Metallverarbeitung), teils eigenständig (Hausbau-Typ: ›Drei-‹ oder ›Vierraumhaus‹). Dies spricht für einen langwährenden Kontakt der Neuankömmlinge mit den seßhaften Landesbewohnern. Der eigentlichen Ansiedlung muß eine lange halbnomadische bzw. halbseßhafte Periode mit kräftigen Beziehungen zu der landesüblichen Kultur und Gesellschaft vorausgegangen sein (ROWTON: »dimorphic society«, FRITZ: »Symbiose«). Sie können auch durch aus der kanaanäischen Stadtstaatengesellschaft ausgestoßene Elemente vermittelt worden sein. Solche ›Rand-Kanaanäer‹ (*ḫabiru*) dürften eine größere Rolle bei der Bildung Israels gespielt haben, als es aus den Quellen zu erkennen ist (der zutreffende Kern im Revolutions- und Evolutionsmodell). Es darf nicht vergessen werden, daß etwa gleichzeitig mit Israel andere Völkerschaften in Syrien und Palästina in Erscheinung treten: die Aramäer, Ammoniter, Moabiter, Edomiter. Zudem hat Israel die Erinnerung an seine Verwandtschaft mit den Aramäern bewahrt (Dtn 26,5). So scheint die Vorstellung von einer ›aramäischen Wanderung‹, die im 2. Jahrtausend auf die Kulturländer des Alten Vorderen Orients einwirkte und zur Entstehung jener Staatsgebilde führte, trotz mancher Widersprüche doch den Tatbeständen am besten zu entsprechen.

Über die genaueren Umstände der Landnahme ist kaum noch etwas zu erschließen. Man muß aber annehmen, daß sie in den verschiedenen Landesteilen in unterschiedlicher Weise erfolgte. Vermutlich waren es vor allem blutsverwandtschaftliche Einheiten, die zur Seßhaftwerdung übergingen, seltener schon Stämme. Die Stammesbildung kam wohl in der Regel durch das gemeinsame Siedeln in einer bestimmten Landesregion zustande.

IV. Die Erzväter

McKane, W., Studies in the Patriarchal Narratives, 1979. – Otto, E., Jakob in Sichem, 1979. – Seters, J. van, Abraham in History and Tradition, 1975. – Thiel, W., Die soziale Entwicklung Israels in vorstaatlicher Zeit, [2]1985, 31–51. 166f. – Ders., Geschichtliche und soziale Probleme der Erzväter-Überlieferungen in der Genesis, Theologische Versuche 14, 1985, 11–27. – Thompson, Th. L., The Historicity of the Patriarchal Narratives, 1974. – Vaux, R. de, Die hebräischen Patriarchen und die modernen Entdeckungen, 1960. – Ders., Die Patriarchenerzählungen und die Geschichte, 1965. – Worschech, U., Abraham. Eine sozialgeschichtliche Studie, 1983. – Vgl. auch die Lit. zu A II 1.

Die Geschichtlichkeit der Erzväter, in Vergangenheit und Gegenwart (Thompson, van Seters) nicht selten bezweifelt, scheint durch die These Alts vom »Gott der Väter« sichergestellt zu sein (vgl. A II 1). Demnach waren die Erzväter Empfänger einer besonderen Gottesoffenbarung, und ihre Namen wurden im Zusammenhang mit dem des sich persönlich an sie bindenden ›Vätergottes‹ überliefert. – Man kann – die neuere Kontroverse über die ›Vätergott‹-Hypothese beiseite lassend – die Erzväter als Sippenhäupter aus der halbnomadischen Epoche der frühisraelitischen Gruppen bezeichnen. Freilich standen sie ursprünglich wohl in keinem Zusammenhang miteinander; ihre genealogische Zuordnung ist erst das Werk der Traditionsverknüpfung. Dafür zeugen auch die unterschiedlichen geographischen Haftpunkte der Erzväter: Abraham im Süden, im Gebiet von Hebron, Isaak im Negeb, Jakob im Ostjordanland und im zentralen Bergland. Es handelt sich dabei durchweg um Regionen außerhalb der Stadtstaatenkonzentrationen.

Über Leben und Schicksale der Erzväter kann man aus der Überlieferung nichts wirklich Gesichertes erschließen. In diesen Traditionen dürften keine biographischen Informationen konserviert sein, sondern in sie sind anscheinend auch Erlebnisse und Geschicke der sich von dem jeweiligen Stammvater ableitenden Sippen eingeflossen. Auch die Versuche, über angebliche Parallelen aus Mari und Nuzi mehr über Herkunft und Leben der Erzväter zu erfahren, haben sich als fragwürdig erwiesen. Als authentisch darf man allerdings das in den Patriarchenerzählungen (Gen 12–35) widergespiegelte Milieu und die Lebensweise der Erzväter beurteilen. Sie sind als im Land umherziehende, kleinviehzüchtende Halbnomaden geschildert, die sich vorübergehend da und dort niederlassen und Konflikte mit den Landesbewohnern durch List vermeiden oder durch Verträge beilegen.

Die Herkunft der Väter wird im Norden gesucht, in Mesopotamien. Während die Herleitung Abrahams aus ›Ur in Chaldäa‹ sich anscheinend einer späten Spekulation verdankt, ist die Verbindung mit Haran in Obermesopotamien viel früher belegt. Diese Herkunftsangabe will wohl ebenso wie die Traditionsspur, die ins Ostjordanland verweist (Gen 29,1; 31,23), die aramäische Verwandtschaft der Väter betonen und beschreibt damit die Ursprünge Israels in die ›aramäische Wanderung‹ ein. Die Erzväter dienen auch zur Darstellung anderer Verwandtschaftsverhältnisse. Über Abraham bzw. seinen Neffen Lot sind die Ammoniter und Moabiter (Gen 19,30–38) sowie die Araber (25,1–18) mit Israel verwandtschaftlich verbunden, über Jakobs Bruder Esau auch die Edomiter. Jakob selbst wird als ›Israel‹ (32,28) zum Stammvater des Volkes. Seine Söhne sind die Eponymen der zwölf Stämme. Die Erzväter gehören als frühisraelitische Sippenhäupter in die Vorgeschichte des sich in Palästina bildenden Volkes Israel. Sie sind schwerlich in die Mittelbronze- (19. Jh. v.Chr.), sondern in die Spätbronzezeit (15.–13. Jh.) zu datieren, jedenfalls in die Epoche, die die Seßhaftwerdung der Frühisraeliten einleitete.

V. Auszug aus Ägypten, Gottesberg und Wüstenüberlieferungen

Zum Exodus: ALT, A., Die Deltaresidenz der Ramessiden, KS zur Geschichte des Volkes Israel III, [2]1968, 176–185. – BIETAK, M., Tell el-Dab^ca II, 1975. – EISSFELDT, O., Baal Zaphon, Zeus Kasios und der Durchzug der Israeliten durch das Meer, 1932. – GUNNEWEG, A. H. J., Mose in Midian, ZThK 61, 1964, 1–9. – HERRMANN, S., Mose, EvTh 28, 1968, 301–328 (= GSt zur Geschichte und Theologie des Alten Testaments, 1986, 47–75). – KAISER, O., Stammesgeschichtliche Hintergründe der Josephsgeschichte, VT 10, 1960, 1–15 (= Von der Gegenwartsbedeutung des Alten Testaments, 1984, 127–141). – NICHOLSON, E. W., Exodus and Sinai in History and Tradition, 1973. – NOTH, M., Überlieferungsgeschichte des Pentateuch, [3]1966. – DERS., Der Schauplatz des Meereswunders, Aufs. zur biblischen Landes- und Altertumskunde I, 1971, 102–110. – Vgl. auch die Lit. zu A II 2.

Zum Gottesberg: GESE, H., *To de Hagar Sina oros estin en tē Arabia* (Gal 4,25), Vom Sinai zum Zion, 1974, 49–62. – HERRMANN, S., Der alttestamentliche Gottesname, EvTh 26, 1966, 281–293 (= GSt, 76–88). – KOENIG, J., La site de al-Jaw dans l'ancien pays de Madian, 1971. – NOTH, M.,

Der Wallfahrtsweg zum Sinai (Nu 33), Aufs. (s.o.) I, 1971, 55–74. – Perlitt, L., Sinai und Horeb, Beiträge zur alttestamentlichen Theologie. FS W. Zimmerli, 1977, 302–322. – Zuber, B., Vier Studien zu den Ursprüngen Israels, 1976, bes. 15–72.

Die *Herausführung* aus der Knechtschaft in Ägypten hat Israel immer als ein Urdatum seiner Volksgeschichte und als die entscheidende Befreiungstat seines Gottes Jahwe bekannt. Im Gegensatz zu dieser gesamtisraelitischen Rezeption der Exodus-Erfahrung ist es historisch wahrscheinlich, daß nicht das ganze Volk in Ägypten war, sondern nur bestimmte Gruppen, die auf dem Boden Palästinas dann in das sich bildende Israel eingingen und wohl vor allem den Kern der mittelpalästinischen Stämme ausmachten. Die von ihnen weitervermittelte Erfahrung der Befreiung aus Ägypten war so gewaltig, daß sie schließlich von dem ganzen Volk als eigenes Widerfahrnis angenommen und weitertradiert wurde.

Ägyptische Quellen bezeugen für die zweite Hälfte des 2. Jahrtausends v. Chr. zwischen dem Südrand Palästinas und den Grenzen Ägyptens eine rege Wanderbewegung von Nomaden (*š*^{3}*św*), die gelegentlich auch als Händler oder als Schutzbegehrende in Ägypten Einlaß finden. In ähnlicher Weise mögen auch frühisraelitische Sippen, sei es infolge einer Hungersnot (vgl. Gen 12,10), sei es im Zuge ihrer normalen Routen nach Ägypten gelangt und dort am Ostrand des Deltas (›Goschen‹) geblieben sein. Nach Ex 1,11 wurden sie von der ägyptischen Administration zum Ausbau der Städte Pitom und Ramses herangezogen. Diese historisch zuverlässige Notiz legt den Aufenthalt der frühisraelitischen Sippen in Ägypten auf die Regierungszeit Ramses' II. (1290–1224) fest.

Offenbar entzogen sich die staatlicher Gewaltmaßnahmen ungewohnten Sippen der Zwangsverpflichtung durch die Flucht. Dabei wurden sie von einer ägyptischen Streitwagenabteilung verfolgt und eingeholt. Durch uns unbekannte Umstände ging die ägyptische Truppe aber in ›einem Meer‹ zugrunde, und die Verfolgten konnten die Flucht fortsetzen. Das Geschehen wird in keiner zeitgenössischen ägyptischen Quelle bezeugt; die Katastrophe einer Grenztruppe war wohl ein zu ephemeres Geschehen für das Nilreich. Für die Verfolgten aber bedeutete es Rettung aus einer aussichtslosen Situation, die sie dem Eingreifen Jahwes zuschrieben. Der älteste alttestamentliche Beleg für das Ereignis ist der kurze Liedvers in Ex 15,21b. Der Bericht in Ex 14 stellt spätere Versionen der Rettungstat Gottes zusammen (J: Zurückfluten des Meeres durch einen Ostwind, Gottesschrecken, kopflose Flucht der Ägypter in das zurückkehrende Meer; P: ›Gasse‹ durch das Meer, das über den nachdrängenden Ägyptern zusammenschlägt). Ähnlich unsicher wie der Ablauf des Geschehens ist der Schauplatz des Meerwunders. In Betracht kommen: der Sirbonische Meerbusen am Mittelmeer in der Nähe des antiken Pelusium (EISSFELDT), die Seen im Bereich des heutigen Suez-Kanals: der Ballah-See (BIETAK), der Timsaḥ-See, die Bitterseen, sowie schließlich der Golf von Suez. Die größte historische Wahrscheinlichkeit kommt der zweiten Gruppe, den Seen östlich des Wādi Ṭumilāt, zu. Über Vermutungen gelangt man nicht hinaus.

Trotz mancher Bestreitungen (vgl. bes. NOTH) wird man daran festhalten können, daß der Auszug aus Ägypten mit der Person *Moses* verbunden war. Dafür zeugt neben der Tradition sein ägyptischer Name. Die Überlieferung schreibt ihm außerdem eine Verbindung zu den Midianitern und eine midianitische Frau zu. Im midianitischen Gebiet lag aber auch der Gottesberg, zu dem Mose während seines Midian-Aufenthaltes Kontakt gewonnen haben soll (Ex 3). Diese Tatbestände lassen die Annahme zu, daß Mose bei den Midianitern Jahwe kennengelernt und im Namen dieses Gottes die Sippen in Goschen zur Flucht aus Ägypten veranlaßt hat. Dann war es wohl auch die Ägypten-Gruppe unter Führung Moses, die dem Gott Jahwe, dem sie die Befreiung aus Ägypten verdankte, am Gottesberg in der Wüste begegnete. Die Bedeutung, die Mose im alttestamentlichen Kanon als große Klammerfigur vieler unterschiedlicher Überlieferungen im Pentateuch und schließlich als Religionsstifter des Jahweglaubens bekommen hat, erklärt sich einfacher, wenn Mose keine Randfigur war, sondern eine große Führergestalt der Frühzeit, die dann auch andere Traditionen an sich ziehen konnte. (Weiter vgl. oben A II 2.)

Die alttestamentliche Überlieferung enthält deutliche Erinnerungen daran, daß Jahwe nicht von Anfang an von den Frühisraeliten verehrt wurde. Dem Jahweglauben ging die Religion der ›Vätergötter‹ vorauf (vgl. oben A II 1). Jahwe trat erst im Zusammenhang mit dem Auszug aus Ägypten in den Gesichtskreis der Frühisraeliten (Ex 3* E; 6 P). Jahwe gehörte ursprünglich an einen Gottesberg der südlichen Wüste, der ›Sinai‹ und später vorübergehend auch ›Horeb‹ heißt (zum Namenswechsel vgl. PERLITT). Hier wurde er zunächst von den Midianitern (und den Kenitern) verehrt. Es ist nicht ausgeschlossen, daß einige frühisraelitische Sippen bereits vor der Exodus-Erfahrung oder auch, ohne selbst in Ägypten gewesen zu sein, Kontakte zu dem Gottesberg und zu Jahwe aufgenommen hatten. Sie hätten dann – sei es durch Mose, sei es durch die Ägyptengruppe – auf eine vorgängige Bekanntschaft mit Jahwe angesprochen werden können. Das sind leider unbeweisbare Vermutungen. Geschichtswirksam wurde erst die Begegnung der Exodus-Sippen mit Jahwe.

Ein umstrittenes und kaum lösbares Problem ist die Lokalisierung des Gottesberges. Sicher dürfte sein, daß seine traditionelle Ansetzung im Südteil der Sinai-Halbinsel (Ǧebel Mūsa, Ǧebel Kāṭerīn oder Ǧebel Serbal) historisch wenig wahrscheinlich ist. Es handelt sich um eine verhältnismäßig junge Tradition aus christlich-byzantinischer Zeit, die kaum beträchtlich ältere Wurzeln haben dürfte. Eine ganze Reihe von Gründen verweist auf ein Vulkangebiet östlich des Golfes von Aqaba im nordwestlichen Arabien. Die Sinai-Perikope läßt vulkanische Phänomene erkennen. Aus Num 33 hat NOTH ein Itinerar herausgearbeitet, das er als Stationenverzeichnis eines Wallfahrtsweges zum Sinai erklärt und das in jenes Gebiet führt. GESE verwies auf eine Tradition, die noch in römischer Zeit den Sinai in diesem Bereich suchte. Besonders nachhaltig hat sich KOENIG für diese Lokalisierung eingesetzt. Die beeindruckende Argumentenreihe ist aber letztlich nicht durchschlagend (vgl. die Kritik von ZUBER). Entscheidende Indizien für das Alter der Traditionen fehlen. Eine andere Überlieferung setzt den Gottesberg in größerer Nähe zu Palästina an, nämlich im Bereich der unmittelbar südlich anschließenden Wüste (Ri 5,4f; Dtn 33,2, wohl auch 1Kön 19,3–8). Durch dieses Gebiet führten Routen zwischen Ägypten und Palästina, es ist als Ziel von Wallfahrten aus dem palästinischen Raum denkbar, und auch die Kontakte der Midianiter und Keniter zu diesem Bereich sind gut vorstellbar. Die Unsicherheit der Überlieferung läßt jedenfalls annehmen, daß nach der Ansiedlung, nach der Übernahme von Kulturlandheiligtümern und nach der Gründung königlicher Tempel die Wallfahrten zum Gottesberg immer mehr eingestellt wurden und die Kenntnis von seiner Lage versank.

Über die midianitische bzw. kenitische Jahweverehrung am Gottesberg wissen wir nichts. Für die Frühisraeliten war Jahwe aber von Anfang an als derjenige qualifiziert, der sie aus Ägypten errettet hatte. In dieser Erfahrung lag die Wurzel zu dem (singulären) Glauben an Jahwe als den Herrn der Geschichte und den Retter seines Volkes aus schweren Notsituationen. Über den Inhalt der Begegnung zwischen der Exodus-Gruppe und Jahwe am Gottesberg läßt sich nichts Konkretes mehr ausmachen. Die Sinai-Perikope (Ex 18 – Num 10) ist ein so barock ausgestaltetes Phänomen, daß alle Versuche, sie nach den historischen Hintergründen zu befragen, an unübersteigbare Grenzen stoßen. Eine Fülle späterer Texte, Vorstellungen und Überlieferungen sind an das Sinai-Ereignis herangetragen worden, so der dominierende Vorgang eines ›Bundesschlusses‹ zwischen Gott und Volk (vgl. oben A II 3). Wurde den Israeliten hier der Rechtswille Jahwes offenbart, was die spätere, große Kumulation von Gesetzestexten an diesem Punkt erklären könnte? Aber auch die älteren Rechtscorpora innerhalb der Sinai-Perikope sind ebenso wie der Dekalog (Ex 20,2–17) jüngerer Herkunft. Eher könnte man damit rechnen, daß die unableitbare und im Alten Vorderen Orient einzigartige Forderung Jahwes nach alleiniger Verehrung – also der Inhalt des erst später formulierten 1. Gebotes – in der Substanz auf dieses Ereignis zurückgeht.

Der Pentateuch enthält noch zahlreiche *Wüstenüberlieferungen:* Quelltraditionen, Berichte von Speisungswundern und Erzählungen von Kämpfen gegen Feinde. Es ist keineswegs wahrscheinlich, daß sie alle den Erlebnissen der Ägypten-Gruppe zuzuschreiben sind. Eher handelt es sich um die Erfahrungen verschiedener Sippen aus ihrer unseßhaften Periode. Einige dieser Überlieferungen sind an der Oase von Kadesch beheimatet. Sie war offenbar ein wichtiges Zentrum für die in diesem Gebiet wandernden Halbnomaden und besaß ein Heiligtum, an dem wohl auch Rechtsfälle geschlichtet wurden. Die Kadesch-Traditionen dürften bei den südpalästinischen Stämmen verwurzelt gewesen sein, Gruppen also, die schon vor der Exodus-Schar im Lande seßhaft geworden waren. Die Ägyptengruppe, die Palästina von Osten her erreichte und die Erfahrung der Errettung und der Jahwebegegnung mitbrachte, gehörte wohl zu den letzten Sippen, die zur Ansiedlung schritten. Sie ging vor allem in die mittelpalästinischen Stämme ein. Mit deren Konsolidierung war im wesentlichen die Stämmekonstellation erreicht, die die seßhafte, vorstaatliche Epoche auszeichnet.

VI. Die Stämme im palästinischen Kulturland

Alt, A., Neues über Palästina aus dem Archiv Amenophis' IV., KS zur Geschichte des Volkes Israel III, ²1968, 158–175. – Gal, Z., The Settlement of Issachar, Tel Aviv 9, 1982, 79–86. – Herrmann, W., Issakar, FuF 37, 1963, 21–26. – Niemann, H. M., Die Daniten, 1985. – Noth, M., Der Hintergrund von Richter 17–18, Aufs. zur biblischen Landes- und Altertumskunde I, 133–147. – Ders., Die Ansiedlung des Stammes Juda auf dem Boden Palästinas, ebd., 183–196. – Ders., Beiträge zur Geschichte des Ostjordanlandes, ebd., 345–543. – Ottosson, M., Gilead. Tradition and History, 1969. – Schunck, K.-D., Benjamin, 1963. – Täubler, E., Biblische Studien. Die Epoche der Richter, 1958. – Zobel, H.-J., Stammesspruch und Geschichte, 1965. – Ders., Beiträge zur Geschichte Groß-Judas in früh- und vordavidischer Zeit, VT.S 28, 1975, 253–277.

Im Südteil des Landes dominierte der starke Stamm Juda, der sein Zentrum in Betlehem hatte. Südlich davon wohnten bis in den

Negeb hinein unterschiedlich große Stämme und Stammesgruppen: die Kalibbiter (um Hebron), die Otniëliter bzw. Kenasiter (um Debir), die Jerachmeëliter, die Keniter sowie die Simeoniter (um Horma im Negeb). Von diesen Gruppierungen ist nur Simeon im System der zwölf Stämme Israels vertreten. Neben ihm wird nicht selten Levi genannt, dessen Existenz als ›weltlicher‹ Stamm allerdings kontrovers beurteilt wird. In historisch überblickbarer Zeit sind beide Stämme erloschen; die Leviten siedeln als ›Schutzbürger‹ unter den anderen Stämmen, die Simeoniter sind bedeutungslos. Alle diese im Süden an Juda angrenzenden Verbände wurden im Laufe der Zeit von Juda aufgesogen (›Groß-Juda‹).

Im mittelpalästinischen Raum siedelten Manasse, Ephraim und Benjamin. Unter ihnen nahm der starke Stamm Ephraim eine Hegemoniestellung ein. Der südlichste und kleinste dieser Stämme, Benjamin, siedelte auf einem relativ schmalen Territorium nördlich von Jerusalem. Zu seinem Gebiet gehörte auch das Heiligtum von Bet-El. Zu den Hiwiterstädten Gibeon, Kefira, Beerot und Kirjat-Jearim unterhielt Benjamin vertraglich geregelte Beziehungen. Ephraim saß im Zentrum des mittelpalästinischen Gebirges, etwa zwischen Bet-El und Sichem. Zu seinem Gebiet gehörte das Lade-Heiligtum von Schilo. Manasse, dessen Bereich sich von Sichem bis an den Rand der Jesreelebene erstreckte, war ein jüngerer Stamm, nämlich ein Restbestand des in das Ostjordanland abgewanderten Stammes Machir (Ri 5,14), der ursprünglich im Westen gewohnt hatte. Die zurückgebliebenen machiritischen Sippen formierten sich neu als Stamm Manasse. Auch Manasse unterhielt vertraglich gesicherte Beziehungen zu den Kanaanäerstädten seines Bereichs, Sichem und Tirza (Num 26,29–34).

Zwischen den süd- und den mittelpalästinischen Stämmen bildete der ›südliche Städteriegel‹ eine wirksame Barriere für die Interaktion. Eine dadurch schon früh angelegte Dualität zwischen ›Groß-Juda‹ und den übrigen Stämmen hat die ganze Geschichte Israels überschattet und die spätere Zweistaatlichkeit vorbereitet. Weniger wirksam war anscheinend die trennende Kraft des ›nördlichen Städteriegels‹. Offenbar bildete der Stamm ›Issachar‹ (Isaschar) ein Bindeglied zwischen den zentralpalästinischen und den galiläischen Stämmen. Issachar hatte unter Aufgabe eines Teils seiner Selbständigkeit in eine Lücke der Stadtstaatenkette in der Jesreelebene einrücken können (Alt, doch vgl. dagegen Gal). Er wohnte im Bereich des Südausläufers des galiläischen Gebirges, der vom Tabor aus weit in die Ebene hineinreicht (›Gebirge Gilboa‹). Am Tabor hatte Issachar Grenzberührung mit den Stämmen Sebulon und Naftali. Auf dem Tabor lag ein für die ganze Region bedeutungsvolles Heiligtum (Dtn 33,18f).

Der Stamm Sebulon faßte im Bereich des heutigen Nazaret Fuß, konnte aber nicht in das Gebiet der Stadtstaaten um die Bucht von Akko eindringen. Anscheinend hat sich Sebulon seine Ansiedlung um den Preis von Dienstleistungen für die Küstenstädte erkaufen müssen (Gen 49,13). Dasselbe gilt für den kleinen Stamm Ascher (Ri 5,17). Eine besondere Geschichte hatte der nordgaliläische Stamm Dan. Er versuchte zunächst, sich im Umkreis des ›südlichen Städteriegels‹, im Hügelland zwischen Gebirge und Küstenebene, festzusetzen, konnte sich hier aber nicht behaupten und zog weiter in den Norden, wo er unweit des Hermon Siedlungsraum fand. Er überfiel die Stadt Lajisch und baute sie unter dem Namen Dan wieder auf. Möglicherweise war die Ansiedlung auch hier mit Dienstleistungen an die Phönizierstädte verbunden (Ri 5,17).

Das Ostjordanland ist überwiegend vom Westen aus kolonisiert worden. Der größte Teil des Stammes Machir fand hier, vor allem im nördlichen Bereich, ein neues Siedlungsgebiet. Im Zentrum, um den Jabbok, bildete sich aus machiritischen, benjaminitischen, vor allem aber ephraimitischen Sippen (Ri 12,4) der Stamm Gilead. Vermutlich hat auch der Stamm Ruben zuerst im Westjordanland gesessen, zog dann aber ins südliche Ostjordanland, wo er erlosch bzw. in Gad aufging. Gad war anscheinend der einzige originär ostjordanische Stamm Israels. Er siedelte auf der Höhe des Nordrandes des Toten Meeres und breitete sich nach Norden und Süden aus, wo er am Arnon auf die Moabiter stieß.

Durch die israelitische Besiedlung des Ostjordanlandes sind dort wohnende aramäische Sippen nach Norden und Nordosten abgedrängt worden. Im Osten, etwa im Gebiet des heutigen Ammān, bildete sich das Reich der Ammoniter. Zwischen Arnon und Sered siedelten die Moabiter, die auch das Territorium zwischen dem Arnon und der Nordspitze des Toten Meers für sich beanspruchten. Südlich vom Toten Meer wurden die Edomiter seßhaft. Alle diese ostjordanischen Nachbarvölker schritten bald zur Staatsbildung und verfügten schon über ein Königtum, während Israel noch aus einem Ensemble selbständiger Stämme bestand.

VII. Israel in vorstaatlicher Zeit

HECKE, K.-H., Juda und Israel, 1985. – MAYES, A. D. H., Israel in the Period of the Judges, 1974. – NIEHR, H., Herrschen und Richten, 1986. – NOTH, M., Überlieferungsgeschichtliche Studien, [3]1973. – DERS., Das Amt des »Richters Israels«, GSt zum Alten Testament II, 1969, 71–85. – RICHTER, W., Traditionsgeschichtliche Untersuchungen zum Richterbuch, [2]1966. – DERS., Zu den »Richtern Israels«, ZAW 77, 1965, 40–72. – RÖSEL, H., Die »Richter Israels«, BZ NF 25, 1981, 180–203. – SMEND, R., Jahwekrieg und Stämmebund, [2]1966 (= Zur ältesten Geschichte Israels. GSt II, 1987, 116–199). – DERS., Gehörte Juda zum vorstaatlichen Israel?, GSt II, 1987, 200–209. – SOGGIN, J. A., Judges, 1981. – THIEL, W., Die soziale Entwicklung Israels in vorstaatlicher Zeit, [2]1985. – WALLIS, G., Geschichte und Überlieferung, 1968, bes. 45–87. – WEISER, A., Samuel, 1962. – Vgl. auch die Lit. zur ›Amphiktyonie‹ unter A II 3.

Zu den Philistern: ALT, A., Ägyptische Tempel in Palästina und die Landnahme der Philister, KS zur Geschichte des Volkes Israel I, [4]1968, 216–230. – DOTHAN, T., The Philistines and their Material Culture, 1982. – STROBEL, A., Der spätbronzezeitliche Seevölkersturm, 1976.

Nach der Konsolidierung in ihren Territorien hatten die Stämme ihre Existenz gegen den Druck der Stadtstaaten und gegen die Übergriffe von Nachbarvölkern zu verteidigen. Von Kämpfen dieser Art berichten die Erzählungen des Richter-Buches, deren Reihenfolge und chronologische Einordnung allerdings fraglich bleiben. Trotz der gesamtisraelitischen Ausrichtung dieser Sagen läßt sich erkennen, daß sie sich ursprünglich auf einzelne Stämme bezogen. Unter Führung eines spontan auftretenden (›charismatischen‹) Helden, der in der späteren Ausformung der Sagen unzutreffend ›Richter‹ genannt wird (sachgemäßer wäre der Begriff ›Retter‹: Ri 3,9.15), erwehrte sich der bedrohte Stamm, gelegentlich auch im Bündnis mit Nachbarstämmen, erfolgreich seiner Feinde. Während über Otniël (3,7–11) und Schamgar (3,31) historisch nichts ausgemacht werden kann, beseitigte Ehud die Bedrückung Benjamins durch die über den Jordan nach Westen ausgreifenden Moabiter (3,12–30). Eine Koalition kanaanäischer Stadtstaaten aus dem Umkreis der Jesreelebene unter Führung Siseras, die die Stämme der Umgebung und ihre Kommunikation bedrohte, wurde durch ein Kampfbündnis der galiläischen und der zentralpalästinischen Stämme geschlagen (um 1120 v. Chr.). Die älteste Überlieferung über dieses Ereignis, das Debora-Lied (Ri 5), vertritt die bemerkenswerte Auffassung, daß alle Stämme mit Ausnahme ›Groß-Judas‹ zur Teilnahme an dem Kampf verpflichtet gewesen wären. Dieser Erfolg gegen die kanaanäische Streitwagenmacht schwächte den ›nördlichen Städteriegel‹.

Von begrenzterer Tragweite war der Erfolg des Manassiten Gideon gegen die alljährlich in das Land einfallenden Midianiter (Ri 6–7). Es waren wohl nur Angehörige von Gideons Sippe Abiëser, mit denen er midianitische Raubscharen abfing, verfolgte und vernichtete. Die Bedrohung des Siedlungsraumes Gileads durch die Ammoniter bannte der Gileadit Jeftah (Ri 10,17–11,33). Sein Auftreten erfolgte allerdings nicht spontan, sondern er wurde als Führer einer Streifschar von den Ältesten Gileads durch Verhandlungen angeworben und stieg durch seinen Erfolg zum Stammesführer Gileads auf. Unter vergleichbaren Umständen vollzog sich später Davids Weg zum Königsthron. Ein Phänomen besonderer Art war der Versuch Abimelechs, in Sichem einen Stadtstaat nach kanaanäischem Muster, aber mit einer gemischten sichemitisch-israelitischen Bevölkerung zu bilden und von dort aus eine Art Hegemonie über Manasse zu errichten. Das Experiment ging an den unbewältigten Spannungen zwischen den Bevölkerungsgruppen zugrunde (Ri 9).

Die vorstaatliche Zeit war eine Epoche des Eigenlebens und der autarken, nur von situationellen Kampfbündnissen komplementierten Selbstbehauptung der Stämme. Eine politisch-militärische Zentralinstanz fehlte. Trotz der Notwendigkeit, sich gegen Bedrohungen von außen zu verteidigen, brachen auch Konflikte unter den Stämmen aus und führten sogar zu blutigen Auseinandersetzungen. Der Fluch gegen Meros (Ri 5,23) und das Strafgericht Gideons an Penuël und Sukkot (8,13–17) betrafen zwar wohl keine israelitischen Orte, sondern mit den Israeliten im Vertragsverhältnis stehende Städte. Aber ein Konflikt der Ephraimiten mit Gideon ließ sich anscheinend nur mit Mühe beilegen (8,1–3), und eine Invasion Ephraims in Gilead führte sogar zum Kampf und zu einem Blutbad an den Jordanfurten (12,1–6). Rätselhaft hinsichtlich seiner geschichtlichen Hintergründe ist der Bericht vom Kampf der Stämme gegen Benjamin, der fast die Auslöschung dieses Stammes bewirkte (Ri 19–21).

Ein Zusammenhalt organisatorischer Art unter den Stämmen existierte nicht. Die Hypothese M. NOTHS von der Einbindung der Stämme in eine altisraelitische Amphiktyonie, einen sakralen Bund mit rechtlichen und politisch-militärischen Implikationen, begegnet derzeit fast allgemeiner (vielleicht zu radikaler) Ablehnung. (Dazu oben A II 3.) Dennoch bleibt die Frage, ob in vorstaatlicher Zeit nicht doch ein den Partikularismus der Stämme übergreifendes Amt existierte. Nach M. NOTH verbirgt es sich hinter der Liste der ›kleinen Richter‹ von Ri 10,1–5; 12,7–15, von denen im wesentlichen ausgesagt wird, daß sie »Israel richteten«. Die Angaben der Liste spiegelten die Sukzession in dem gesamtisraelitischen Amt eines ›Richters Israels‹ wider. Trotz massiver Kritik (vgl. bes. W. RICHTER) bleibt die These weiter wahrscheinlich. Die Amtsinhaber kommen aus verschiedenen Stämmen, und ihre Wirkungszeit wird in exakten Zahlen angegeben. Sie fungierten wohl als Rechtswahrer für die verschiedenen Stämme, sei es als letzte Rechtsautorität in ›Fällen ohne Beispiel‹, sei es als Schlichter von Streitigkeiten unter den Stämmen. Ihre Kennzeichnung als »aus der Stadt oder den Stämmen stammende, zur zivilen Verwaltung und Rechtsprechung über eine Stadt und einen entsprechenden Landbezirk von den (Stammes-)Ältesten eingesetzte Vertreter einer Ordnung im Übergang von der Tribal- zur Stadtverfassung« (W. RICHTER, ZAW 1965, 71) ist wohl zu weit gefaßt, was die Funktion angeht (doch vgl. die Diskussion um die Bedeutung von *šfṭ*, zuletzt NIEHR), zu eng, was den Funktionsbereich angeht. Die Richter-Liste ist ein Fragment. Weitere Amtsträger bleiben im Bereich der Vermutung (Josua, Debora). Zu den Richtern gehört als letztes Glied in ihrer Sukzession aber wahrscheinlich Samuel. Von den vielen Ämtern und Funktionen, die die Tradition ihm zuschreibt – Ladepriester in Schilo, Heerführer, Richter, Seher, Prophetenhaupt, Inaugurator des Königtums, Gegner Sauls und Fürbitter – hat die ihm zugeschriebene Richtertätigkeit (1Sam 7,15–17a) die höchste historische Wahrscheinlichkeit. Verständlich wäre dann auch die Überlieferung von seiner Feindschaft gegen den ersten König Israels, Saul. Nach der plausiblen Annahme NOTHS trafen die Phänomene des ›Richters‹ und des ›Retters‹ in der Person Jeftahs zusammen. Für die späteren Tradenten und Redaktoren, vor allem die exilischen Deuteronomisten, war dies ein Grund dafür, eine Sachidentität beider Gruppen anzunehmen, den Stammeshelden eine Richterfunktion zuzuschreiben und die Konzeption einer ›Richterzeit‹ zu entwerfen.

Im Laufe des 11. Jahrhunderts v. Chr. erwuchs den israelitischen Stämmen eine Gefahr, die ihre Unabhängigkeit aufs höchste bedrohte, in den Hegemonialansprüchen der Philister. Die Philister waren erst nach den frühisraelitischen Sippen ins Land gekommen, und zwar im Zusammenhang mit dem Seevölkersturm, der gegen Ende des 13. und zu Beginn des 12. Jahrhunderts die Mittelmeerwelt erschütterte. Die kriegerischen Neuankömmlinge machten dem Hethiterreich in Kleinasien ebenso ein Ende wie der spätbronzezeitlichen Stadtkultur in Syrien und Palästina. Als die aus verschiedenen Völkerschaften bestehende Angriffswelle Ägypten erreichte, wurde sie von Ramses III. zu Wasser und zu Lande zurückgeschlagen (um 1186). Als Rest dieser Völkerwanderung blieben die Philister in

Palästina zurück. Sie siedelten sich in der südlichen Küstenebene an, offenbar unter Duldung und im Dienst der Ägypter (Alt). Die schwache ägyptische Oberherrschaft schüttelten sie wohl bald ab und erhoben gleichsam als Rechtsnachfolger der Pharaonen Anspruch auf die Hegemonie über Palästina. Die noch existierenden kanaanäischen Stadtstaaten gerieten wohl rasch unter ihre Kontrolle, umgekehrt paßten sich die Philister der kanaanäischen Kultur und Religion an. Die israelitischen Stämme konnten dem philistäischen Herrschaftsanspruch nicht viel entgegensetzen. Die Philister verfügten bereits über Eisenwaffen sowie über einen gemeinsamen militärischen Oberbefehl und über Berufskrieger (vgl. die Schilderung des Goliat in 1Sam 17,4–7). Der schwerfällige und schlecht bewaffnete Heerbann der Stämme war den philistäischen Kämpfern weit unterlegen. In der Schlacht bei Afek (um 1060) erlitten die Israeliten eine vollständige Niederlage und verloren die in den Kampf mitgeführte Gotteslade (1Sam 4). Die Stämme gerieten unter die Kontrolle der Philister, die Garnisonen im israelitischen Gebiet anlegten. Wollten die Stämme ihre Unabhängigkeit zurückgewinnen, mußten sie sich eine Zentralinstanz schaffen, die den Kampf gegen die Philister in die Hand nahm, die auseinanderstrebenden Tendenzen der Stämme zusammenhielt und eine stehende Truppe aufbaute. Diese Zwangslage gab den Anstoß zur Entstehung des Königtums, das in Israel erheblich später in Erscheinung tritt als bei den etwa gleichzeitig entstandenen Nachbarvölkern.

VIII. Die Herrschaft Sauls

Alt, A., Die Staatenbildung der Israeliten in Palästina, KS zur Geschichte des Volkes Israel II, [4]1977, 1–65. – Beyerlin, W., Das Königscharisma bei Saul, ZAW 73, 1961, 186–201. – Blenkinsopp, J., The Quest of the Historical Saul, No Famine in the Land. Studies in Honor of J. L. McKenzie, 1975, 75–99. – Fritz, V., Die Deutungen des Königtums Sauls in den Überlieferungen von seiner Entstehung I Sam 9–11, ZAW 88, 1976, 346–362. – Mayes, A. D. H., The Rise of the Israelite Monarchy, ZAW 90, 1978, 1–19. – Soggin, J. A., Das Königtum in Israel, 1967, 29–57. – Thiel, W., Soziale Wandlungen in der frühen Königszeit Alt-Israels, Klengel, H. (Hg.), Gesellschaft und Kultur im alten Vorderasien, 1982, 235–246. – Wildberger, H., Samuel und die Entstehung des israelitischen Königtums, ThZ 13, 1957, 442–469 (= Jahwe und sein Volk, 1979, 28–55).

Unter den Überlieferungen, die vom Aufstieg Sauls berichten, steht 1Sam 11,1–11.15 den geschichtlichen Ereignissen am nächsten. Danach wurde Saul im Heiligtum von Gilgal zum König erhoben, nachdem er in einem spontanen Aufbruch mit einem rasch zusammengerafften Aufgebot aus den mittelpalästinischen Stämmen die Ammoniter geschlagen und die von ihnen belagerte Stadt Jabesch-Gilead entsetzt hatte. Die Thronerhebung Sauls stellte dann wohl den Versuch dar, das erwiesene Charisma eines Retters zu institutionalisieren. Obwohl nichts darüber berichtet wird, mußte die Akklamation des Volkes in Gilgal durch Verhandlungen mit den Stammesältesten abgesichert werden, um Einflußbereich und Kompetenzen des neuen Königs abzustecken. Das Königtum Sauls konzentrierte sich auf den militärischen Bereich (›Heerkönigtum‹). Sauls Aufgabe bestand darin, die philistäische Fremdherrschaft abzuwerfen und wirksam von Israel fernzuhalten. Dafür verpflichteten sich ihm die Stämme – abgesehen wohl von dem judäischen Süden – zur militärischen Gefolgschaft und räumten ihm einige Rechte ein. Die Regierungsdauer Sauls (1Sam 13,1) ist unsicher (nach JEPSEN: 1012–1004). Saul gelang es zunächst, die Philister vom israelitischen Gebiet zu vertreiben und sie von einer erneuten Invasion abzuhalten. Er schuf eine stehende Truppe, die ihm als Leibwache und dem Stämmeaufgebot als Kern dienen konnte. In Gibea erbaute er eine bescheidene Zitadelle. Die Verwaltung beschränkte sich fast nur auf den militärischen Bereich, in dem Saul Verwandte als Funktionsträger einsetzte. Aber die Saul zugewiesenen Machtmittel waren zu schmal, als daß er eine wirkungsvolle Verteidigungsbasis gegen die Philister aufzubauen vermocht hätte. Die Kerntruppe blieb klein, und Saul war weiter auf den ungelenken Stämmeheerbann angewiesen. Zudem entstand in den Stämmen eine wachsende Opposition gegen Saul, die seinen Handlungsspielraum weiter einengte. Saul verfiel zeitweise in Depressionen und beging Handlungen, die ihn dem Volk noch mehr entfremdeten, so die Ausmordung der Stadt Nob (1Sam 22,6–23) oder die Verfolgung seines beim Volk beliebten Gefolgsmanns David. Saul war allerdings kein Despot, wird in vielen Überlieferungen aber als dunkle Folie für die Gestalt seines glücklicheren Nachfolgers David dargestellt. Über dem Schicksal Sauls liegt eher die Tragik dessen, der an ungünstigen Umständen und unentwickelten Strukturen scheiterte. Als die Philister, offenbar nach sorgfältigen Vorbereitungen, zum Entscheidungsschlag ausholten, hatte Saul ihnen nichts Gleichwertiges entgegenzusetzen. Am Gebirge Gilboa zersprengten die Philister das Stämmeaufgebot. Mit Saul und dreien seiner Söhne kam auch die Kerntruppe ums Leben. Die Philister errichteten erneut ihre Oberherrschaft über

Israel und weiteten sie noch aus. Der Versuch, das charismatische Rettertum eines einzelnen in einem Amt zu institutionalisieren und damit verfügbar zu machen, war gescheitert.

Das israelitische Königtum brach nicht ab. Sauls Vetter und Heerführer Abner setzte den Saulsohn Eschbaal (Isch-Boschet) in Mahanajim zum König ein. Gleichzeitig wurde David in Hebron zum König über Juda erhoben. Als nach kurzer Regierungszeit (1004–1003) Eschbaal ermordet wurde, stand der Herrschaft Davids über Juda und Nord-Israel nichts mehr im Wege.

IX. Das Großreich Davids und Salomos

ALT, A., Das Großreich Davids, KS zur Geschichte des Volkes Israel II, [4]1977, 66–75. – DERS., Israels Gaue unter Salomo, ebd., 76–89. – CRÜSEMANN, F., Der Widerstand gegen das Königtum, 1978. – DIETRICH, W., David in Überlieferung und Geschichte, VF 22, 1977, 44–64 (Lit.!). – FRITZ, V., Der Tempel Salomos im Licht der neueren Forschung, MDOG 112, 1980, 53–68. – DERS., Salomo, MDOG 117, 1985, 47–67. – ISHIDA, T. (Hg.), Studies in the Period of David and Solomon and Other Essays, 1982. – KEGLER, J., Politisches Geschehen und theologisches Verstehen, 1977. – MALAMAT, A., Das davidische und salomonische Königreich und seine Beziehungen zu Ägypten und Syrien, 1983. – METTINGER, T. N. D., Solomonic State Officials, 1971. – SOGGIN, J. A., Das Königtum in Israel, 1971, 58–89. – THIEL, W., Soziale Auswirkungen der Herrschaft Salomos, RENDTORFF, T. (Hg.), Charisma und Institution, 1985, 297–314.

Zur Literatur der Zeit: CONRAD, J., Zum geschichtlichen Hintergrund der Darstellung von Davids Aufstieg, ThLZ 97, 1972, 321–332. – RAD, G. v., Der Anfang der Geschichtsschreibung im alten Israel, GSt zum Alten Testament, [4]1971, 148–188. – DERS., Die Josephsgeschichte, 1954 (= Gottes Wirken in Israel, 1974, 22–41). – RENDTORFF, R., Beobachtungen zur israelitischen Geschichtsschreibung anhand der Geschichte vom Aufstieg Davids, Probleme biblischer Theologie. FS G. v. Rad, 1971, 428–439. – ROST, L., Die Überlieferung von der Thronnachfolge Davids, 1926 (= Das kleine Credo, 1965, 119–253). – SCHMIDT, L., Literarische Studien zur Josephsgeschichte, 1986. – WEISER, A., Die Legitimation des Königs David, VT 16, 1966, 325–354. – WÜRTHWEIN, E., Die Erzählung von der Thronfolge Davids – theologische oder politische Geschichtsschreibung?, 1974. (Zum Jahwisten vgl. die in A III genannte Lit.)

Eine Konsolidierung des israelitischen Königtums erreichte erst *David* (1004–965). Außerdem gelang ihm eine Herrschaftsbildung von den Ausmaßen eines Großreiches, die erst an den Grenzen der traditionellen Großmächte einhielt und in der Geschichte Israels singulär blieb. Davids Weg zur Herrschaft war gut vorbereitet. Er hatte schon als Berufskrieger in den Diensten Sauls gestanden, war von diesem als möglicher Rivale verfolgt worden und hatte in dieser Zeit eine Freischar von Söldnern und sozial Deklassierten um sich gesammelt. Mit dieser schlagkräftigen Truppe trat er in den Dienst der Philister und wurde mit der Stadt Ziklag belehnt. Gleichzeitig hielt er gute Kontakte zu den judäischen Sippen. Nach dem Ende Sauls zog David nach Hebron und wurde hier von den Judäern zum König erhoben. Die Ermordung Eschbaals veranlaßte auch die Ältesten der mittel- und nordpalästinischen Stämme, mit David einen Königsvertrag zu schließen und ihn zum Herrscher über ihren Bereich zu salben (2Sam 5,3). Das sog. Einheitsreich Davids und Salomos (1003–926) war im Grunde eine Personalunion zwischen (Nord-)Israel und Juda, die durch den Herrscher zusammengehalten wurde. Sie bildete eine Episode in der Geschichte Israels. Die Vereinigung der Herrschaft über ganz Israel rief die Philister auf den Plan. David schlug sie zweimal mit seinen Berufskriegern und machte damit dem philistäischen Hegemonialanspruch ein Ende. Nach Jahren der Regierung in Hebron (1004–998) nahm David mit seiner Truppe die isoliert gelegene Jebusiterstadt Jerusalem ein und erhob sie zu seiner Residenz. Dazu war sie sehr gut geeignet: Mit dem Recht der Eroberung wurde sie Königsbesitz, und sie lag genau zwischen den Territorien der Nord- und der Südstämme. Die jebusitischen Bewohner blieben neben dem israelitischen Hof in der Stadt wohnen. Dadurch wurde Jerusalem zu einer der wichtigsten Kontaktstellen der Israeliten mit der kanaanäischen Religion, Kultur und Gesellschaft. Besonders bedeutsam war, daß David die Gotteslade nach Jerusalem holen und in ein Zeltheiligtum einstellen ließ. Dadurch verband er mittelpalästinische Stammestraditionen mit seiner neuen Residenz und legte das Fundament für die Entwicklung Jerusalems zur heiligen Stadt. Auch die anderen kanaanäischen Stadtstaaten vermochten sich nun nicht mehr zu behaupten und wurden in das Reich Davids einbezogen.

In den beiden Jahrzehnten nach der Einnahme Jerusalems brachen Kämpfe mit den Nachbarstaaten aus, die schließlich die Bildung des davidischen Großreiches zur Folge hatten (2Sam 8; 10; 12,26–31). Die Schändung einer davidischen Gesandtschaft führte zur militärischen Auseinandersetzung mit den Ammonitern, die sich mit mehreren Aramäerstaaten Palästinas und Syriens verbündet hatten. Die Israeliten schlugen sowohl die Ammoniter als auch das aramäische Hilfsheer. David setzte sich auf den ammonitischen Thron und zwang die Bevölkerung zur Fronarbeit. Die geschlagenen Aramäerstaaten, vor allem ihr Oberhaupt, der König Hadad-Eser von Zoba, unterwarfen sich David und leisteten ihm Tribut. Das Aramäerreich von Damaskus wurde zu einer Provinz mit einem israelitischen Statthalter. Schließlich unterwarf David auch die Moabiter und die Edomiter. Moab wurde ein Vasallenstaat, Edom eine israelitische Provinz. Friedliche Beziehungen unterhielt David zu den Phönizierstädten, besonders zu Tyrus, sowie zu den Aramäerreichen von Geschur und Hamat. Aufgrund dieser Erfolge reichte Davids Kontrolle von der Grenze Ägyptens bis an den Euphrat. Die rasche Machterweiterung des kleinen Israel war nur in einer Zäsur der altorientalischen Großpolitik möglich: Die traditionellen Vormächte am Nil und in Mesopotamien befanden sich in einer Schwächeperiode. Die Großreichbildung leitete eine Epoche der Prosperität für Israel ein. Tribute strömten ins Land, und die bislang im wesentlichen auf sich selbst beschränkten Israeliten begannen, sich stärker den Fremdvölkern zu öffnen. Zu einer durchgreifenden Verwaltungsordnung kam es im Reich Davids offenbar noch nicht. Die Bindungen der Landesteile an den Hof waren verhältnismäßig lose. Die Listen der obersten Beamten Davids (2Sam 8,16–18; 20,23–26) zeigen ein deutliches Überwiegen der militärischen Ressorts. Der erst in der zweiten Liste auftretende ›Chef der Fronarbeit‹ reflektiert die Annexion der kanaanäischen Enklaven, in denen David die traditionellen Belastungen der Bevölkerung mit Abgaben und Dienstleistungen bestehen ließ. Trotz aller Erfolge breitete sich in den Stämmen zunehmende Unzufriedenheit mit der Herrschaft Davids aus. Vor dem Aufstand seines Sohnes Abschalom (Absalom) mußte er in das Ostjordanland fliehen, bevor seine geübten Berufskrieger den Sieg erstritten. Ein Versuch des Benjaminiten Scheba, die Nordstämme zum Abfall von David zu bewegen, scheiterte ebenfalls an seiner Militärmacht.

Eigenmächtig, ohne Vereinbarung mit den Stämmen, bestimmte David seinen Sohn Salomo zum Nachfolger. Damit setzte er das in den Königreichen der Umwelt geläufige dynastische Prinzip auch in Israel durch.

Salomo (965–926) widmete sich fast völlig der Innenpolitik. Kriege führte er nicht (anders MALAMAT). Allerdings reorganisierte er das Heerwesen, indem er die bisherige Fußtruppe nach dem Vorbild der Umwelt in eine Streitwagenmacht umwandelte. Ansonsten profitierte Salomo von den Erfolgen seines Vaters. Seine Heirat mit einer ägyptischen Prinzessin zeigt sowohl das gewachsene internationale Prestige Israels als auch die Schwäche Ägyptens in dieser Zeit. An der Peripherie erlitt das Großreich unter Salomo beträchtliche Einbußen. Ein Teil Edoms konnte sich unter dem Prinzen

Hadad wieder selbständig machen. Gewichtiger war der Verlust von Damaskus, wo sich ein neues, starkes Aramäerreich etablierte. Dadurch war auch der Einfluß Israels in den anderen Aramäerstaaten des Nordens schwer erschüttert.

Ein Novum waren die kommerziellen Unternehmungen Salomos. Er nutzte die Möglichkeiten seines Landes als Durchgangsgebiet, profitierte vom Fernhandel und nahm selbst daran teil. Zusammen mit den Phöniziern ließ er eine Flotte erbauen und nach dem sagenhaften Goldland Ofir (in Südarabien?) segeln, um dort Kostbarkeiten einzuhandeln oder zu rauben. In der Zeit Salomos erfaßte eine weitgespannte Bautätigkeit das Land. Der schon unter David angelaufene Prozeß der Urbanisierung kam jetzt zu voller Entfaltung. Zahlreiche Dörfer verschwanden und machten befestigten Städten Platz. Salomo ließ verschiedene Orte zu Festungen ausbauen (z. B. Hazor, Megiddo, Geser) und ließ außerdem ›Vorratsstädte‹ (mit Speichern für die Abgaben) und ›Streitwagenstädte‹ anlegen. Die Südgrenze des Reiches wurde durch Festungen und Kastelle im Negeb gesichert. Die Hauptstadt Jerusalem erweiterte Salomo nach Norden und erbaute hier besonders den Palastkomplex mit dem Tempel. An den Bauarbeiten waren phönizische Spezialisten beteiligt. Sowohl Palast als auch Tempel folgten syrischen Bautypen. In den Tempel wurde die Lade, die Repräsentantin der unsichtbaren Gegenwart Gottes, eingestellt. Aus dem Vorhandensein der Lade, dem Charakter des Tempels als Königsheiligtum und dem Einwirken ehemals jebusitischer Traditionen resultierte die immer stärker wachsende Bedeutung des salomonischen Tempels.

Die Unternehmungen Salomos waren nur möglich durch eine bislang beispiellose Belastung des Volkes. Kanaanäern wie Israeliten wurden Abgaben und Dienstleistungen aufgebürdet. Dies machte eine stärkere Organisation des Reiches notwendig. Zumindest die nördliche Reichshälfte wurde in 12 Provinzen eingeteilt, an deren Spitze jeweils ein Gouverneur stand. Dadurch sollte die monatliche Versorgung des Hofes sichergestellt werden. Ob für Juda eine analoge Struktur bestand oder ob es einen Sonderstatus innehatte, ist unbekannt. Nicht nur zur Abgabenlieferung, sondern auch zu Dienstleistungen wurden unter Salomo erstmalig auch die Israeliten herangezogen. Die ungewohnten Belastungen verschärften die Unzufriedenheit. Ein Putsch bzw. Anschlag gegen Salomo, der von den Nordstämmen ausging (1Kön 11,26.40), schlug fehl. Unter den Stämmen kam es zu einer starken Reaktion gegen das Königtum als Institution (vgl. bes. Crüsemann). Trotz der starken Belastung der Bevölkerung war es Salomo nach Abschluß der Bauarbeiten in Jerusalem nicht möglich, seine Verbindlichkeiten an die Phönizier zu begleichen. Er trat daher einen Landstrich in Galiläa an Hiram von Tyrus ab (9,10–14).

Die Zeit Davids und Salomos brachte auch einen kulturellen Aufschwung. Umfassende Literaturwerke entstanden. Die ›Geschichte vom Aufstieg Davids‹ wollte die Herrschaftsübernahme durch David legitimieren. In der ›Geschichte von der Thronnachfolge Davids‹ liegt wohl das erste Beispiel eines Geschichtswerkes vor. Aber auch die Josephsgeschichte in der Gen geht in ihrem Kern auf die davidisch-salomonische Zeit zurück. Dasselbe wird schließlich auch (trotz mancher Einwände) von dem jahwistischen Werk im Pentateuch gelten, dessen ›geistige Welt‹ sich besser aus der frühen Königszeit als aus jeder anderen nachfolgenden Epoche verstehen läßt. Anscheinend bemühte sich Salomo, den Hof zu einem Zentrum aufgeschlossenen Geisteslebens zu gestalten. Die Tradition von Salomos ›Weisheit‹ könnte zumindest auf die Existenz einer Weisheitsschule in Jerusalem verweisen, die für die Ausbildung von Beamten und Diplomaten sorgte und nicht nur die eigenen Traditionen, sondern auch das Wissensgut fremder Völker sammelte. Der von G. v. Rad geprägte Begriff der ›salomonischen Aufklärung‹ ist trotz mancher Widersprüche cum grano salis eine nicht unsachgemäße Beschreibung des geistigen Aufbruchs, den die davidisch-salomonische Epoche durch die Öffnung nach außen und die nötige Kooperation mit Kanaanäern im Innern und mit Fremdvölkern in der Umwelt erfuhr.

X. Israel und Juda von der Mitte des 10. bis zur Mitte des 8. Jahrhunderts v. Chr.

Alt, A., Das Königtum in den Reichen Israel und Juda, KS zur Geschichte des Volkes Israel II, [4]1977, 116–134. – Ders., Der Stadtstaat Samaria, ebd. III, [2]1968, 258–302. – Debus, J., Die Sünde Jerobeams, 1967. – Fohrer, G., Elia, [2]1968. – Hahn, J., Das »Goldene Kalb«, 1981. – Ishida, T., The Royal Dynasties in Ancient Israel, 1977. – Jepsen, A., Israel und Damaskus, AfO 14, 1941–44, 153–172. – Minokami, Y., Die Revolution des Jehu, 1988. – Noth, M., Die Schoschenkliste, Aufs. zur biblischen Landes- und Altertumskunde II, 1971, 73–93. – Steck, O. H., Überlieferung und Zeitgeschichte in den Elia-Erzählungen, 1968. – Timm, S., Die territoriale Ausdehnung des Staates Israel zur Zeit der Omriden, ZDPV 96, 1980, 20–40. – Ders., Die Dynastie Omri, 1982.

Als Salomos Sohn Rehabeam (926–910) bei seiner Thronbesteigung in Verkennung der Machtverhältnisse den Wunsch der Nordstämme nach Erleichterung ihrer Lasten ablehnte, brach die Personalunion auseinander (1Kön 12). Die Nordstämme wählten einen eigenen König, Jerobeam I. (926–907). Die alte Dualität zwischen (Nord-) Israel und Juda war damit institutionalisiert. Das davidisch-salomonische Großreich zerfiel endgültig. Israel und Juda existierten nebeneinander bis zum Ende ihrer jeweiligen staatlichen Existenz (Israel: 722, Juda: 587). Als Kleinstaaten waren sie wieder den Wechselfällen der Großpolitik ausgesetzt. Ein gefährlicher Gegner erstand beiden Reichen in dem Aramäerstaat von Damaskus, der ständig Druck auf Israel ausübte, aber auch Juda zu bedrohen in der Lage war. Außerdem standen die beiden Jahrhunderte zwischen der ›Reichsteilung‹ (926) und der Mitte des 8. Jh. v. Chr. im Zeichen des sukzessiven Aufkommens einer neuen Großmacht: des neuassyrischen Reiches, das in dieser Zeit schon die Geschicke Palästinas mitbestimmte, selbst aber noch nicht auf seinem Boden erschien.

Die staatliche Entwicklung verlief in Israel und Juda unterschiedlich. Mit Ausnahme eines kurzen Intervalls (Atalja 845–840) hielt sich in Juda durchweg die Daviddynastie auf dem Thron. In Israel hingegen war die Königsherrschaft durch ständige Machtwechsel belastet. Nur zweimal gelangen Dynastiebildungen: den Omriden (882/878–845) und der Jehu-Familie (845–747). Ansonsten aber wurde die dynastische Nachfolge schon im Keim erstickt, der einem Herrscher auf dem Thron folgende Sohn ermordet und die Königsfamilie ausgerottet. ALT hat diese ständigen Thronwechsel als Weiterwirken der charismatischen Idee aus der Frühzeit erklärt. Eher wird man mit Usurpationen aus den Kreisen des Militärs rechnen müssen. Sie erschwerten jedenfalls eine weitsichtige Politik und schwächten das Nordreich.

Nachdem Jerobeam I. zuerst in Sichem und kurzfristig im ostjordanischen Penuël residiert hatte, wählte er Tirza als Hauptstadt des Reiches. Um es auch kultisch von Juda unabhängig zu machen und der Attraktivität des Jerusalemer Tempels etwas Gleichwertiges entgegenzusetzen, erhob er die Kultstätten von Bet-El und Dan zu Reichsheiligtümern und stattete sie mit goldenen Stierstatuetten aus. Diese waren als Postamente des unsichtbar darüber thronenden Gottes Israels gedacht, keineswegs als Götzenbilder, wie es die spätere Polemik unterstellte (›Sünde Jerobeams‹). In der Regierungszeit Rehabeams und Jerobeams verheerte ein Feldzug des Pharaos Schoschenk (im AT: Schischak) Palästina. Es war wohl kein Versuch, die alte ägyptische Hegemonie aus dem 2. Jahrtausend wiederzubeleben, sondern eher ein Beutezug, der auch die neue

Stärke Ägyptens unter der 22. Dynastie bezeugen sollte. Rehabeam kaufte das Kerngebiet Judas und Jerusalem durch einen Tribut von der Plünderung frei – eine Taktik, die das kleine Juda in der Folgezeit noch oft anwenden sollte. Israel aber wurde von den Ägyptern schwer verwüstet.

Seit der Reichsteilung existierten zwischen Israel und Juda Grenzstreitigkeiten. Jerusalem war durch den Verlust seines nördlichen Vorgeländes in eine exponierte Situation geraten und schien Überraschungsangriffen aus dem Norden geradezu ausgesetzt zu sein. Als Bascha von Israel (906–883) seine Grenzstadt Rama ausbaute, sah der judäische König Asa (908–868) darin Angriffsvorbereitungen und bewog durch ein Geschenk den Aramäerkönig von Damaskus, Ben-Hadad, zum Einfall in Galiläa. Als die Israeliten den Angriff abzuwehren suchten, besetzte Asa einen Streifen benjaminitischen Stammesgebietes und behauptete es als Vorgelände für Jerusalem (1Kön 15,17–22).

Aus einer besonders schwierigen Konstellation mit mehreren Thronprätendenten (Ela 883–882; Simri 882, nur 7 Tage; Tibni 882–878) ging in Israel Omri als Sieger hervor (882–878 neben Tibni, 878–871 Alleinherrscher). Er gründete eine Dynastie und inaugurierte eine weitschauende Politik, der sich auch sein Sohn Ahab und seine Enkel Ahasja und Joram verpflichtet wußten. Ihre Leitlinie lautete: Hintanstellung aller begrenzten Konflikte nach außen und innen, Schaffung von Vertragsverhältnissen und Sammlung aller Kräfte, offenbar zur Abwehr der aramäischen Gefahr. Die Konflikte mit Juda wurden beendet, und die Königshäuser verschwägerten sich: Die Omridentochter Atalja wurde Gattin des judäischen Kronprinzen Joram. Bundesgenossen suchten die Omriden auch bei den Phönizierstädten; Ahab heiratete die phönizische Prinzessin Isebel. Im Inneren suchten die Omriden die Geschlossenheit des Reiches durch eine Ausgleichspolitik zu fördern, die Spannungen zwischen dem israelitischen und dem traditionell kanaanäischen Bevölkerungsteil abbauen sollte. Mit Samaria schuf Omri schließlich eine neue Hauptstadt für das Nordreich. Er kaufte das Gelände und ließ darauf die Stadt neu errichten, so daß sie – wie Jerusalem – als Königsbesitz eine besondere Rechtsstellung bekam.

Die von Omri initiierte Außenpolitik hatte offensichtlich Erfolg. Die Aramäer von Damaskus, die zumindest das nördliche Ostjordanland für sich beanspruchten, wurden von den Grenzen Israels ferngehalten. Auch unter Ahab (871–852) kam es schwerlich zu Kämpfen mit den Aramäern (1Kön 20 und 22 spiegeln wahrscheinlich spätere Ereignisse wider). Ahab wird in der – im wesentlichen durch Prophetenkreise vermittelten – Überlieferung wegen seiner

Religionspolitik negativ dargestellt. Die omridische Ausgleichspolitik, die sich auch auf den Bereich der Religion erstreckte, rief nämlich die Opposition jahwetreuer Kreise hervor, die in dem Propheten Elija und in den um Elischa gescharten Prophetengruppen ihre Exponenten fanden. Das Erscheinen eines größeren Gegners veranlaßte Ahab, die Konflikte mit den Aramäern beizulegen. Als 853 v. Chr. der Assyrerkönig Salmanassar III. in Syrien einbrach, stellte sich ihm eine Koalition von syrisch-palästinischen Staaten in den Weg. Neben den Aramäerkönigen von Damaskus und Hamat gehörte auch Ahab von Israel zu den Verbündeten, die bei Qarqar die assyrische Armee zum Rückzug zwangen. Am Bündnis mit den Aramäern scheinen auch Ahabs Söhne Ahasja (852–851) und Joram (851–845) bei den nächsten Feldzügen Salmanassars (849, 848) festgehalten zu haben. Im Jahre 845 war Joram aber mit Grenzkämpfen gegen die Aramäer im Ostjordanland beschäftigt, wobei er verwundet wurde.

Diese Gelegenheit nutzte Jehu, anscheinend mit Unterstützung jahwetreuer Kreise, um Joram zu ermorden und selbst die Macht zu ergreifen. Dabei wurden auch der judäische König Ahasja und Prinzen des Jerusalemer Hofes, die im Nordreich weilten, umgebracht. In Jerusalem übernahm die aus der Omri-Familie stammende Königsmutter Atalja die Regierung (845–840), die einzige Zäsur in der Kontinuität der davidischen Dynastie. Schließlich gab es auch einen Machtwechsel in Damaskus: Der König Hadad-Eser wurde durch Hasaël entthront und ermordet. Die antiassyrische Koalition hörte auf zu bestehen, aber auch das Bündnis zwischen Israel und Juda zerbrach. Als Salmanassar 841 wieder in Syrien erschien, unterwarf sich Jehu und leistete ihm Tribut.

Während in Juda Atalja gestürzt und mit Joasch (Joas, 840–801) die Davididenherrschaft wiederhergestellt wurde, gelang Jehu die zweite Dynastiebildung in der Geschichte des Nordreichs (845–747). Diese Epoche war von der Bedrohung durch die Aramäer überschattet. In den letzten Jahren Salmanassars III. versank das Assyrerreich in innere Wirren. Das ermöglichte den unter Hasaël erstarkten Aramäern die Expansion auf Kosten Israels. Unter Jehus Sohn Joahas (818–802) wurde Israel wohl zu einem entmilitarisierten Vasallenstaat von Damaskus. Hasaël konnte sogar quer durch Israel einen Feldzug gegen Juda unternehmen (818), den Joasch durch Zahlung eines Tributs abwehrte. Die Übermacht der Aramäer wurde durch die neu erstarkten Assyrer gebrochen. Als der Großkönig Adad-Nirari III. in Syrien erschien (805, 802), lieferte ihm auch Israel Tribute. Die Schwächung der Aramäer nutzte Joasch von Israel (802–787) aus, um die Unabhängigkeit Israels wiederherzustellen und die verlorenen Gebiete zurückzugewinnen. Im Jahre 788 forderte Amazja von Juda (801–787) nach einem Erfolg gegen die Edomiter Joasch zu einem militärischen Kräftemessen heraus. Dabei zogen die Judäer den kürzeren; die Israeliten nahmen sogar Jerusalem ein und legten eine Bresche in die Stadtmauer.

Die anhaltende Schwäche der Aramäer und die Bindung Assyriens durch das Reich von Urartu bescherten Israel unter Jerobeam II. (787–747) eine letzte Periode des Friedens und der Prosperität. In dieser Zeit traten im Nordreich die Propheten Amos und Hosea auf, erhoben Anklage gegen das soziale Unrecht (Amos) bzw. gegen den Abfall Israels von seinem Gott (Hosea) und kündigten ein bevorstehendes Strafgericht Jahwes an. Im zeitlichen Umkreis scheint schließlich auch die elohistische Quellenschrift des Pentateuch entstanden zu sein, deren Existenz als ehemals selbständiges Literaturwerk wegen ihres fragmentarischen Erhaltungszustandes allerdings strittig ist (Lit. zum Elohisten unter A III).

Die Friedenszeit war von kurzer Dauer. Gegen Ende der Regierung Jerobeams II. entstanden zunehmende Konflikte an den Grenzen. Die Aramäer von Damaskus, vom Druck des Reiches von Hamat befreit, bedrohten erneut die Nordgrenze im Ostjordanland. Von Osten her fielen die Ammoniter in Gilead ein (Am 1,3–5.13–15). Diese Gefährdungen verblaßten aber vor dem Hegemonialanspruch des assyrischen Reiches, das nun auch nach Palästina übergriff. Diese Ereignisse betrafen Juda nur in abgeschwächter Weise, denn es lag entfernter als Israel vom syrischen Kriegsschauplatz und hatte auch keine direkte Grenzberührung mit den Aramäern. Den Tributzahlungen der Nachbarvölker an die Assyrer scheint Juda entgangen zu sein, jedenfalls wird es in den assyrischen Texten nicht genannt. Das änderte sich jedoch mit dem direkten Eingreifen Assyriens in Palästina, das das ganze Gebiet unter assyrische Oberherrschaft brachte.

XI. Israel und Juda in der assyrischen Epoche

ALT, A., Tiglathpilesers III. erster Feldzug nach Palästina, KS zur Geschichte des Volkes Israel II, [4]1977, 150–162. – DERS., Das System der assyrischen Provinzen auf dem Boden des Reiches Israel, ebd., 188–205. – DERS., Die territorialgeschichtliche Bedeutung von Sanheribs Eingriff in Palästina, ebd., 242–249. – BEGRICH, J., Der Syrisch-Ephraimitische Krieg und seine weltpolitischen Zusammenhänge, GSt zum Alten Testament, 1964, 99–120. –

DIETRICH, W., Jesaja und die Politik, 1976. – GONÇALVES, F. J., L'expédition de Sennachérib en Palestine dans la littérature hébraïque ancienne, 1986. – HUTTER, M., Hiskija König von Juda, 1982. – MCKAY, J. W., Religion in Judah under the Assyrians 732–609 B.C., 1973. – SPIECKERMANN, H., Juda unter Assur in der Sargonidenzeit, 1982. – USSISHKIN, D., The Conquest of Lachish by Sennacherib, 1982. – VOGT, E., Die Texte Tiglat-Pilesers III. über die Eroberung Palästinas, Bib. 45, 1964, 348–353. – DERS., Der Aufstand Hiskias und die Belagerung Jerusalems 701 v. Chr., 1986.

Die Thronbesteigung Tiglat-Pilesers III. (745–727) eröffnete eine Epoche konsequent imperialer Politik des neuassyrischen Reiches. Völker, die sich den Assyrern rechtzeitig unterwarfen und ihre Oberherrschaft durch Tributlieferungen anerkannten, durften als Vasallenstaaten weiterexistieren. Staaten, die sich dem assyrischen Hegemonialanspruch hartnäckig widersetzten, verloren ihre Existenz und wurden in assyrische Provinzen umgewandelt. Ein besonders wirksames Mittel der Assyrer zur Niederhaltung der Besiegten war ihre Deportationspraxis: Die Oberschicht des jeweiligen Staates wurde in andere Teile des Großreiches verpflanzt und im Austausch durch fremde Bevölkerungselemente ersetzt. Mit der Bildung von Mischbevölkerungen beabsichtigten die Assyrer, bodenständiges Volkstum zu ersticken und den Widerstandswillen zu lähmen. Nachdem Tiglat-Pileser das Reich von Urartu entscheidend geschlagen hatte, stieß er 738 nach Syrien vor. Neben den Phönizierstädten, den syrischen Kleinstaaten und dem Aramäerreich von Damaskus unterwarf sich auch Menahem von Israel (747–738) und lieferte Tribute (2Kön 15,19f). Juda wurde noch nicht betroffen. Seinen nächsten Feldzug (734) führte Tiglat-Pileser bis in die südliche Küstenebene Palästinas. Spätestens jetzt dürfte auch Juda in den Kreis der tributleistenden Staaten eingetreten sein. Es ist wahrscheinlich, daß schon zu diesem Zeitpunkt der Großkönig den israelitischen Teil der Küstenebene ebenso wie Gaza annektierte.

Gegen die assyrische Oberherrschaft verbündeten sich Rezin von Damaskus und Pekach von Israel (735–732). Ihr erster Vorstoß richtete sich aber gegen Juda (733). Dieser sog. syrisch-ephraimitische Krieg (richtiger: aramäisch-nordisraelitische Angriff) gegen Jerusalem bezweckte anscheinend, den judäischen König Ahas (744–736 Mitregent, 736–729 Alleinherrscher) zu stürzen und einen dem antiassyrischen Bündnis geneigteren Kandidaten auf den Thron zu setzen. Diese Zeitumstände bilden den Hintergrund für die zweite Verkündigungsperiode des (736 berufenen) Propheten Jesaja. Gegen den Appell Jesajas, sich politisch zurückzuhalten und auf die Hilfe Gottes zu vertrauen, bei dem der Untergang der Angreifer schon beschlossen sei, richtete Ahas ein Hilfeersuchen an

Tiglat-Pileser. Der ohnehin zum Eingreifen entschlossene Großkönig brach sogleich auf, belagerte erfolglos Damaskus und wandte sich dann gegen Israel. Er beschränkte das Territorium Israels auf das ehemalige Stammesgebiet Ephraims und Manasses um Samaria, bezog die abgetrennten Gebiete in das assyrische Provinzialsystem ein und ließ die Oberschicht deportieren (2Kön 15,29f). Den Usurpator Hosea (731–723), der den König Pekach ermordet hatte, bestätigte er in seiner Herrschaft über den Reststaat. Im nächsten Jahr (732) wurde Damaskus eingenommen, ein Teil der Bevölkerung deportiert und Aram-Damaskus in eine assyrische Provinz verwandelt. Das war das Ende des Aramäerreiches von Damaskus. Außer Juda erkannten auch Ammon, Moab und Edom die Oberherrschaft Assyriens an.

Nach dem Tod Tiglat-Pilesers und der Thronbesteigung Salmanassars V. (726–722) revoltierte Hosea von Israel. Salmanassar ließ das Land besetzen und Hosea gefangennehmen. Samaria hielt sich noch drei Jahre, bis es 722 erobert wurde. Das bedeutete das definitive Ende des Nordreichs. Durch die assyrische Deportation und die Einpflanzung von neuen ethnischen Elementen aus Babylonien und Syrien entstand eine Mischbevölkerung. Damit war der Grundstein für das nachexilische Schisma zwischen Juden und Samaritanern gelegt. Ein Strom von Nordreichflüchtlingen ergoß sich nach Juda und brachte spezifisch nordisraelitische Traditionen mit. Die weitere Geschichte Israels beschränkte sich nun auf Juda. Die nächsten Jahrzehnte waren durch unterschiedliche Versuche bestimmt, die assyrische Hegemonie abzuschütteln. Hiskija (Hiskia) von Juda (728–700) hielt sich zunächst von diesen Aufständen fern. Er beteiligte sich nicht an der Empörung, die mit ägyptischer Unterstützung 721 gegen Sargon II. (721–705) von Hamat, Damaskus, Samaria und Gaza ausging. Hingegen scheint Juda neben Edom und Moab die Rebellion unterstützt zu haben, die 714 in den Philisterstädten ausbrach und ebenfalls auf ägyptische Hilfe rechnete. Diese Situation war wohl der Hintergrund für die dritte Verkündigungsperiode Jesajas, in der er vor dem Vertrauen auf Ägypten warnte. Sargon konnte den Aufstand rasch niederschlagen; Hiskija entkam dem Strafgericht offenbar durch rasche Unterwerfung.

Höchst umstritten ist die Kultreform, die Hiskija in 2Kön 18,4 zugeschrieben wird. Um antiassyrische Maßnahmen handelt es sich dabei kaum, auch nicht nur um die Abschaffung eines alten Schlangenidols am Tempel von Jerusalem. Archäologische Indizien lassen darauf schließen, daß Hiskija die Zahl der Lokalheiligtümer im Lande wenigstens an den Orten reduzierte, die der königlichen Administration unterstanden (Arad, Tell es-Seba‘). Hinter dem größtenteils deuteronomistisch geprägten Wortlaut von 2Kön 18,4 steht dann wohl eine vom Hof geförderte Stärkung der Stellung des Jerusalemer Tempels.

Der Tod Sargons und die Thronbesteigung Sanheribs (704–681) waren das Signal zum Aufstand in den verschiedensten Teilen des Großreiches. Eines der Häupter des Aufruhrs in Palästina war Hiskija von Juda, der sich ägyptischer Hilfe versicherte und auch mit dem aufständischen Babylonien verhandelte (2Kön 20,12–19). 702 warf Sanherib den Aufstand in Mesopotamien nieder. 701 zog er nach Palästina, eroberte die unbotmäßigen Philisterstädte Aschkelon und Ekron, okkupierte Juda und wandte sich dann gegen Jerusalem. Ohne die Stadt eingenommen zu haben, zog er wieder ab. Nach 2Kön 19,25f hätte ein Gotteswunder (eine Seuche?) die Stadt gerettet. Unzweifelhaft ist jedenfalls, daß Hiskija sich dem Großkönig unterwarf und einen schweren Tribut nach Ninive lieferte. Juda wurde streng bestraft. Das judäische Territorium vergab Sanherib an die treugebliebenen Philisterfürsten; Hiskijas Herrschaft wurde auf Jerusalem und sein Gelände beschränkt. Diese Situation wird in Jes 1,4–9 widergespiegelt. In die Regierungszeit Hiskijas, eher aber in ihren ersten Teil, gehört auch die Wirksamkeit des Propheten Micha, der Jerusalem die vollständige Zerstörung ankündigte.

Die Beschränkung Judas auf den Stadtstaat Jerusalem scheint nicht lange gedauert zu haben. Die Landschaft Juda kehrte unter die Herrschaft des Davidgeschlechtes zurück, sei es durch einen Feldzug Hiskijas gegen die Philister (2Kön 18,8), sei es auf friedliche Weise als Belohnung für die Loyalität der judäischen Herrscher gegenüber dem Großkönig. Denn Manasse (696–642) blieb offenbar ein unerschütterlicher Vasall der Assyrer und unterstützte sie durch Hilfstruppen und Abgaben bei ihren verschiedenen Feldzügen nach Ägypten. Mindestens in der Zeit Manasses fanden als Symbole der Oberherrschaft assyrische Astralkulte im Tempel von Jerusalem Eingang. Sonst ist historisch Gesichertes über die Regierung Manasses kaum noch auszumachen; die Nachrichten über seine Herrschaft (2Kön 21) sind fast durchweg deuteronomistisch geprägt.

XII. Das Ende des Staates Juda

Alt, A., Die Heimat des Deuteronomiums, KS zur Geschichte des Volkes Israel II, [4]1977, 250–275. – Ders., Judas Gaue unter Josia, ebd., 276–288. –

DIETRICH, W., Josia und das Gesetzbuch (2 Reg XXII), VT 27, 1977, 13–35. – JEPSEN, A., Die Reform des Josia, Der Herr ist Gott, 1978, 132–141. – MALAMAT, A., The Twilight of Judah: In the Egyptian-Babylonian Maelstrom, VT.S 28, 1975, 123–145. – NOTH, M., Die Einnahme von Jerusalem im Jahre 597 v. Chr., Aufs. zur biblischen Landes- und Altertumskunde I, 1971, 111–132. – PARKER, R. A. – DUBBERSTEIN, W. H., Babylonian Chronology 626 B.C. – A.D. 75, 1956. – ROSE, M., Bemerkungen zum historischen Fundament des Josia-Bildes in II Reg 22f., ZAW 89, 1977, 50–63. – SPIECKERMANN, H. (o. XI) – VOGT, E., Die neubabylonische Chronik über die Schlacht von Karkemisch und die Einnahme von Jerusalem, VT.S 4, 1957, 67–96. – WISEMAN, D. J., Chronicles of Chaldaean Kings (626–556 B.C.) in the British Museum, 1956. – WÜRTHWEIN, E., Die Josianische Reform und das Deuteronomium, ZThK 73, 1976, 395–423.

Unter Assurbanipal (668–632?) begann der Stern des assyrischen Imperiums rasch zu sinken. Unter seinen Nachfolgern zerfiel das Reich sukzessive in seine Bestandteile. Die unterdrückten Völker machten sich wieder selbständig und bedrängten schließlich das assyrische Kernreich. Besonders gefährlich für die Assyrer wurden das Mederreich unter seinem König Kyaxares und Babylonien, das 626 unter Nabopolassar (626–605) eine eigene neubabylonische (chaldäische) Dynastie begründet hatte. Dem Bündnis der beiden Mächte, dem sich zeitweise das aus Kleinasien kommende Volk der Umman-manda anschloß, fiel das Assyrerreich schließlich zum Opfer.

In Juda, wo nach der kurzen Regierung Amons (641–640) Joschija (Josia) auf dem Thron saß (639–609), hat man diese Entwicklung wohl genau beobachtet. Schließlich hat Joschija seine Tributlieferungen eingestellt und damit die Vasallität aufgekündigt. Damit im Zusammenhang stand wohl auch die Kultreform des Königs, die zunächst eine Kultreinigung darstellte, die Entfernung assyrischen und anderen Kultwesens aus dem Tempel. In einem zweiten, zeitlich davon wohl unterschiedenen Akt (622) stellte Joschija die Kulteinheit her, indem er die Ortsheiligtümer beseitigte und dem Jerusalemer Tempel den Rang des alleinigen Jahweheiligtums verlieh. Damit folgte Joschija den Vorstellungen des im Tempel aufgefundenen Gesetzbuches (2Kön 22), einem Substrat des Deuteronomiums, das wohl eine aus Kreisen des Nordreichs (so ALT) stammende Programmschrift darstellte. Das durch die Ohnmacht der Assyrer entstandene Machtvakuum in Palästina nutzte Joschija zur Expansion. Offenbar schwebte ihm die Wiederherstellung des alten Davidreiches vor. So griff er nach Westen, Osten und Norden in die Gebiete des ehemaligen Nordreiches aus, ohne daß die erschütterte assyrische Provinzialverwaltung ihn zu hindern vermochte. Im Jahre 612 erlag das Assyrerreich dem Bündnis der Meder und Babylonier. Ninive wurde eingenommen und zerstört. Ein assyrischer Reststaat suchte sich in Haran zu halten. Um ihn gegen seine Bedränger zu stützen, unternahm der Pharao Necho 609 einen Zug quer durch Palästina und Syrien. Joschija stellte sich ihm bei Megiddo in den Weg und kam ums Leben. Das war das Ende aller großisraelitischen Restaurationshoffnungen. Necho, der zu spät gekommen war, um den Fall Harans zu verhindern, gebärdete sich als Oberherr Palästinas und setzte Jojakim (608–598) als König Judas ein. Doch 605 besiegte der babylonische Kronprinz Nebukadnezar die Ägypter entscheidend bei Karkemisch. Zu den ersten Taten seiner Königsherrschaft (604–562) gehörte ein Zug nach Syrien und Palästina. Jojakim unterwarf sich; an die Stelle der ägyptischen trat die neubabylonische Oberherrschaft, die bis 539 währte. Ein Zeuge der Zeitereignisse, die zum Untergang Judas führten, war der Prophet Jeremia, der aus Anlaß des Zuges Nebukadnezars in die Küstenebene von 604 eine Sammlung seiner früheren Sprüche verlesen ließ, um den Einfall der Babylonier als das Eintreffen seiner Gerichtsansagen zu deuten (Jer 36). Anscheinend unter dem Eindruck eines erfolglosen Zuges Nebukadnezars gegen Ägypten (601) sagte Jojakim ihm die Gefolgschaft auf. Gegen Ende des Jahres 598 zog Nebukadnezar gegen Jerusalem. Jojachin, der anstelle seines Vaters den Thron bestiegen hatte, kapitulierte und wurde mit dem Hof, judäischen Würdenträgern, Elitekriegern und Spezialhandwerkern nach Babylonien deportiert. Unter den Exulanten befand sich auch der Prophet Ezechiel, der in Mesopotamien die Heimkehrhoffnungen seiner Schicksalsgenossen bekämpfte und die endgültige Vernichtung Jerusalems ankündigte.

Der von Nebukadnezar eingesetzte König Zidkija (Zedekia, 597–587) geriet schließlich in den Sog einer proägyptischen Hofpartei und wagte gegen die Warnungen des Propheten Jeremia im Vertrauen auf ägyptische Hilfe den Abfall von Babylon. Das Anfang 588 in Juda einmarschierende babylonische Heer besetzte rasch das ganze Land und belagerte Jerusalem. Das Erscheinen einer ägyptischen Entsatztruppe nötigte allerdings zur Aufhebung der Belagerung. Nachdem die Ägypter besiegt und vertrieben waren, war das Schicksal Jerusalems besiegelt. Am 28. 8. 587 wurde die Stadt erstürmt. Zidkija wurde gefangengenommen und drakonisch bestraft, ebenso die Drahtzieher des Aufstandes. Eine erneute, umfangreichere Deportation verpflanzte die Oberschicht des ganzen Landes nach Babylonien. Nebukadnezar ließ den Königspalast, den Tempel und die Häuser der Vornehmen in Jerusalem zerstören und die Stadtmauern schleifen. Die staatliche Existenz Judas war damit an ihr Ende gelangt. Von jetzt ab war Juda – von der Makkabäerzeit abgesehen – eine Provinz im Gefüge fremder Großreiche.

XIII. Die Exilszeit

ACKROYD, P. R., Exile and Restoration, 1968. – DERS., Israel under Babylonia and Persia, 1970. – GALLING, K., Politische Wandlungen in der Zeit zwischen Nabonid und Darius, Studien zur Geschichte Israels im persischen Zeitalter, 1964, 1–60. – HERRMANN, S., Prophetie und Wirklichkeit in der Epoche des babylonischen Exils, 1967. – JANSSEN, E., Juda in der Exilszeit, 1956. – NOTH, M., Die Katastrophe von Jerusalem im Jahre 587 v. Chr. und ihre Bedeutung für Israel, GSt zum Alten Testament, ³1966, 346–371.

Die babylonische Deportationspraxis war nicht so radikal wie die assyrische. Die Deportierten wurden nicht über das ganze Reich verstreut, sondern in größeren Siedlungen zusammengefaßt. An ihrer Stelle wurden keine neuen Bevölkerungselemente in das Mutterland verpflanzt. So war es sowohl für die Deportierten wie für die Zurückgebliebenen leichter, ihre ethnische, kulturelle und religiöse Identität zu wahren. Die Flucht vieler Judäer in das Ausland infolge der Kriegsereignisse und die Deportationen von 597, 587 und 582 (Jer 52,28–30) schufen eine judäische Diaspora, vor allem in Mesopotamien, Ägypten und Transjordanien. Während das ägyptische Judentum erst später von Bedeutung wurde (dazu vgl. Teil D), waren die Zentren judäischer Existenz in der Exilszeit Juda und Babylonien.

In *Juda* war im wesentlichen die landwirtschaftlich tätige Unterschicht zurückgeblieben. Im Auftrag der Babylonier hatte sie auch den Landbesitz der Deportierten zu bewirtschaften. Vor allem galt es, mit den Verwüstungen des Krieges und dem Menschenverlust fertigzuwerden und den Auflagen der Oberherren zu entsprechen. Die Zurückgebliebenen hatten sicher mit großen wirtschaftlichen Schwierigkeiten zu ringen und mit einer kargen Existenzbasis auszukommen, obwohl ihre Zahl nicht so gering war, wie eine spätere Theoriebildung glauben machen will, nach der das Land im wesentlichen verlassen war. Nach dem Fall Jerusalems und dem Sturz der Daviddynastie setzten die Babylonier einen loyalen Judäer, Gedalja aus der Schafan-Familie, zum Gouverneur mit Sitz in Mizpa ein. Nachdem dieser aber von dem Davididen Ismael ermordet worden war, wurde Juda vermutlich der Provinz Samaria unterstellt. Die Zerstörung des Tempels beendete den regelmäßigen Opferkult, brachte aber das gottesdienstliche Leben nicht völlig zum Erliegen. An der Stätte des zerstörten Heiligtums wurde wohl ein provisorischer Opferdienst aufrechterhalten. Vor allem aber dürften dort regelmäßige Klagefeiern abgehalten worden sein, mit denen die ›Klagelieder‹ (›Threni‹) wenigstens mittelbar im Zusammenhang stehen werden. Die immer mehr zunehmende Bedeutung des Wortgottesdienstes führte zur Entwicklung der Institution der Synagoge. Im Laufe der Exilszeit, wie man die Epoche zwischen dem Fall Jerusalems (587) und dem Beginn der persischen Herrschaft (539) traditionell, aber wenig sachgemäß bezeichnet, und danach erlitt das Territorium Judas einen beträchtlichen Verlust: Die Edomiter drängten in den südpalästinischen Raum und besetzten den Negeb und Südjuda bis zur Höhe von Hebron. Sie bildeten hier das Gebiet Idumäa, das von Juda unabhängig blieb, bis der Hasmonäer Johannes Hyrkanos I. die Region eroberte und die Idumäer zwangsjudaisierte (129).

Die gesellschaftliche und geistige Elite Judas lebte in *Babylonien*, die Angehörigen der Königsfamilie in der Hauptstadt selbst, die übrigen in Ortschaften des Landes, wo sie wohl verlassene Ortslagen aufzusiedeln, verfallene Kanäle instandzusetzen und aufgegebenes Ackerland wieder urbar zu machen hatten. Zwischen den Siedlungen der Exulanten untereinander sowie zu den in Palästina Zurückgebliebenen bestand offenbar eine relativ ungehinderte Kommunikation. Ein Hoffnungszeichen war die Rehabilitation des Königs Jojachin (2Kön 25,27–30) durch Nebukadnezars Nachfolger Amel-Marduk (561–560, im AT: Ewil-Merodach), doch hatte sie keine politischen Konsequenzen. Die Deportierten mußten sich auf ein längeres Leben im fremden Lande einrichten und ein gewisses Maß an unumgänglicher Assimilation hinnehmen. Doch hielten sie anscheinend überwiegend an dem überkommenen Glauben der Väter fest, wobei die Einhaltung des Sabbats und der Beschneidung zu Identitäts- und Bekenntniszeichen wurden. Aus den Kreisen der babylonischen Gola sind in der Folgezeit immer wieder wichtige Impulse ausgegangen, die die Entwicklung im Mutterland beeinflußten.

Existenznotwendig für das Weiterbestehen Juda-Israels war die geistig-theologische Bewältigung der Katastrophe von 587, die alle Unterpfänder der Heilsgeschichte (Landbesitz, Tempel, Daviddynastie) zunichte gemacht und den Jahweglauben in seine schwerste Krise gestürzt hatte. Die Stimmung der Resignation dieser Zeit bringt sich in den ›Klageliedern‹ zum Ausdruck. Kreise von Theologen, die sog. Deuteronomisten, sammelten die Geschichtstraditionen ihres Volkes, um die heillose Gegenwart als Gericht Gottes über die in der Vergangenheit angehäufte Schuld zu deuten. Ihre Intention war es, die Zeitgenossen zur Einsicht und zur Gerichtsdoxologie zu bewegen und zur Umkehr anzuleiten. Ihrer sammelnden und redigierenden Tätigkeit sind u.a. das ›Deuteronomistische Geschichtswerk‹ sowie die Bearbeitung von Prophetenbüchern (z.B. Amos, Jeremia) zu verdanken. Die Theologie der Deuteronomisten wahrte vor allem den Charakter Jahwes als des souverän in der Geschichte handelnden Gottes und die Geltung des ersten Gebotes. Als ein auf die Herausforderungen der Exilszeit antwortendes Werk programmatischen Charakters läßt sich auch die wohl in Babylonien entstandene Priesterschrift deuten, die dann in den Pentateuch eingegangen ist (Lit. unter A III). Der unter den Deportierten wirkende Prophet Ezechiel wandelte nach dem Fall Jerusalems seine Verkündigung zur Heilsbotschaft. In Babylonien trat auch der anonyme Prophet ›Deuterojesaja‹ auf, dessen Botschaft reine Heilsverkündigung ist. Sie sagte den Exulanten die unmittelbar bevorstehende Befreiung und die Rückführung in ihre Heimat an. Deuterojesaja nennt bereits den Namen des Retters, der als Werkzeug Gottes zur Erlösung der Exulanten ausersehen ist: der Perserkönig Kyros, der in einem stetigen Siegeszug innerhalb kurzer Zeit ein Großreich aus Persien, Medien und Lydien geschaffen hatte und nun Babylonien bedrohte.

XIV. Juda unter persischer Herrschaft

ALT, A., Die Rolle Samarias bei der Entstehung des Judentums, KS zur Geschichte des Volkes Israel II, [4]1977, 316–337. – DERS., Judas Nachbarn zur Zeit Nehemias, ebd., 338–345. – BEYSE, K.-M., Serubbabel und die Königserwartungen der Propheten Haggai und Sacharja, 1971. – FRYE, R. N., The History of Ancient Iran, 1984. – GALLING, K., Studien zur Geschichte Israels im persischen Zeitalter, 1964. – IN DER SMITTEN, W. T., Esra. Quellen, Überlieferung und Geschichte, 1973. – KELLERMANN, U., Nehemia. Quellen, Überlieferung und Geschichte, 1967. – DERS., Erwägungen zum Problem der Esradatierung, ZAW 80, 1968, 55–87. – DERS., Erwägungen zum Esragesetz, ebd., 373–385. – MEYER, E., Die Entstehung des Judenthums, 1896 (NA 1965). – RENDTORFF, R., Esra und das »Gesetz«, ZAW 96, 1984, 165–184. – SCHAEDER, H. H., Esra der Schreiber, 1930. – SCHOTTROFF, W., Zur Sozialgeschichte Israels in der Perserzeit, VF 27, 1982, 46–68 (Lit.!). – STERN, E., Material Culture of the Land of the Bible in the Persian Period 538–332 B.C., 1982.

Nachdem der Perserkönig Kyros II. (559–530) Babylon 539 eingenommen hatte, wurde Juda ein Teil des persischen Imperiums, das in seiner weitesten Ausdehnung von Ägypten bis an den indischen Subkontinent reichte. Die persischen Könige suchten ihr Riesenreich in der Regel nicht durch die Nivellierung der nationalen Kulturen und Religionen zu sichern, sondern durch deren Anerkennung und Förderung. So ordnete Kyros in einem Edikt (Esra 6,3–5) den Wiederaufbau des Jerusalemer Tempels an. Eine allgemeine Rückkehrerlaubnis (wie in dem unhistorischen Text Esra 1,1–4 vorausgesetzt) erteilte er allerdings nicht. Die Perser dürften zwar dem Abzug einzelner Rückkehrwilliger nach Juda auch keinen ernstlichen Widerstand entgegengesetzt haben. Doch kam es zu keiner Massenheimkehr, sondern die Rückkehr der Exulanten erfolgte im Laufe der Zeit in einzelnen Gruppen und Schüben und erfaßte keineswegs alle in Babylonien lebenden Judäer.

Die erste Gruppe begleitete Scheschbazzar, den Kyros mit dem Auftrag des Tempelwiederaufbaus nach Jerusalem entsandte. Doch die Bauarbeiten blieben in den Anfängen stecken. Ein größerer Heimkehrerzug kam nach Palästina zusammen mit dem Davididen Serubbabel, der entweder schon unter Kambyses (530–522) oder erst unter Darius I. (522–486) als persischer Beamter nach Jerusalem ging und den Tempelbau wieder aufnahm. Gegen hemmende wirtschaftliche Schwierigkeiten und den Widerstand der Provinzverwaltung in Samaria, die das Werk lahmzulegen drohten, konnte der Tempel – nicht zuletzt dank der Appelle der Propheten Haggai und Sacharja – fertiggestellt und 515 eingeweiht werden. Damit war den Judäern im Lande und in der Diaspora ein Zentrum gegeben, um das sie sich als Kultgemeinde scharen konnten. Serubbabel, an den sich Herrschererwartungen geheftet hatten, nahm an der Tempelweihe anscheinend nicht teil, über sein Schicksal ist nichts bekannt. Das Buch Maleachi, das die Situation zwischen 500 und 450 widerspiegelt, zeigt, daß am Tempel unwürdige Zustände einrissen: pflichtvergessene Priester, wertlose Opfer, verkürzte Zehntabgaben. Die judäische Gemeinde bedurfte einer Konsolidierung hinsichtlich ihrer äußeren und inneren Verhältnisse. Sie wurde durch die Tätigkeit Esras und Nehemias vollzogen.

Die chronologische Abfolge der Wirkungszeiten Esras und Nehemias ist äußerst umstritten. Eine geringe Wahrscheinlichkeit ergibt sich dafür, daß Nehemia historisch vor Esra gehört und die umgekehrte Reihenfolge im Chronistischen Geschichtswerk auf der Nennung desselben Königsnamens Artaxerxes beruht, dem in der persischen Königsliste aber drei verschiedene Namensträger entsprechen. Im 20. Jahr Artaxerxes' I. (465–425) ließ sich Nehemia mit

Vollmachten vom Hof nach Palästina entsenden (445). Unmittelbarer Anlaß dafür war ein Bericht über den traurigen Zustand Jerusalems, das teilweise noch in Trümmern lag und dessen Mauerring noch nicht wiederhergestellt war. Frühere Anläufe zum Wiederaufbau der Stadt und ihrer Befestigungen waren am Einspruch der samaritanischen Provinzverwaltung gescheitert. Nun wurde Juda aus der Jurisdiktion Samarias gelöst und als selbständige Provinz mit Nehemia als Statthalter konstituiert. Mit seinem Auftrag stieß Nehemia auf den Widerstand nicht nur Samarias, sondern auch anderer benachbarter Provinzen und schließlich von einflußreichen Gruppen in Juda selbst. In größter Eile und unter militärischen Sicherungsmaßnahmen ließ Nehemia die Mauer Jerusalems wiedererrichten. Die wirtschaftlichen Schwierigkeiten, die viele Judäer gezwungen hatten, ihre Kinder in die Schuldsklaverei zu verkaufen, milderte Nehemia durch einen allgemeinen Schuldenerlaß mit Rückgabe der verpfändeten Grundstücke. Als die Bewohnerschaft Jerusalems für das nun wieder befestigte Stadtareal nicht ausreichte, ließ er einen Teil der Bevölkerung aus der Landschaft Juda nach Jerusalem umsiedeln. Schließlich stellte er Mißstände im Tempel ab, sorgte für die Einhaltung des Sabbats und ging gegen die besonders in der Oberschicht geläufige Praxis der Mischehen vor. 433 kehrte Nehemia an den persischen Hof zurück. Ob er nach 430 eine zweite Periode seiner Statthalterschaft in Jerusalem antrat, ist umstritten. Jedenfalls legte Nehemia den Grund für eine ungestörte Entwicklung Judas im Rahmen des persischen Reiches, indem er das Land von Samaria löste, als eigene Provinz konstituierte und Jerusalem als Statthaltersitz befestigte.

Der nächste Statthalter nach Nehemia, den wir kennen, war der Perser Bagoas. Er wird im AT nicht erwähnt, ist aber durch die Korrespondenz bezeugt, die die jüdische Militärkolonie im oberägyptischen Elephantine sowohl mit Jerusalem als auch mit Samaria führte (um 410). Vermutlich beschwor die Amtsführung des Bagoas Konflikte mit der Tempelpriesterschaft und deren Haupt, dem Hohenpriester, herauf. Diese Schwierigkeiten beizulegen und die inneren Verhältnisse in Juda auf ein festes Fundament zu stellen, war die Aufgabe Esras.

Während wir über Nehemia aus der ›Nehemia-Denkschrift‹ verhältnismäßig gut unterrichtet sind, ist die Quellenbasis für Esra entschieden brüchiger. Er wurde im 7. Jahr Artaxerxes' II. (404–359) nach Jerusalem entsandt (398), und mit ihm zog eine weitere Heimkehrergruppe nach Palästina. Der wichtigste Erfolg Esras war die Verpflichtung der judäischen Gemeinde auf das ›Gesetz des Himmelsgottes‹. Damit war ihr ein festes Fundament mit inneren Ordnungsmaßstäben gegeben. Mit einigem Recht hat man diesen Vorgang als die ›Geburtsstunde des Judentums‹ bezeichnet. Leider ist es unmöglich, den Inhalt jenes Gesetzes zu bestimmen und es mit einem der im AT enthaltenen Gesetzeswerke gleichzusetzen (Pentateuch? Priesterschrift? Sakralgesetze? Deuteronomium?). Jedenfalls wurde die Thora zum Herzstück des Judentums und ihre Anerkennung zum Kriterium der Zugehörigkeit zur Gemeinde, womit die Möglichkeit zum Proselytentum gegeben war.

Leider brechen jetzt unsere Quellen ab, so daß das 4. Jahrhundert und noch ein Teil des 3. Jahrhunderts keine geschichtlichen Konturen aufweisen. Die Perserzeit brachte für Juda eine Neukonstituierung nach dem Schock der Exilszeit: seine Existenz als um den Tempel gescharte Kultgemeinde mit erneuertem Opferkult, mit wieder aufgenommenen Festfeiern, mit einer neu formierten priesterlichen Hierarchie, der ein Hoherpriester präsidierte, aber auch mit Wortgottesdiensten, die schließlich zur Bildung der Synagoge führten, mit einer Sammlung heiliger Schriften, mit dem Gesetz als Lebenszentrum, mit dem Grundsatz der Abgrenzung von allem Heidnischen und Unreinen und mit dem politischen Status einer selbständigen Provinz.

XV. Die hellenistisch-römische Epoche Palästinas

BICKERMANN, E., Der Gott der Makkabäer, 1937. – BRINGMANN, K., Hellenistische Reform und Religionsverfolgung in Judäa, 1983. – FISCHER, T., Seleukiden und Makkabäer, 1980. – HENGEL, M., Die Zeloten, 1961. – DERS., Judentum und Hellenismus, [2]1973. – JEREMIAS, J., Jerusalem zur Zeit Jesu, [3]1963. – KAISER, O., Judentum und Hellenismus, VF 27, 1982, 68–88 (Lit.!). – KIPPENBERG, H. G., Garizim und Synagoge, 1971. – DERS., Religion und Klassenbildung im antiken Judäa, 1978. – MAIER, J. – SCHREINER, J. (Hg.), Literatur und Religion des Frühjudentums, 1973. – SAFRAI, S., Das jüdische Volk im Zeitalter des Zweiten Tempels, [2]1980. – SAFRAI, S. – STERN, M. (Hg.), The Jewish People in the First Century, I 1974, II 1976. – SCHÄFER, P., Der Bar Kokhba-Aufstand, 1981. – DERS., Geschichte der Juden in der Antike, 1983. – SCHALIT, A., König Herodes, 1969. – SCHÜRER, E., Geschichte des jüdischen Volkes im Zeitalter Jesu Christi I–III mit Reg., [4]1901–1911 (NA 1964).

Mit dem Siegeszug Alexanders d. Gr. brach die hellenistische Epoche für Palästina an (332). Nach dem Tod Alexanders fiel Palästina zunächst an das ägyptische Reich der Ptolemäer (323–198). Aus der

Zeit der Ptolemäerherrschaft ist über die Geschichte der frühjüdischen Gemeinde so gut wie nichts bekannt. Vermutlich hängt mit dem Übergang von der persischen zur hellenistischen Epoche der Wegfall des Statthalteramtes zusammen. Als Organe der Selbstverwaltung blieben der Hohepriester und der Ältestenrat übrig.

In der hellenistischen Zeit scheint sich auch endgültig die samaritanische Gemeinde konstituiert zu haben. Der genaue Zeitpunkt des Schismas ist allerdings unbekannt. Es war die Konsequenz einer längeren Entwicklung, die von der assyrischen Deportation des Nordreiches an datierte und durch die Abgrenzungspolitik der nachexilischen Jerusalemer Gemeinde ihre besonderen Impulse erhalten hatte. Die Samaritaner vollzogen schließlich den definitiven kultischen Bruch mit Jerusalem, indem sie auf dem Garizim ein Heiligtum erbauten und einen eigenen Kult einrichteten (der im Prinzip heute noch existiert). Sie erkannten nur den Pentateuch als heilige Schrift an und verwarfen den Propheten- und den Schriften-Kanon. Ihr Verhältnis zu den Juden spitzte sich zu, nachdem der Hasmonäer Johannes Hyrkanos I. im Jahre 128 v. Chr. den Tempel auf dem Garizim zerstört hatte. Für die Juden waren die Samaritaner schließlich gleichbedeutend mit Heiden.

Nach der Schlacht von Paneas (198) fiel Palästina an die syrischen Seleukiden. Von Jerusalemer Sympathisanten als Befreier begrüßt, zeigten sich die Seleukiden erkenntlich: Antiochos III. (223–187) räumte der Gemeinde beträchtliche Privilegien ein. Das anfangs gute Einvernehmen wurde bald durch den Niedergang des Seleukidenreiches, seine Niederlagen gegen die Römer und den wachsenden Finanzbedarf des Hofes gestört. Die entstehenden Konflikte eskalierten unter der Herrschaft Antiochos' IV. Epiphanes (175–164). In Jerusalem hatte sich ein scharfer Gegensatz zwischen hellenisierenden Gruppen (besonders in der Oberschicht) und traditionsverbundenen Kreisen herausgebildet, die sich in der Bewegung der ›Chasidim‹ (›Frommen‹) sammelten. Außerdem brachen Machtkämpfe um das hohepriesterliche Amt aus. Als sich die Rivalen an den Hof wandten, war das ein erwünschter Anlaß zum Eingreifen: Antiochos setzte den legitimen Hohenpriester Onias ab und bestätigte den finanzstärksten Konkurrenten (zuerst Jason, dann Menelaos). Ein Teil der Priesterschaft akzeptierte diesen das Amt entwürdigenden Schacher nicht und zog mit Onias nach Leontopolis in Unterägypten, wo es sogar zur Gründung eines Tempels kam (164). Auf einen anderen Teil der mit der Entwicklung unzufriedenen Priesterschaft mag die Entstehung der Gemeinde von Qumran bzw. der Gemeinschaft der Essener überhaupt zurückgehen.

Als erneut Streitigkeiten zwischen Menelaos und Jason ausbrachen, erschien Antiochos in Jerusalem, beraubte den Tempel und betrat sogar das Allerheiligste (169). Während er einen Feldzug nach Ägypten durchführte, brachen in Jerusalem anti-seleukidische Unruhen aus. Durch das Auftreten des römischen Senators Popilius Laenas in Ägypten am Erfolg gehindert, befahl Antiochos auf dem Rückmarsch, Jerusalem streng zu bestrafen und konsequent zu hellenisieren. Die Stadt wurde überfallen, zerstört und geschleift, in ihr eine befestigte hellenistische Enklave (›Akra‹) angelegt. Die jüdische Religion wurde mit ihren gottesdienstlichen Handlungen, mit Opferkult, Sabbat und Beschneidung und mit ihren heiligen Schriften verboten. Im Tempel wurde ein Kult des Zeus Olympios (›Greuel der Verwüstung‹ Dan 9,27; 12,11; 1Makk 1,54) eingerichtet. Die Bevölkerung wurde gezwungen, an den überall aufgerichteten hellenistischen Altären zu opfern. Gegen diese Maßnahmen, die den Lebensnerv der jüdischen Gemeinde trafen, erhob sich Widerstand vor allem aus den Kreisen der Chasidim. An seine Spitze stellte sich die Priesterfamilie der Hasmonäer (bzw. Makkabäer nach dem Beinamen des Judas Makkabi). Daß dieser zunächst aussichtslos erscheinende Kampf wider Erwarten doch zum Erfolg führte, lag an den zunehmenden Wirren im Seleukidenreich und an dessen gefährlichsten Gegnern, den Parthern und den Römern. Die Seleukiden vermochten nicht mit ganzer Macht in Palästina aufzutreten. Judas Makkabi errang mehrere Siege und konnte Jerusalem einnehmen und den Tempel neu weihen (164). Die Schwäche des Seleukidenreiches ermöglichte einen Friedensschluß, der die Zustände vor dem Religionsverbot wiederherstellte. Die meisten Chasidim zogen sich nun aus der Anhängerschaft der Hasmonäer zurück, die mehr und mehr politische Ziele erkennen ließen. Als 160 Judas bei Elasa von Bakchides geschlagen wurde und selbst ums Leben kam, schien die makkabäische Bewegung am Ende zu sein.

Die Thronwirren am Seleukidenhof nutzte aber der Hasmonäer Jonathan so geschickt und skrupellos aus, daß er bald als Hoherpriester und seleukidischer Vizekönig in Jerusalem residierte und sogar noch den Südteil der Eparchie Samaria zugesprochen erhielt. Nach seiner Ermordung übernahm sein Bruder Simon (142–134) seine Machtstellung. Seine Abhängigkeit vom Seleukidenhof war nur noch nominell; praktisch herrschte er selbständig. Mit Rückhalt in Sparta und Rom rundete Simon sein Gebiet nach Norden (bis nahe Sichem) und Westen (Geser, Joppe) ab und eroberte die ›Akra‹ in Jerusalem. Nach Jahren der Friedensherrschaft kam er durch Verwandtenmord ums Leben. Begonnen hatte die makkabäische Bewegung als eine Reaktion gegen die unerträgliche Religionsverfolgung und als ein Ringen um die freie Ausübung des Gottesdienstes, war dann in einen Freiheits- und Machtkampf umgeschlagen und resultierte schließlich in der dynastischen Herrschaftsbildung der Hasmonäer, die bald in Korruption, Machtgier und Terror ausartete.

Johannes Hyrkanos I. (134–104) hatte noch einmal eine seleukidische Bedrohung zu überstehen, ehe ihm durch den Zerfall des Seleukidenreiches die Unabhängigkeit zufiel. Er nutzte das entstehende Machtvakuum, um Gebiete in den Eparchien Samaria und Idumäa sowie im Ostjordanland zu annektieren. Die Idumäer wurden duch Zwangsbeschneidung in die jüdische Gemeinde einbezogen. Aristobulos (104–103) okkupierte auch Galiläa. Neben dem Hohenpriesteramt nahm er den Königstitel an. War Aristobulos durch Verwandtenmord auf den Thron gekommen, so war sein Nachfolger Alexander Jannaios (103–76) vollends ein Gewaltherrscher. Sein Volk rief sogar den Seleukidenkönig gegen ihn zu Hilfe. Alexander erstickte den Aufstand in einem Blutbad. In verschiedenen, keineswegs immer glücklichen Kriegszügen rundete er sein Territorium so ab, daß es im wesentlichen dem Kernbestand des alten Davidreiches entsprach. Doch war die hasmonäische Machtbasis schmal, ihr fehlte eine wirksame Anhängerschaft, und das Volk war in die Gruppierungen der (im wesentlichen die Oberschicht repräsentierenden) Sadduzäer und der (vor allem aus den Chasidim entstandenen) Pharisäer gespalten. Salome Alexandra (76–67), die ihrem Gatten folgte, versöhnte sich mit den Pharisäern und suchte die inneren Spannungen auszugleichen. Die Nachfolgekonflikte zwischen ihren Söhnen Hyrkanos II. und Aristobulos destabilisierten die Hasmonäerherrschaft weiter, zudem mit dem idumäischen Statthalter Antipatros ein neuer Faktor in den Machtkampf eintrat.

Als 65 v. Chr. die römische Macht in Palästina erschien, war es mit der Unabhängigkeit der Hasmonäer vorbei. Die weitere Geschichte Palästinas vollzog sich nun im Schatten der römischen Großmacht. Als sich Aristobulos dem Schiedsspruch des Pompeius entziehen wollte (63), besetzte dieser Jerusalem, erstürmte den Tempel und betrat das Allerheiligste. Syrien und Palästina bildeten nun die Provincia Syria, innerhalb derer Judaea ein besonderes Gebiet mit Hyrkanos II. als Hoherpriester bildete. Dieser verlor den Königstitel und einen Großteil der hasmonäischen Territorialgewinne. Der ›status quo‹ wurde durch jeden Machtkampf in Rom gefährdet. Als besonders eifriger Helfer der römischen Macht erwies sich Antipatros. Als sich Hyrkanos und Antipatros rechtzeitig auf die Seite Caesars schlugen, erhielt Judäa neue Privilegien. Antipatros wurde zum Prokurator ernannt, aber bald darauf vergiftet. Seine Söhne Phasaël und Herodes sicherten die Stellung des Hyrkanos gegen die Ansprüche seines rivalisierenden Neffen Antigonos. Als die Parther 40

v. Chr. in Palästina einfielen, übertrugen sie Antigonos die Macht. Hyrkanos wurde verstümmelt, Phasaël beging Selbstmord. Herodes entkam nach Rom und wurde hier vom Senat zum König von Judäa ernannt. Mit römischer Hilfe konnte er 37 v. Chr. Jerusalem einnehmen. Das war das definitive Ende der hasmonäischen Herrschaft.

Herodes (37–4 v. Chr.) verstand es mit diplomatischem Geschick, seine Politik den in Rom herrschenden Machtverhältnissen anzupassen. So konnte er relativ unbeschränkt regieren; nur in der Außenpolitik war er von Rom abhängig. Schließlich beherrschte er fast ganz Palästina mit Ausnahme des Gebietes des Bundes freier hellenistischer Städte, der Dekapolis. Obwohl sich Herodes in Jerusalem gesetzestreu gab und den Tempelbezirk in großartiger Weise erneuerte und vergrößerte, war er doch ein durchaus hellenistisch gesonnener Herrscher. Seine Regierung beruhte überdies auf Terror und Gewalt und Blutvergießen unter den eigenen Verwandten. Was das Volk ihm zutraute, wird in der Geschichte vom Kindermord in Betlehem (Mt 2, 16–18) widergespiegelt.

Nach dem Tod des Herodes teilten die Römer sein Reich unter seine Söhne. Über Judäa, Idumäa und Samaria wurde Archelaos als Ethnarch eingesetzt, aber 10 n. Chr. wieder entfernt und sein Gebiet als Provinz einem in Caesarea residierenden Prokurator unterstellt. In die Zeit des Prokurators Pontius Pilatus (26–36) fiel das Auftreten und die Hinrichtung Jesu von Nazaret. Durch die Gunst der Kaiser Caligula und Claudius konnte der Herodesenkel Agrippa 41–44 noch einmal fast das ganze Gebiet seines Großvaters vereinigen. Nach seinem Tod wurde der ganze Bereich zu einer prokuratorischen Provinz.

Die Willkür und Korruption der Prokuratoren schufen immer stärkere Spannungen. Als Reaktion entstand die Partei der Zeloten, die die Befreiung von der Fremdherrschaft anstrebte. Als Gessius Florus 66 den Tempel beraubte und Jerusalem plündern ließ, brach der Aufstand aus. Es gelang, die römischen Truppen aus Jerusalem und aus dem ganzen Land zu vertreiben. Dem wohlgeplanten Straffeldzug Vespasians hatten die Juden aber nichts entgegenzusetzen, und das Land wurde rasch besetzt. Länger hielt sich Jerusalem, obwohl die Verteidiger in Parteiungen gespalten waren und sich gegenseitig bekämpften. Im Sommer des Jahres 70 drangen die Truppen des Titus in die Stadt ein. Dabei ging der Tempel in Flammen auf, und die jüdische Gemeinde verlor ihr kultisches Zentrum. Jerusalem wurde systematisch zerstört. Zuletzt fielen die Herodesburgen Herodeion, Machärus und Masada.

Ein letzter jüdischer Aufstand brach in Palästina unter der Regierung Hadrians aus. Er stand unter der Führung des Simeon Ben-Kosba (Bar Kochba ›Sternensohn‹) und konnte zunächst die römische Oberherrschaft erfolgreich abschütteln (132–135). Gegen die wachsende römische Übermacht wehrten sich die Aufständischen durch einen Guerillakrieg. Die Römer durchkämmten das Land und erstickten die Rebellion blutig. Das Ergebnis des Aufstandes waren eine schreckliche Verwüstung des Landes und eine Dezimierung der Bevölkerung. Die heilige Stadt Jerusalem wurde nach dem Muster einer römischen Provinzstadt unter dem Namen Aelia Capitolina völlig neu erbaut und den Juden ihr Betreten bei Todesstrafe untersagt. Die Provinz wurde in ›Palaestina‹ (›Philisterland‹) umbenannt, um den Namen des widerspenstigen Volkes aus dem Lande auszurotten. Für Jahrhunderte wurden die Juden Fremde in Palästina, bis die Gründung des Staates Israel im 20. Jahrhundert einen Neuanfang setzte.

C. Archäologie Palästinas in alttestamentlicher Zeit

Winfried Thiel

AHARONI, Y., The Archaeology of the Land of Israel, 1982. – ALBRIGHT, W. F., Archäologie in Palästina, 1962. – BARDTKE, H., Bibel, Spaten und Geschichte, [2]1971. – DONNER, H., Einführung in die biblische Landes- und Altertumskunde, [2]1988. – FRITZ, V., Bibelwissenschaft I. Altes Testament I/1. Archäologie (Alter Orient und Palästina), TRE VI, 1980, 316–345. – DERS., Einführung in die biblische Archäologie, 1985. – KENYON, K., Archäologie im Heiligen Land, [2]1976. – DIES., Die Bibel im Licht der Archäologie, 1980. – NOTH, M., Die Welt des Alten Testaments, [4]1962. – SHANKS, H. (Hg.), Recent Archaeology in the Land of Israel, [2]1985. – THOMAS, D. W. (Hg.), Archaeology and Old Testament Study, 1967. – WEIPPERT, H., Palästina in vorhellenistischer Zeit, 1988. – WRIGHT, G. E., Biblische Archäologie, 1958.

Zum Ostjordanland: DORNEMANN, R. H., The Archaeology of the Transjordan in the Bronze and Iron Age, 1983. – GLUECK, N., The Other Side of Jordan, 1940 (NA 1970). – HARDING, G. L., Auf biblischem Boden, 1961.

Nachschlagewerke: AVI-YONAH, M. – STERN, E. (Hg.), Encyclopedia of Archaeological Excavations in the Holy Land I–IV, 1975–1978. – FRITZ, V., Kleines Lexikon der Biblischen Archäologie, 1987. – GALLING, K. (Hg.), Biblisches Reallexikon, [2]1977. – REICKE, B. – ROST, L. (Hg.), Biblisch-Historisches Handwörterbuch I–IV, 1962–1979.

I. Geschichte und Methoden der Archäologie Palästinas

AMIRAN, R., Ancient Pottery of the Holy Land, 1970. – Bible, Archeology, and History, BA 45, 1982, No. 4, 201–228. – Biblical/Palestinian Archeology: Retrospects and Prospects, BA 45, 1982, No. 2, 73–107. – CRÜSEMANN, F., Alttestamentliche Exegese und Archäologie, ZAW 91, 1979, 177–193. – DEVER, W. G., Archeological Method in Israel: A Continuing Revolution, BA 43, 1980, 40–48. – FRANKEN, H. J. – FRANKEN-BATTERSHILL, C. A., A Primer of Old Testament Archaeology, 1963. – NOORT, E., Biblisch-archäologische Hermeneutik und alttestamentliche Exegese, 1979. – SCHMID, H. H., Die Steine und das Wort. Fug und Unfug biblischer Archäologie, 1975. – WHEELER, M., Moderne Archäologie, 1960.

›Archäologie‹ bedeutet ursprünglich ›Altertumskunde‹ in weitestem Sinne. Erst in der neueren Zeit wurde der Begriff zu einem Terminus für die Wissenschaft der Ausgrabung verengt. Archäologie mit wissenschaftlichem Charakter unter Reflexion von Methoden, Zielen und Grenzen einer Ausgrabung ist erst eine Erscheinung des 20. Jahrhunderts. In der vorhergehenden Zeit bestand die Erforschung Palästinas – wenn man von Grabungen in vorwissenschaftlicher Weise absieht – vor allem im Aufspüren, Aufnehmen und Einordnen von Oberflächenbefunden.

Jedem, der Palästina bereist, fällt die Menge von Altertümern aus den verschiedensten Kulturperioden auf. Was an Monumentalarchitektur ansteht, stammt zwar ganz überwiegend aus der islamischen Zeit (seit 636 n. Chr.; darin eingeschlossen ist die Kreuzfahrerzeit, 1099–1251, die imposante Reste von Burgen, Kirchen, Hafen-, Stadt- und Befestigungsanlagen hinterlassen hat). Ausgedehnte und eindrucksvolle Ruinenstätten zeugen von der Städtebaukunst der Römerzeit (37 v. Chr.–324 n. Chr.). Die berühmtesten Beispiele sind neben Baalbek (im Libanon) und der syrischen Oasenstadt Palmyra die Dekapolisstadt Gerasa (Ǧeraš) im mittleren Ostjordanland und die nabatäische Hauptstadt Petra mit ihrer einmaligen Felsarchitektur im südlichen Jordanien. Aus der römischen Epoche – und zwar aus der Regierungszeit des Herodes – stammt der größte Teil der Westmauer (sog. Klagemauer) am Tempelbezirk in Jerusalem; überhaupt ist die gegenwärtige Ausdehnung der Tempelplattform der Bautätigkeit des Herodes zuzuschreiben. Die unweit vom Tempelplatz gelegenen Gräber im Kidrontal sind Zeugen der hellenistischen Periode (332–37 v. Chr.). Zur makkabäischen Stadtbefestigung aus dieser Zeit gehört wohl auch die sog. Macalister-Festung, ein Ensemble aus zwei Türmen und einem dazwischenliegenden Glacis auf dem Osthang des Jerusalemer Südosthügels, das früher in unzutreffender Datierung seiner Entstehung gern ›Jebusiterfestung‹ oder ›Davidturm‹ (nicht zu verwechseln mit dem ebensowenig davidischen ›Davidturm‹ in der Zitadelle) genannt wurde. Je weiter wir die Kulturepochen zurückverfolgen, desto geringer werden die Zeugen der Monumentalarchitektur, die noch bis in die Gegenwart anstehen. Aus der Eisenzeit dürften die Reste ammonitischer Türme in Jordanien stammen, ebenso aber auch die gigantischen Wasseranlagen, die sich allerdings unterirdisch erhalten haben, wie der Hiskija-Tunnel in Jerusalem oder das Wassersystem in Megiddo. Aus noch älteren Perioden rühren die Dolmen und Menhire (Steinkammern bzw. Steinsetzungen) her, die in verschiedenen Teilen Palästinas anstehen.

Zeugnisse alter Ortslagen sind auch Keramikreste, die sich oft in großen Mengen auf dem Erdboden finden und eine erste Datierung der Besiedlungszeiten ermöglichen. Freilich ist dafür eine Kenntnis der Keramiktypologie und -chronologie nötig. Eines geübten Auges bedarf es, um einen natürlichen Hügel von einem ›Tell‹ zu unterscheiden, einem Trümmerhügel, der die Reste einer Reihe von aufeinanderfolgenden Siedlungen birgt. Besonders interessante oder eindrucksvolle Tells, an denen wichtige Ausgrabungen durchgeführt wurden, sind z.B. der Tell ed-Duwēr (Lachisch), der Tell es-Sulṭān (Jericho), der Tell Balāṭa (Sichem), der Tell el-Mutesellim (Megiddo), der Tell el-Ḥöṣn (Bet-Schean), der Doppelhügel Tell Waqqās bzw. Tell el-Qedaḫ (Hazor) im Westjordanland sowie der Tell Dēr ʿAllā (Sukkot?) im östlichen Jordantal. Zur Identifizierung mit alttestamentlichen Ortsnamen helfen nicht nur Erkenntnisse der historischen Geographie, sondern auch Anhaltspunkte im arabischen Lokalnamensgut. So bewahren Erīḥā den Namen Jericho, Bētīn das alttestamentliche Bet-El auf.

Allerdings sind die Siedlungen und mit ihnen die Namen im Laufe der Jahrtausende gewandert. Das alttestamentliche Jericho lag auf dem heutigen Tell es-Sulṭān; der neutestamentliche Ort hatte sich südlich zu den Tulūl Abū'l-ʿAlāyiq verlagert, ehe die Siedlung dann an die Stelle des heutigen Erīḥā wanderte. Hingegen scheint das Dorf Bētīn ziemlich genau auf einem Teil der Ortslage von Bet-El zu liegen, und die moderne Großstadt Ammān überdeckt die Reste der alten ammonitischen Hauptstadt Rabbat-Ammon. – Vorsicht geboten ist gegenüber den neuen israelischen Ortsnamen, da diese oft alttestamentliches Namensmaterial auf moderne Siedlungen übertragen (z.B. liegt die moderne Stadt Arad 8 km entfernt von der Ortslage des alttestamentlichen Arad auf dem Tell ʿArad).

Monumentalarchitektur, Bodenaltertümer und das Ortsnamensmaterial gaben die ersten Anhaltspunkte für die wissenschaftliche Erforschung Palästinas. Sieht man von den Pilgerreisen des Altertums ab, die allem anderen als gelehrten Zwecken dienten, aber doch wichtige topographische Informationen bieten (vgl. J. Wilkinson, Jerusalem Pilgrims Before the Crusades, 1977; H. Donner, Pilgerfahrt ins Heilige Land, 1979), so beginnt die altertumskundliche Erschließung Palästinas im 19. Jahrhundert. Es waren zuerst wissenschaftliche Reisende, die – oft genug unter schlimmen Strapazen und unter Lebensgefahr – das unter osmanischer Herrschaft stehende, schlecht verwaltete und von korrupten Beamten und kriegerischen Beduinen ausgesaugte Palästina besuchten, die Zeugen der Vergangenheit aufnahmen und beschrieben. Ulrich Jasper Seetzen entdeckte zu Beginn des 19. Jahrhunderts die Ruinenstätten von Caesarea Philippi (Paneas), Gerasa und Rabbat-Ammon. Nach intensiver Vorbereitung in Syrien und dem Besuch von Baalbek, Palmyra und Damaskus bereiste Johann Ludwig Burckhardt 1812 das Ostjordanland, passierte Gerasa und gelangte schließlich nach Petra. Als der eigentliche Pionier der altertumskundlichen Erforschung Palästinas muß jedoch der amerikanische Reverend Edward Robinson (1794–1863) gelten, der auf zwei großen Reisen (1838 und 1852) das Land gründlich erkundete, die Altertümer aufnahm, zusammen mit Ely Smith das arabische Namensmaterial sammelte und Identifikationen mit biblischen Ortslagen vorschlug. Sein Name ist mit dem von ihm entdeckten Bogenansatz an der Südwestecke des Tempelbezirks (›Robinson-Bogen‹) verbunden, der – wie neuere Grabungen gezeigt haben – das Oberteil einer in das Zentraltal hinabführenden Treppe aus neutestamentlicher Zeit gebildet hat.

Gegen Mitte des 19. Jahrhunderts begannen auch die ersten Ausgrabungen in Palästina, begleitet vom Mißtrauen der türkischen Administration und vom Widerstand der verständnislosen und oft fanatischen Bevölkerung. Unterstützt wurde die zunehmende Ausgrabungstätigkeit durch die Gründung nationaler Fördergesellschaften (1865 ›Palestine Exploration Fund‹, 1877 ›Deutscher Verein zur Erforschung Palästinas‹) und Institute (1900 ›American School of Oriental Research‹, 1902 ›Deutsches Evangelisches Institut für Altertumswissenschaft des Heiligen Landes‹, 1919 ›British School of Archaeology‹). Die Ausgrabungen wurden belastet durch mangelnde Datierungskriterien und den Einfluß von Vorverständnissen. F. de Saulcy hielt die von ihm 1851 im Norden Jerusalems freigelegte Grabstätte der Königin Helena von Adiabene für die altisraelitischen ›Königsgräber‹; Ch. Warren datierte die aus der Eisenzeit stammenden Überreste auf dem Tell el-Fūl (Gibea) in die Kreuzfahrerepoche. Die Ausgrabungsmethoden waren noch unentwickelt und primitiv. Besonders schwierig wegen der Überbauung waren die Ausgrabungen in Jerusalem. Ch. Warren brachte Schächte an der Außenmauer des Tempelbezirks nieder und verfolgte durch horizontale Tunnel den Verlauf des herodianischen Mauerwerks bis auf den gewachsenen Fels (1867–70). In engen Tunneln wühlten sich auch F. J. Bliss und A. C. Dickie unter ungeheuren Schwierigkeiten durch das unterirdische Jerusalem und verfertigten dabei erstaunlich präzise Pläne und Zeichnungen der gefundenen Architekturüberreste (1894–97). Irrig waren allerdings die meisten Datierungen.

Eine Ausgrabung, die von methodischem Problembewußtsein zeugte, führte der erfahrene Ägypten-Archäologe W. M. Flinders Petrie 1890 (1891–93 fortgesetzt von seinem Schüler F. J. Bliss) auf dem Tell el-Ḥesi (Eglon?) in Südpalästina durch. Das war die erste stratigraphische Grabung in Palästina. Petrie und Bliss erkannten, daß der Hügel aus verschiedenen Siedlungsstrata bestand (Bliss zählte 8 Strata und 3 Unter-Strata), deren Datierung mit Hilfe der Keramik vorgenommen wurde. Damit waren die Weichen für die Entwicklung der Palästina-Archäologie gestellt. Künftig kam es darauf an, die einzelnen Siedlungsschichten sorgfältig voneinander zu trennen und eine Keramiktypologie zu erarbeiten, mit der die Datierung der einzelnen Strata möglich war. Viele Ausgrabungen zu Beginn des 20. Jahrhunderts erfüllten diese Bedingungen noch nicht, kamen zu keiner klaren Stratigraphie, zerstörten sogar z.T. die Befunde und datierten willkürlich.

Wegweisend war die amerikanische Grabung in Samaria (Sebaṣṭiye) von 1908–10 unter G. A. Reisner und C. S. Fisher. In der Erkenntnis, daß die bisherigen Grabungsmethoden nicht ausreichten, um eine komplizierte Schichtenabfolge genau zu erfassen, und im Wissen darum, daß eine Ausgrabung den von ihr erfaßten Schichtenbefund auch durch Abgraben zerstört, entwickelten die Ausgräber eine verfeinerte Grabungstechnik und eine systematische Grabungsdokumentation, aus der jeder stratigraphische Zusammenhang klar hervorging und jedes Fundstück seinem ursprünglichen Kontext zweifelsfrei zugeordnet werden konnte. Diese ›Reisner-Fisher-Methode‹ erlaubte Flächengrabungen größeren Umfangs mit besonderer Berücksichtigung der entdeckten Architekturüberreste. Sie beherrschte im wesentlichen die Grabungsmethodik in Palästina, bis ihr nach dem 2. Weltkrieg in der ›Wheeler-Kenyon-Methode‹ eine ernsthafte Alternative entstand. K. Kenyon, Schülerin des Vorgeschichtlers M. Wheeler, wandte die von diesem in prähistorischen Kontexten entwickelte Grabungsmethode auf palästinische Grabungsstätten an, vor allem bei ihren Ausgrabungen auf dem Tell es-Sulṭān (Jericho) in den Jahren 1952–58 und in Jerusalem 1961–67. Das Novum dieser Methode besteht in einer äußerst kleinteiligen und konsequenten Aufnahme der Stratigraphie, die nun auf die Abfolge von Erdschichten bezogen und in sauberen Schnittprofilen dokumentiert wird. »Stratigraphie bestand nun nicht mehr in der Ermittlung architektonischer Einheiten und der Zuordnung der darin gemachten Funde, sondern vor allem in der Beachtung der verschiedenen Erdschichten...« (V. Fritz, Einführung 40).

So entstand ein Methoden-Dualismus in der Palästina-Archäologie. Die in der zweiten Hälfte des 20. Jahrhunderts äußerst aktiven amerikanischen Archäologen bedienten sich mehr und mehr der ›Wheeler-Kenyon-Methode‹ (etwa bei den von W. G. Dever geleiteten Ausgrabungen von Geser – Tell Ǧezer u.v.a.). Die israelischen Ausgräber befolgten in der Regel die ›Reisner-Fisher-Methode‹ weiter, führten also Flächengrabungen (natürlich mit stratigraphischer

Kontrolle) unter besonderer Berücksichtigung der Architekturüberreste durch, da sie dadurch am sachgemäßesten zu einem Gesamtbild der materiellen Kultur einer bestimmten Epoche an der gerade bearbeiteten Ortslage zu gelangen glaubten. Der Methodenstreit scheint sich in einem Kompromiß aufzulösen, der die Anwendung der jeweiligen Grabungstechnik nach den Besonderheiten der Grabungsstelle und den Zielen der Grabung bemißt. Bei prähistorischen Stätten beweist die ›Wheeler-Kenyon-Methode‹ ihre Stärke und Sachgemäßheit durch detaillierte Schichtungsdokumentation. Bei Ortslagen mit starken architektonischen Überresten und anderen Zeugen der materiellen Kultur kann das Ziel der Grabung jedoch nicht vorrangig in der Anfertigung sauberer Schichtenprofile bestehen, sondern in der Erarbeitung eines schichtenbezogenen kulturellen Gesamtbildes und eines Modells der Siedlungsgeschichte dieses Ortes. Zur Datierung der jeweiligen Kulturschichten dient die indessen gut ausgearbeitete Keramikchronologie (vgl. bes. R. AMIRAN). Dabei genügt es nicht mehr, bestimmte Keramiktypen als ›Leitfossilien‹ einer bestimmten Kulturepoche zu benennen, sondern es gilt, eine regionale Keramiktypologie zu erreichen, die zwischen West- und Ostjordanland, zwischen Norden, Mitte und Süden differenziert.

Neben der Ausgrabung behält eine andere Forschungsmethode ihren Wert: die Oberflächenuntersuchung (›Survey‹). Sie achtet besonders auf den Keramikbelag und auf anstehende Architekturreste, nimmt aber auch sonstige topographische Elemente der untersuchten Ortslage oder Region auf. Nach dem Vorhandensein von Keramik und anderen datierbaren Überresten läßt sich ein grobes siedlungsgeschichtliches Modell entwerfen. Freilich sind diese Ergebnisse nur vorläufig. Oberflächenbefunde lassen in der Regel nur positive, keine negativen Schlüsse (z.B. auf Siedlungslücken) zu, und sie bedürfen der Überprüfung durch eine Ausgrabung. Oft wird eine Grabung gegenwärtig durch einen Survey in der Umgebung ergänzt, um die eigentliche Grabungsstätte in ihrem topographischen und ökologischen Kontext interpretieren zu können.

Ausgrabungen heben nicht nur längst versunkene Zeugnisse vergangener Kulturen ans Licht; sie wirken auch zerstörend. Um ältere Siedlungsschichten zu erreichen, müssen jüngere Strata, die darüberliegen, abgetragen werden. Aber auch die zutage geförderten Architekturüberreste, die nicht wie die Kleinfunde ins Museum gebracht werden können, sind von der Zerstörung durch Regen und Sturm bedroht, besonders wenn sie aus Lehmziegeln bestehen. Eine wichtige Aufgabe ist also nicht nur die Reinigung und Restaurierung von Kleinfunden, sondern auch die Konservierung von Ausgrabungsstätten mit ihren Architekturüberresten. Das ist freilich ein aufwendiges und kostspieliges Unternehmen. Gute Beispiele geglückter Restauration und Sicherung sind die Bauwerke auf dem Tell es-Sebaʿ (dessen Identifikation mit dem alttestamentlichen Beërscheba durchaus fraglich ist) sowie die frühbronzezeitliche Stadt mit der eisenzeitlichen Zitadelle in Arad (dazu vgl. J. CAMPBELL, The Renascence of Iron Age Arad, BA 40, 1977, 34–37).

Gelegentlich bewegen sich die Ausgrabungen auch im unterirdischen Bereich. In Hazor wurde das subterrane Wassersystem freigelegt; auf dem Tell es-Sebaʿ mußte ein vor dem Stadttor liegender tiefer Brunnen von Spezialarbeitern geräumt werden, und in Jerusalem wurde im Zusammenhang der Grabungen Y. Shilohs am Südosthügel der schon 1867 von Ch. Warren entdeckte alte Schacht, der zur Gihonquelle führte, untersucht und begehbar gemacht (1980). Ein relativ junger Zweig der Palästinaforschung ist die Unterwasserarchäologie, mittels derer z. B. der Hafen von Caesarea untersucht wurde (vgl. R. L. HOHLFELDER – J. P. OLESON – A. RABAN – R. L. VANN, Sebastos, Herod's Harbor at Caesarea Maritima, BA 46, 1983, 133–143).

Da die Palästina-Archäologie das Land der Bibel betrifft, steht sie wie keine Ausgrabungstätigkeit in anderen Teilen der Erde in der Gefahr, von Vorverständnissen (›Die Bibel hat doch recht!‹) dirigiert zu werden. Der Versuchung, archäologische Befunde allzu rasch mit biblischen Texten zu synchronisieren und damit die Eigenaussage beider Zeugen – des archäologischen wie des literarischen – zu beeinträchtigen, ist schon mancher Gelehrte erlegen. Dieser Tatbestand hat zu grundsätzlicher Kritik an Begriff, (angeblichen) Zielen und Methoden der ›Biblischen Archäologie‹ geführt. Als Gegenentwurf wurde das Programm einer methodisch neu zu begründenden ›Syro-Palästinischen Archäologie‹ vorgeschlagen (vgl. W. G. DEVER, Retrospects and Prospects in Biblical and Syro-Palestinian Archeology, BA 45, 1982, 103–107). Zutreffend ist, daß sich die Palästina-Archäologie längst aus ihrer Bindung an die Bibelwissenschaft hinausentwickelt und zu einer selbständigen Wissenschaft profiliert hat. Mit ihren Mitteln ist es möglich, die Siedlungsgeschichte eines Ortes oder eines Gebietes und die materielle Kultur eines Zeitalters regional und überregional zu erforschen. Sie würde sich jedoch ihrer wichtigsten Anhaltspunkte berauben, wenn sie die relevanten Texte ignorieren wollte, die eben vor allem in der Bibel vorliegen. Verhängnisvoll allerdings ist eine zu rasche und oberflächliche Koordinierung beider Zeugen. Wie die archäologischen Befunde erst einmal in ihrem eigenen Kontext geprüft werden müssen, so bedürfen die biblischen Texte einer gründlichen exegetischen Bearbeitung, ehe die jeweiligen Ergebnisse aufeinander bezogen werden können. In solcher Weise und mit Zurückhaltung geübt, befruchten beide Fächer einander: Die Texte vermögen die stummen Grabungsbefunde zum Sprechen zu bringen, und die Archäologie bringt wichtige Gesichtspunkte für die Geschichte Israels, für die Sozial-, Kultur- und Religionsgeschichte sowie für die Einzelexegese (Realienkunde) bei.

Für die *Chronologie der Kulturepochen Palästinas* in biblischer Zeit existiert kein allgemein anerkanntes Modell. Die folgenden Angaben richten sich nach V. FRITZ (Kleines Lexikon 13):

Neolithikum (Jungsteinzeit)	8000–3600
Chalkolithikum (Steinkupferzeit)	3600–3150
Frühbronzezeit (FrBr)	3150–2150
Frühbronzezeit I	3150–2950
Frühbronzezeit II	2950–2650
Frühbronzezeit III	2650–2350
Frühbronzezeit IV	2350–2150
Mittelbronzezeit (MBr)	2150–1550
Mittelbronzezeit I	2150–1950
Mittelbronzezeit IIA	1950–1750
Mittelbronzezeit IIB	1750–1550
Spätbronzezeit (SpBr)	1550–1200
Spätbronzezeit I	1550–1400
Spätbronzezeit II	1400–1200
Eisenzeit (E)	1200– 332
Eisenzeit I (E I)	1200–1000
Eisenzeit II (E II)	1000– 587
Eisenzeit III (E III)	587– 332
Hellenistische Zeit	332– 37
Römische Zeit	37 v. Chr. – 324 n. Chr.

II. Die Entwicklung der kanaanäischen Kultur in der Mittel- und Spätbronzezeit

DEVER, W. G., The Beginning of the Middle Bronze Age in Syria-Palestine, Magnalia Dei. The Mighty Acts of God. Essays on the Bible and Archaeology in Memory of G. E. Wright, 1976, 3–38. – EPSTEIN, C., Palestinian Bichrome Ware, 1966. – FRITZ, V., Paläste während der Bronze- und Eisenzeit in Palästina, ZDPV 99, 1983, 1–42. – HERZOG, Z., Das Stadttor in Israel und in den Nachbarländern, 1986, 1–88. – KEMPINSKI, A., Syrien und Palästina (Kanaan) in der letzten Phase der Mittelbronze-II B-Zeit (1650–1570 v. Chr.), 1983. – KENYON, K., Palestine in the Middle Bronze

Age, CAH II/1, ²1973, 77–116. – MAZAR, B., The Middle Bronze Age in Palestine, IEJ 18, 1968, 65–97. – NEGBI, O., Canaanite Gods in Metal, 1976. – VAUX, R. DE, Histoire ancienne d'Israël I, 1971, 71–75. 119–121.

Textausgaben: GALLING, K. (Hg.), Textbuch zur Geschichte Israels, ³1979, 1–40. – KNUDTZON, J. A., Die El-Amarna-Tafeln I. II, 1915 (NA 1964). – POSENER, G., Princes et pays d'Asie et de Nubie. Textes hiératiques sur des figurines d'envoûtement de Moyen Empire, 1940. – RAINEY, A. F., El Amarna Tablets 359–379. Supplement to J. A. Knudtzon, Die El-Amarna-Tafeln, ²1978. – SETHE, K., Die Ächtung feindlicher Fürsten, Völker und Dinge auf altägyptischen Tongefäßscherben des Mittleren Reiches, 1926.

Als sich die frühisraelitischen Sippen auf dem Boden Palästinas festsetzten, fanden sie dort eine bereits in Jahrhunderten gewachsene Kultur vor, die sich allerdings im Stadium des Niedergangs befand. Vor dem geschichtlichen und kulturellen Kontinuum der Mittel- und Spätbronzezeit lagen weitere Jahrtausende der zivilisatorischen Entwicklung, die jedoch nicht ungebrochen verlief, sondern mit Brüchen, Neueinsätzen, Regressionen und großen Zwischenräumen.

Die ältesten Zeugen menschlicher Tätigkeit in Palästina mögen etwa 1 Million Jahre alt sein (El-ʿUbēdīye auf der Westseite des nördlichen Jordantals). Der Mensch der *Alt- und Mittelsteinzeit* lebte in Höhlen (besonders lange bewohnt wurden die Karmel-Höhlen) und ernährte sich durch die Jagd auf wilde Tiere und durch das Einsammeln von Früchten. Erst gegen Ende der mittleren Steinzeit entstehen die ersten Rundhäuser. Möglicherweise stellen sie Nachbildungen von Zelten oder Zweighütten dar. In der *Jungsteinzeit* beginnt die landwirtschaftliche Epoche Palästinas. Der Mensch entwickelt sich vom Jäger und Sammler zum Ackerbauer und Viehzüchter (›neolithische Revolution‹); er verläßt die Höhlen und gründet agrarische Siedlungen (Dörfer z.B. im Naḥal Ōren auf der Westseite des Karmel und im Wādi Bēḍā nördlich von Petra). Die Ausgrabungen von Jericho (Tell es-Sulṭān) förderten überraschend ein starkes Befestigungswerk mit Graben, Mauer und Turm zutage, dessen Existenz die Ausgräberin, K. Kenyon, dazu veranlaßte, das neolithische Jericho als eine städtische Siedlung anzusprechen. Erst im Laufe der Jungsteinzeit wurde die Kunst der Töpferei entwickelt, die Domestikation von Haustieren vorangetrieben, der Bau von Rundhütten durch den rechteckiger Häuser abgelöst. Aus dieser Epoche stammen auch Zeugnisse früher Religiosität: Grobe Figurinen der Muttergöttin verweisen auf den in Palästina bis in die Spätzeit gepflegten Vegetationskult; in Jericho gefundene Schädelplastiken lassen auf eine Ahnenverehrung schließen.

Die *Kupfer-Steinzeit* (Chalkolithikum) ist durch das Aufkommen der Metallbearbeitung gekennzeichnet. Kupfererz wird verarbeitet, kann aber noch nicht veredelt werden. Der Schmiedeberuf entsteht und mit ihm das Spezialistentum. In Palästina kommt die Metallverarbeitung allerdings nur zögernd in Gang. Diese Epoche ist eine Zeit der blühenden Dorfkultur, die sich in verschiedenen Landesregionen ausbildet (Bereich von Beërscheba, östliches Jordantal, Küstenebene, Jesreelebene, Golan). Neben den Häusern kommen auch Wohnhöhlen vor. Die materielle Kultur entwickelt sich weiter: Außer Knochenschnitzereien sind Elfenbeinfigurinen erhalten, die wahrscheinlich kultischen Zwecken dienten. Das gilt erst recht von den mehr als 400 Kupferobjekten, die im Naḥal Mišmār (in der sog. Schatzhöhle) gefunden wurden und die wahrscheinlich aus dem chalkolithischen Tempel von En-Gedi stammen. Bemerkenswert sind auch die singulären Fresken aus dem ostjordanischen Telēlāt Ġassūl, die astrale Motive wiedergeben und vermutlich ebenfalls einem kultischen Kontext entstammen. Charakteristisch für diese Epoche sind schließlich die Beisetzungen in Ossuarien, die haus- oder krugförmig gestaltet sind.

Für die *Frühbronzezeit* ist das Aufkommen der Stadtkultur in Palästina charakteristisch. Anstelle der offenen Dörfer des Chalkolithikums entstehen jetzt bewußt angelegte, eng gebaute und gut befestigte Städte. Schriftliche Zeugnisse aus dieser Zeit existieren nicht, doch darf man annehmen, daß die befestigten Städte Stadtstaaten repräsentierten, die noch über einige abhängige Siedlungen geboten. Von den normalen Wohnhäusern heben sich in Größe und Ausstattung öffentliche Gebäude, Tempel und Paläste, ab. Das Handwerk spezialisierte sich weiter. Waffen und Geräte wurden jetzt überwiegend aus Bronze hergestellt. Ein lebhafter Handel verband das Land mit Ägypten, Syrien und Mesopotamien. Philologische Indizien in ägyptischen Texten lassen annehmen, daß die frühbronzezeitlichen Landesbewohner eine nordwestsemitische Sprache benutzten, also Semiten waren. Diese Epoche dürfte schon eine ›frühkanaanäische‹ Kultur widerspiegeln. Zunächst aber brach sie in landesweitem Ausmaß zusammen. Für Jahrhunderte erlosch das urbane Leben. Städte wie Arad (Tell Arad) und Ai (et-Tell) sollten nie wieder als städtische Siedlungen aufleben. Die Landeskultur sank auf ein vor-urbanes Stadium zurück: Die Menschen lebten in kleinen, offenen Dörfern, die Häuser sind primitiver gebaut, die Keramik ist grober. Neben dem an Bedeutung zurücktretenden Ackerbau gewinnt die Tierzucht – offenbar im Weidewechsel durchgeführt – an Gewicht. Die (heute stark umstrittene) These, die den Zusammenbruch der frühbronzezeitlichen Kultur und die Regression danach mit der westsemitischen oder amoritischen Wanderung in Zusammenhang bringt (z. B. R. DE VAUX, K. KENYON), verdient weiter Beachtung.

Die erste Phase der *Mittelbronzezeit*, die MBr I (K. KENYON: FrBr-MBr-Zwischenzeit), ist zunächst durch die nach dem Abbruch der Stadtkultur der FrBr entstandene ärmliche Lebensweise mit Viehzucht und Ackerbau bestimmt. Erst nach einiger Zeit lebt die Stadtkultur wieder auf, um im 18. Jahrhundert einen neuen, kräftigen Impuls zu erhalten und sich dann zu einer beeindruckenden und kaum je wieder erreichten Entwicklungshöhe zu erheben. Nach dem Urteil R. DE VAUX' war die MBr II die blühendste Epoche in der Geschichte des antiken Palästina (72). Der gewaltige Aufschwung der MBr nach dem abrupten Ende der FrBr und der kulturell kargen Anfangsperiode ist wohl auf das Einströmen neuer Völkerschaften zurückzuführen, die vom Norden (Syrien oder Mesopotamien) kamen und von dort die Errungenschaften städtischer Zivilisation bereits mitbrachten und nach Palästina verpflanzten. Denn quer durch das Land entstehen jetzt zahlreiche große und gut befestigte Städte mit einer auf hohem Niveau befindlichen materiellen Kultur. Man kann die Neuankömmlinge in Anlehnung an den alttestamentlichen Sprachgebrauch als ›Kanaanäer‹ und die von ihnen geschaffene Kultur der MBr als ›kanaanäisch‹ bezeichnen. Sie dauerte ohne Unterbrechung bis zum Ende der SpBr.

In der MBr treten auch die ersten schriftlichen Quellen über Palästina auf. Sie stammen durchweg aus Ägypten und vermitteln nur begrenzte Einsichten. Die ›Geschichte des Sinuhe‹, die nach 1950 v. Chr. entstanden sein dürfte, erzählt von den Geschicken eines aus Ägypten geflüchteten Beamten im ›oberen Rṯnw‹, einem nicht genau lokalisierbaren Bereich Palästinas. Die Darstellung gibt einen Eindruck von der Lebensweise und den Bräuchen in Palästina aus der Sicht eines gebildeten Ägypters. Aussagekräftiger für die Topographie Palästinas in dieser Zeit sind die Ächtungstexte. Dabei handelt es sich um Aufzeichnungen der Namen von Herrschern, Völkern oder Dingen, die den Ägyptern bedrohlich erschienen. Sie wurden entweder auf Keramikgefäßen angebracht, die dann rituell zerbrochen wurden, oder auf Figurinen von gefesselten Gefangenen, die man zerschlug oder vergrub – beides Praktiken imitativer Magie, die die Vernichtung der Feinde bewirken sollten. Die Ächtungstexte bestehen aus zwei Gruppen, einer älteren (›Serie Sethe‹) und einer jüngeren (›Serie Posener‹). Man wird sie in das 19.–18. Jahrhundert datieren können. Sie enthalten nicht nur palästinische Ortsnamen (Jerusalem, Sichem, Ajalon u. a.), sondern lassen auch etwas von der Herrschaftsstruktur erkennen: Die ältere Serie nennt für die meisten Staatsgebilde 2–4 Herrschernamen, so daß man eine

Gemeinschaftsregierung annehmen muß. Die jüngere Serie bezeugt für die überwiegende Mehrheit der Staaten nur einen Herrscher und damit den Übergang zur Monarchie, zum Stadtfürstentum.

Dicht bevölkerte und prosperierende Städte durchzogen in der MBr das ganze Land, so etwa Dan und Hazor in Galiläa, Taanach, Megiddo und Bet-Schean in der Jesreelebene, Afek in der Scharonebene, Tirza, Sichem, Jericho, Jerusalem, Bet-Schemesch, Geser in der Mitte des Landes, Lachisch, Tell Bēt Mirsim (Eglon? Debir?), Bet-Eglajim (Tell el-ʿAǧǧūl) und Scharuhen (Tell el-Fāriʿ) im Süden. Einige dieser Städte wuchsen zu immenser Größe an. Den Rekord hielt Hazor mit ca. 80 ha Grundfläche (zum Vergleich: Jerusalem in davidischer Zeit wies etwa 4–5 ha Grundfläche auf). Die Städte waren stark und gut befestigt. Ein neues, für die MBr charakteristisches Element der Stadtbefestigung ist der Erdwall. Entweder wurde er nur aus gestampftem Erdreich errichtet oder über einen Mauerkern aufgeschüttet. Die Erdrampe konnte der Mauer als Glacis vorgelagert werden, sie konnte aber auch die Mauer tragen. Diese Innovation im Befestigungsbau hat man gern mit dem Streitwagen in Verbindung gebracht, der in dieser Zeit in der Militärtechnik des Alten Vorderen Orients Einzug hielt. Diese Annahme ist aber schwierig, denn der Streitwagen ist an sich kein Belagerungsgerät. So wird man eher vermuten können, daß es in erster Linie mauerbrechende Mittel wie Sturmböcke waren, die man durch den Bau von Erdrampen von der Mauer fernhalten wollte. Möglicherweise hat sich aber die Existenz des Streitwagens auf die Konstruktion der Stadttore ausgewirkt. Das ältere Tor mit einer geknickten Achse wird zunehmend durch einen weiten, geradlinigen Torbau ersetzt, der sich aber durch Anlage von Torkammern und Nebenräumen zu einem Befestigungswerk eigener Art entwickelt. Ein besonders gut erhaltenes Stadttor der MBr wurde in Dan ausgegraben (vgl. A. Biran, The Discovery of the Middle Bronze Age Gate at Dan, BA 44, 1981, 139–144).

An der Architektur der Stadt läßt sich ihre soziale Schichtung erkennen: Neben großen und gut gebauten Häusern der Oberschicht finden sich ärmliche Behausungen der sonstigen Bevölkerung. Im Hausbau tritt der neue Typ des Hofhauses auf, bei dem sich die Räume um einen Innenhof gruppieren. Diese Planung läßt sich, wenngleich ins Monumentale gesteigert, auch an den Palästen beobachten, die um mehrere Innenhöfe herum angelegt sind. Die Tempel folgen jetzt in der Regel (anstelle des in der FrBr dominierenden Breithaustyps) der Form des Langhauses, die wohl in Syrien beheimatet war. Der Altar des Heiligtums war in der Regel im Hof errichtet. Neben den Tempelhäusern gab es auch Heiligtümer unter freiem Himmel (atl. *bamôt*). In beiden Typen von Kultstätten gab es Kultstelen (atl. *maṣṣebôt*). Besonders bekannt ist die Stelenreihe von Geser, deren eigentliche kultische Funktion noch nicht ergründet werden konnte.

Die MBr bringt eine gut gestaltete und schön bemalte Keramik hervor. In den letzten Phasen der Epoche erscheint die ›Bichrome Ware‹, die in Schwarz und Rot gehalten ist. Über die Keramik und die Gegenstände des täglichen Bedarfs, die meist eine bemerkenswerte Qualität und ästhetischen Reiz aufweisen, sind wir vor allem durch die Grabfunde unterrichtet (z. B. Jericho). Den Toten wurden nicht nur Nahrungsmittel und Geschirr, sondern auch Möbelstücke und Utensilien des Alltags in ihr Grab mitgegeben. Die Bestattung erfolgte zumeist in Felskammergräbern, aber auch Hausbestattungen unter dem Fußboden sind belegt.

Der schon in den vorhergegangenen Epochen nachweisbare Handel nahm in der MBr einen starken Aufschwung und brachte der kanaanäischen Kultur dieser Zeit erhebliche Anregungen aus der Umwelt. Keramiktypen wurden aus der Ägäis und aus Zypern eingeführt und im Lande nachgeahmt, aus Ägypten stammen das Sichelschwert und die anscheinend als Amulette beliebten Skarabäen, und die Glyptik wird aus Mesopotamien bzw. Nordsyrien entlehnt. Die Technik der Siegelherstellung verliert aber bald wieder an Qualität.

Die MBr war für Palästina eine Epoche besonderer Prosperität und kultureller Höherentwicklung. Freilich war sie keine dauernde Friedenszeit. Zerstörungen von Ortslagen sind nachweisbar, denen allerdings kein Kulturabbruch, sondern nach einem kürzeren oder längeren Intervall eine Neuaufsiedlung folgt. Wegen der fehlenden geschichtlichen Quellen ist dafür keine stringente Erklärung möglich. Es ist denkbar, daß die konkurrierenden Stadtstaaten gegeneinander Machtkämpfe führten, die Städtezerstörungen zur Folge hatten. Es ist auch möglich, daß auswärtige Mächte in Palästina einfielen wie etwa Ägypten, das wenigstens im 19. Jahrhundert einen inschriftlich belegten Feldzug bis in die Gegend von Sichem unternahm (unter Sesostris III. 1878–1842).

Schließlich könnten kriegerische Verwicklungen in Palästina durch die Etablierung einer von den Ägyptern ›Hyksos‹ (ein Herrschertitel, keine Volksbezeichnung!) genannten Oberschicht ausgelöst worden sein, die von Palästina aus dann auch die Herrschaft in Ägypten an sich riß.

Die Kultur der MBr setzt sich bruchlos in der *Spätbronzezeit* fort. Diese Periode wird zunehmend durch schriftliche Quellen illustriert und gewinnt dadurch schärfere historische Konturen. Die SpBr ist die klassische Zeit der ägyptischen Hegemonie über Palästina. Die Unterwerfung Palästinas und Syriens durch die Pharaonen der 18.

Dynastie ist ein Grund dafür, die SpBr von der MBr trotz der Kontinuität der kulturellen Entwicklung als besondere Kulturepoche abzugrenzen. Hinzu kommt, daß sich die SpBr als eine Periode des immer stärkeren Niedergangs der bronzezeitlichen kanaanäischen Kultur darstellt.

Vor allem ägyptische oder in Ägypten gefundene Texte sind es, die die Situation dieser Zeit in Palästina beleuchten. Nur punktuelle, aber doch geschichtlich aufschlußreiche Hinweise vermitteln die Städtelisten und die zahlreichen Feldzugsberichte der Pharaonen (Urkunden der 18. Dynastie. Übersetzung zu den Heften 1–4, 1914, NA 1984; Übersetzung zu den Heften 5–16, 1984; Übersetzung zu den Heften 17–22, 1961, NA 1984; dazu vgl. M. NOTH, Die Topographie Palästinas und Syriens im Licht ägyptischer Quellen, Aufs. zur biblischen Landes- und Altertumskunde II, 1971, 1–132). Viel wichtiger sind die in El-Amarna gefundenen Texte, die dem Archiv mit der außenpolitischen Korrespondenz der Pharaonen Amenophis III. (1403–1365) und Amenophis IV./Echnaton (1365–1349) entstammen. Sie betreffen die erste Hälfte des 14. Jahrhunderts und zeigen die ägyptische Herrschaft in Palästina und Syrien schon in voller Auflösung. Es handelt sich um Tontafeln in akkadischer Keilschrift, die nicht nur aus Palästina und Syrien, sondern auch aus Zypern, Mesopotamien und Kleinasien am Königshof eingegangen sind. Einige Texte, die zu dieser Korrespondenz gehören, sind in Palästina (Tell el-Ḥesi, Geser, Jericho) und Syrien (Kāmid el-Lōz im heutigen Libanon, die Stätte des alten Kumidi) gefunden worden. Sie spiegeln die andere Seite des Schriftverkehrs wider und stellen Schreiben des ägyptischen Hofes an die Vasallen dar. Die Amarna-Texte erhellen die politische Situation in Palästina in der ersten Hälfte des 14. Jahrhunderts (der sog. Amarna-Zeit). Sie lassen die Loslösungsbestrebungen der Stadtfürsten von der ägyptischen Verwaltung des Landes erkennen, aber auch die Kämpfe der Stadtstaaten oder Stadtstaatenkoalitionen gegeneinander. Schließlich bezeugen sie das Auftreten eines Macht- und Störfaktors im Lande, der *ḫabiru*, einer Gruppe von sozial deklassierten Menschen, die teils am Rande der Gesellschaft lebten, teils sich als Söldner in den Dienst der Stadtfürsten begaben. Die Existenz dieses Menschenpotentials läßt auf den sozialen Niedergang schließen, der durch die ägyptische Ausbeutung des Landes und durch die Machtkämpfe der Dynasten verursacht wurde, sich in der Folgezeit offenbar noch verstärkte, auch archäologisch faßbar wird und schließlich zum Untergang der Stadtstaatengesellschaft der SpBr beitrug.

Der kulturelle Einfluß Ägyptens auf Palästina blieb im wesentlichen auf die ägyptischen Verwaltungszentren wie Gaza und Garnisonsstädte wie Bet-Schean beschränkt. Hier fanden sich Häuser und Tempel, die nicht der einheimischen, sondern der ägyptischen Tradition folgen. In den meisten Stadtstaaten ließen die Pharaonen die vorgefundene Herrschaftsstruktur bestehen und legten nur eine kleine Truppe in den jeweiligen Ort. Die Vermittlung ägyptischer materieller Kultur im Landesmaßstab erfolgte daher nur in verhältnismäßig geringem Maße.

Die meisten mittelbronzezeitlichen Städte haben ohne Unterbrechung in der SpBr weiterbestanden. Die Befestigungen blieben in der alten Art erhalten oder wurden auf den alten Grundmauern wiedererrichtet bzw. repariert. Gelegentlich wurden aber auch die Rampen und Gräben der MBr aufgegeben. Die in der MBr ausgebildeten Konventionen des Hausbaus (Hofhaus) und des Tempeltyps (Langhaus) werden beibehalten. Eine beeindruckende Fülle von Sakralbauten, die aus der MBr IIB in die SpBr hinüberreichen, ist in Hazor ausgegraben worden. Am bekanntesten von ihnen ist wohl das Stelenheiligtum aus der SpBr II, ein kleiner Breitraum mit Kultnische, in der zehn Basaltstelen und die Statuette eines sitzenden Mannes standen. Man wird den Raum als einen Memorialschrein deuten können, der dem Totenkult diente. Schließlich folgen auch die spätbronzezeitlichen Paläste dem in der MBr ausgebildeten Typos, wenngleich sie in der Regel Neugründungen und keine Weiterführung der in der MBr errichteten Gebäude darstellen. Die Bestattungsweise erfolgt wie in der MBr in großen Felskammergräbern, hingegen sind die Hausbeisetzungen unter den Fußböden selten.

Aus der SpBr scheinen auch die ersten palästinischen Wassersysteme zu stammen. Anlagen dieser Art lassen sich nur schwer datieren, so daß man auch frühere (MBr) und spätere (E) Ansetzungen vorgeschlagen hat. Der von Ch. Warren entdeckte Schacht in Jerusalem sowie die Systeme in Geser und Jibleam (Ḫirbet Belʿame) scheinen aber die technologisch unentwickeltsten und frühesten Anlagen dieser Art zu sein und könnten in die SpBr gehören. Sie sind Schächte, die durch Erdschichten und Fels zur Quelle hin geschlagen wurden und den Zweck hatten, auch im Belagerungsfall das Wasser der (außerhalb der Siedlung gelegenen) Quelle gefahrlos erreichen zu können. Am Warren-Schacht in Jerusalem ist ein ›toter Arm‹ zu beobachten, der offenbar als Fehlversuch aufgegeben wurde.

In der Keramik wurden die aus der MBr bekannten Formen weiterentwickelt. Die gegen Ende der MBr auftretende ›Bichrome Ware‹ bekommt in der SpBr einen besonderen Stellenwert. Die aus der Ägäis und Zypern importierte Keramik ist jetzt so häufig anzutreffen, daß sie geradezu kennzeichnend für diese Epoche geworden ist (z.B. die Steigbügelkanne oder die Pyxis). Die Siegelherstellung nimmt in der SpBr ab. Jedoch sind zahlreiche Beispiele der Elfenbeinschnitzerei gefunden worden, deren Bildmaterial von ägyptischen und syrischen Traditionen beeinflußt ist. Neu treten in der SpBr Statuetten aus Bronze auf, die wohl die Götter Baal bzw. Reschef und El darstellen. Andere Beispiele solcher Figurinen sind aus der nordsyrischen Stadt Ugarit bekannt.

In der SpBr wurde in der südlichen Araba unter ägyptischer Ägide die Kupfergewinnung aufgenommen. Im ›Tal der Kupferminen‹ bei Timna (Ḫirbet Muneʿīye) wurden die Abbaustellen, Verhüttungsplätze, Metallwerkstätten, Schmelzöfen und Siedlungen der Arbeiter entdeckt und untersucht (B. ROTHENBERG, Timna. Das Tal der biblischen Kupferminen, 1973). Auch wurden mehrere Kultstätten gefunden, deren bedeutendste ein ägyptischer Hathor-Tempel ist. Es dürften Midianiter und Amalekiter gewesen sein, die zusammen mit den Ägyptern den Kupfererzabbau und die Verhüttung des Metalls betrieben.

Der Untergang der spätbronzezeitlichen kanaanäischen Stadtstaatengesellschaft wurde anscheinend durch mehrere Faktoren bewirkt. Die Aussaugung des Landes durch die Ägypter und ihre Straffeldzüge – nach den Wirren der Amarna-Zeit wieder aufgenommen durch die starken Pharaonen der 19. Dynastie – belasteten die Wirtschaft Palästinas ebenso wie die unausgesetzten Machtkämpfe der Stadtfürsten gegeneinander, die zu Zerstörungen, Verwüstungen und zu immer stärkerer Verelendung der Bevölkerung führten. Dieser Trend setzte sich nach dem Aufhören der ägyptischen Kontrolle weiter fort. Der wirtschaftliche und kulturelle Niedergang wird auch archäologisch faßbar. Das Absinken der materiellen Kultur von ihrer bisherigen Höhe signalisiert eine zunehmende Verarmung selbst der oberen Bevölkerungsschichten in den Städten der SpBr.

Die durch Kämpfe, innere Wirren und ökonomische Schwierigkeiten geschwächten Stadtstaaten konnten den in dieser Zeit auftretenden fremden Elementen keinen wirksamen Widerstand entgegensetzen. Besonders einschneidend war der sog. Seevölkersturm, der gegen Ende des 13. Jahrhunderts Palästina traf und der spätbronzezeitlichen Kultur anscheinend den Todesstoß versetzte. Archäologische Anzeichen der Seevölker sind – abgesehen von Städtezerstörungen, die man ihnen zuschreiben kann – selten nachgewiesen worden (doch vgl. ein angebliches Seevölker-Stratum in Afek – Rās el-ʿĒn: M. KOCHAVI, The History and Archeology of Aphek – Antipatris, BA 44, 1981, 75–86). Faßbar werden aber die Philister, die als Rest der Seevölkerbewegung im Lande zurückblieben. Auch die Ausbreitung der frühisraelitischen Sippen, deren Ansiedlung zunächst außerhalb der Städteregionen erfolgte, hat die Stadtstaaten zunehmend eingeengt. Ihre wachsende Schwäche ermöglichte es den Stämmen, sich in Palästina zu konsolidieren und immer mehr in den bislang von den Stadtstaaten beanspruchten oder kontrollierten Bereich hinüberzugreifen.

III. Die vorstaatliche Zeit Israels: Eisenzeit I

Dornemann, R. H., The Beginning of Iron Age in Transjordan, Hadidi, A. (Hg.), Studies in the History and Archaeology of Jordan I, 1982, 135–140. – Finkelstein, I., The Archaeology of the Israelite Settlement, 1988. – Fritz, V., Die kulturhistorische Bedeutung der früheisenzeitlichen Siedlung auf der Ḫirbet el-Mšāš und das Problem der Landnahme, ZDPV 96, 1980, 121–135. – Fritz, V. – Kempinski, A., Ergebnisse der Ausgrabungen auf der Ḫirbet el-Mšāš (Tẹl Māśōś) 1972–1975, I–III, 1983. – Mazar, A., Giloh: An Early Israelite Settlement Site near Jerusalem, IEJ 31, 1981, 1–36. – Ders., The »Bull Site« – An Iron Age I Open Cult Place, BASOR 247, 1982, 27–42. – Naveh, J., Early History of the Alphabet, 1982. – Noort, E., Geschiedenis als brandpunt – over de rol van de archeologie bij de vestiging van Israël in Kanaan, GThT 87, 1987, 84–102. – Shiloh, Y., The Four-Room House – Its Situation and Function in the Israelite City, IEJ 20, 1970, 180–190.

Zu den Philistern: Brug, J. F., A Literary and Archaeological Study of the Philistines, 1985. – Dothan, T., The Philistines and their Material Culture, 1982. – Mazar, A., The Emergence of the Philistine Material Culture, IEJ 35, 1985, 95–107.

Das neue Metall Eisen, das dieser Kulturepoche den Namen gibt, setzte sich in Palästina nur langsam durch. Bronze blieb zunächst weiter im allgemeinen Gebrauch; Eisen wurde für Schmuck und Prunkwaffen verwendet. Erst im Laufe der Zeit wurden auch eiserne Geräte und Waffen hergestellt. Während noch mehrere spätbronzezeitliche Städte fortexistierten, entstanden früheisenzeitliche Siedlungen vor allem abseits der traditionellen Stadtstaatengebiete der SpBr, nämlich in Galiläa, im zentralpalästinischen und judäischen Gebirge und im Negeb. Überwiegend handelt es sich um Neugründungen an bisher unbesiedelten Ortslagen; aber auch die Trümmerstätten früherer Ortschaften wurden wieder besiedelt. Manchen Siedlungen ist anscheinend ein halbseßhaftes Stadium vorausgegangen. Die meisten Ortschaften sind klein und ohne Stadtmauer.

Dennoch weisen sie eine Art Befestigung auf, die durch die Rückwände der ringförmig am Siedlungsrand aneinandergereihten Häuser gebildet wird.

Hingegen weist die früheisenzeitliche Siedlung von Giloh südlich von Jerusalem (wohl nicht identisch mit dem alttestamentlichen Ort gleichen Namens) eine Mauer auf. Eine Besonderheit dieser Ortslage besteht darin, daß auch das Areal der Siedlung durch Mauern in mehrere Sektoren gegliedert wird, die vielleicht von verschiedenen Großfamilien bewohnt wurden. In Ortschaften, die auf den Trümmerhügeln früherer bronzezeitlicher Städte entstanden, konnten auch die Reste der alten Mauer repariert und wieder in Benutzung genommen werden.

In der E I tritt ein Wohnhaus-Typ auf, der offensichtlich keine Form der SpBr fortsetzt, sondern eine Innovation darstellt. Das Haus besteht aus einem Hof und einem rückwärtigen Breitraum. Der Hof kann durch Pfeiler und Wände einfach (›Dreiraumhaus‹) oder mehrfach unterteilt werden (›Vierraumhaus‹). Da sich die Räume teilweise um den in Längsrichtung verlaufenden Hof gruppieren, kann man auch vom E I-›Hofhaus‹ sprechen. Aus dem Hofhaus der MBr und SpBr, in dem alle Räume um den zentralen Innenhof angeordnet sind, ist dieser neue Haustyp der E I nicht herzuleiten. Auch wenn die Vermutung nicht verifizierbar ist, daß sich in ihm Elemente des Zeltbaus niederschlagen, verweist sein Auftreten doch auf das Erscheinen neuer Bevölkerungsgruppen im Lande. Gemessen an der bronzezeitlichen Kultur wirken die Siedlungen oft ärmlich und die Bauten roh und schlecht ausgeführt. Das gesamte Niveau der materiellen Kultur ist beträchtlich niedriger.

In anderen Bereichen zeigt sich ein Weiterwirken der Kultur der SpBr. Die Keramik bringt keine neuen Formen hervor, sondern setzt die Typen der SpBr fort. Allerdings werden die Gefäße nicht mehr dekoriert. Auch in der Metallverarbeitung ist eine Fortführung der Handwerkskunst der SpBr festzustellen. Möglicherweise gilt dieses Urteil auch für die dominierende Grabform des Kammergrabes, das schon in der SpBr vorkommt. Es ist ein Familiengrab, in dem die Verstorbenen auf Steinbänke gelegt wurden, die an den Wänden entlang verliefen. Dieser Typ des Bank-Grabes hat bis in die E II und sogar in die E III fortgedauert, wenngleich mit einigen Veränderungen.

Für die Frage nach der Ansiedlung Israels in Palästina (vgl. B III) erbringt die Archäologie keine eindeutigen und entscheidenden Einsichten. Im allgemeinen »können nach der materiellen Kultur israelitische und kanaanäische Siedlungen kaum unterschieden werden« (V. Fritz, Einführung 147). In der Keramik, in der Metallurgie und im Grabbau wirken spätbronzezeitliche Vorbilder weiter; im Hausbau tritt ein aus den Traditionen der SpBr nicht ableitbarer Typ auf. Dies läßt auf das Auftreten neuer ethnischer Elemente schließen, die allerdings langen Kontakt mit den Kanaanäern pflegten und deren Traditionen in der Töpferei und der Metallverarbeitung übernahmen.

Aus der E I sind nur wenige Heiligtümer bekannt. In Hazor Stratum XI (wohl 11. Jahrhundert), einer kleinen, offenen Siedlung, stieß man auf die Reste einer Kultstätte. Hier kam ein Krug mit Bronzeobjekten zutage. Dieser Depositfund, offenbar eine Votivgabe, enthielt neben Waffenstücken die Bronzefigurine eines Kriegsgottes. Der Zufallsfund einer bronzenen Stierstatuette führte zur Entdeckung eines offenen Kultplatzes im samarischen Gebirge zwischen Tirza und Dotan (›Bull Site‹). Diese vermutlich aus dem 12. Jahrhundert stammende und anscheinend kurzlebige Anlage kann als gottesdienstliches Zentrum für die umliegenden Dörfer der E I gedeutet werden. Beide Heiligtümer bezeugen paganen Gottesdienst frühisraelitischer Sippen.

In der E I vollzog sich eine der bedeutendsten Entwicklungen in der Kulturgeschichte Palästinas: die Herausbildung der *Alphabetschrift.* Erste Systeme einer palästinischen alphabetischen Keilschrift gehen wohl schon auf die MBr zurück. Eine protokanaanäische alphabetische Schrift entstand dann in Anlehnung an die ägyptischen Hieroglyphen. Zu den Versuchen, eine palästinische Alphabetschrift zu entwickeln, gehört auch die sog. protosinaitische Schrift des 15. Jahrhunderts v. Chr., die ebenfalls stark bildhaft gehalten ist. Alle diese Systeme mündeten schließlich gegen Ende der E I in die ›phönizische‹ Buchstabenschrift mit 22 Konsonanten, von der dann die weitere Entwicklung ausging. Ein wichtiges Zeugnis für den Übergang ist das noch in protokanaanäischem Duktus gehaltene Ostrakon von ʿIzbet Ṣarṭah, offenbar die Schreibübung eines Schülers in Form mehrerer Alphabete aus dem 12. Jahrhundert (vgl. M. Kochavi, An Ostracon of the Period of the Judges from ʿIzbet Ṣarṭah, Tel Aviv 4, 1977, 1–13; A. Demsky, A Proto-Canaanite Abecedary from the Period of the Judges and its Implications for the History of the Alphabet, ebd., 14–27). Nicht auszuwerten ist leider die ostjordanische Balūʿa-Stele, ebenfalls aus dem 12. Jahrhundert, weil die Inschrift, die den im ägyptisierenden Stil dargestellten Personen beigegeben ist, zu schlecht erhalten ist, um entziffert werden zu können. Der nächste bedeutende Beleg für die Weiterentwicklung der Schrift, der sog. Bauernkalender von Geser, offenbar ebenfalls eine Schüler-Übungstafel, nun aber in althebräischer Schrift, stammt erst aus dem 10. Jahrhundert.

Einen besonderen kulturellen Akzent brachten *die Philister* in die E I Palästinas. Die Philister kamen im Zuge der großen Seevölkerbewegung aus dem östlichen Mittelmeerraum (vielleicht über Kreta: Jer 47,4; Am 9,7) in den Vorderen Orient (vgl. B VII). Auf ägyptischen Abbildungen werden sie mit dem »griechischen Profil« und mit einer eigenartigen Kopfzier (Schilf? Federkrone?) dargestellt. Sie besiedelten besonders die südliche Küstenebene und bildeten ein Bündnis von fünf Städten (Aschdod, Aschkelon, Ekron, Gaza, Gat), das nach außen gemeinsam auftrat. Ihr Einfluß reichte bis in die Jesreelebene, und zwar bis nach Bet-Schean.

Die Philister verfügten offenbar früh über eiserne Waffen und Geräte. Im 11. Jahrhundert versuchten sie, ein Monopol für die Herstellung eiserner Gegenstände im Lande durchzusetzen (1Sam 13,19f). Einen für sie charakteristischen besonderen Wohnhaustyp konnte man bislang nicht nachweisen. Das in Tel Qasīle ausgegrabene philistäische Heiligtum folgt offensichtlich keinen kanaanäischen Traditionen, sondern zeigt ägäischen Einfluß. Besonders kennzeichnend für die Philister ist ihre Keramik, die ihre Herkunft aus der Mittelmeerwelt widerspiegelt. Sie entspricht Formen der Mykene III C-Keramik. Die Philisterkeramik weist einen hellen Untergrund auf, der mit roten und schwarzen Mustern verziert ist. Es handelt sich um geometrische Motive sowie Figuren von Fischen und Vögeln. Diese charakteristische und schöne Keramik verschwindet aber gegen Ende der E I. In der E II unterscheiden sich die philistäischen Töpferwaren nicht von denen der sonstigen Landesbewohner.

Eine philistäische Götterfigur, die sog. Aschdoda, wurde in Aschdod ausgegraben. Sie ist nahezu rechteckig geformt und stellt eine Frau dar, die auf einem Thron sitzt. Philistäischer Herkunft dürften auch die anthropoiden Tonsarkophage sein, die in Scharuhen und Bet-Schean ausgegraben wurden. Auf dem Deckel wurden menschliche Gesichtszüge, Haar und Hände, oft in grotesker Verzerrung, angebracht. Dieser Bestattungsbrauch, der anscheinend auf die Oberschicht beschränkt war, wurde von den Ägyptern gegen Ende der SpBr in Palästina eingeführt. Von ihnen wurde die Sitte offensichtlich durch die Philister übernommen, vermittelt wohl durch philistäische Söldner. Die kulturelle Eigenart der Philister, die durch ihre ägäische Herkunft bedingt ist, wich in Palästina einer zunehmenden Anpassung an die Landeskultur. In der E II ist die philistäische Kultur im wesentlichen in der einheimischen aufgegangen.

Die E I stellt eine Zeit des kulturellen Umbruchs und des Übergangs dar, an dem verschiedene neue Faktoren mitwirkten. Eine Konsolidierung der heterogenen Entwicklungstendenzen bringt die E II.

IV. Die israelitische Königszeit: Eisenzeit II

AHARONI, Y., Forerunners of the Limes: Iron Age Fortresses in the Negev, IEJ 17, 1967, 1–17. – ALBENDA, P., Syrian-Palestinian Cities on Stone, BA 43, 1980, 222–229. – BEN-TOR, A., Tell Qiri: A Look at Village Life, BA 42, 1979, 105–113. – BUSINK, TH. A., Der Tempel von Jerusalem von Salomo bis Herodes. I: Der Tempel Salomos, 1970. – FRITZ, V., Bestimmung und Herkunft des Pfeilerhauses in Israel, ZDPV 93, 1977, 30–45. – DERS., Tempel und Zelt, 1977. – DERS., Der Tempel Salomos im Licht der neueren Forschung, MDOG 112, 1980, 53–68. – DERS., Paläste während der Bronze- und Eisenzeit in Palästina, ZDPV 99, 1983, 1–42. – HERZOG, Z., Das Stadttor in Israel und in den Nachbarländern, 1986, 89–165. – KENYON, K., Jerusalem. Die heilige Stadt von David bis zu den Kreuzzügen, 1968. – SCHROER, S., In Israel gab es Bilder, 1987. – SHILOH, Y., Elements in the Development of Town Planning in the Israelite City, IEJ 28, 1978, 36–51. – DERS., Excavations at the City of David I, 1984. – STERN, E., Israel at the Close of the Period of the Monarchy: An Archaeological Survey, BA 38, 1975, 26–54. – USSISHKIN, D., King Solomon's Palaces, BA 36, 1973, 78–105. – DERS., The Conquest of Lachish by Sennacherib, 1982. – YADIN, Y., Hazor. Die Wiederentdeckung der Zitadelle König Salomos, 1976.

Textausgaben: AHARONI, Y., Arad Inscriptions, 1981. – DONNER, H. – RÖLLIG, W., Kanaanäische und aramäische Inschriften I–III, [3]1971–1976. – GALLING, K. (Hg.), Textbuch zur Geschichte Israels, [3]1979, 51–78. – JAROŠ, K., Hundert Inschriften aus Kanaan und Israel, 1982.

Im 10. Jahrhundert setzte sich die Eisenverarbeitung in Palästina durch. Die Bronze kam zunehmend außer Gebrauch bzw. wurde auf die Herstellung von Schmuckstücken beschränkt. Aber nicht dies ist der Grund für die Abgrenzung der E II und E III, sondern er liegt in geschichtlichen Entwicklungen. Im 10. Jahrhundert entstand in Israel das Königtum. Es nahm entscheidenden Einfluß auf die Organisation des Landes, auf seine Siedlungsformen und auf seine materielle Kultur. Das Ende der E II entspricht dem Untergang des judäischen Königtums (587 v. Chr.). Dadurch verlor nach dem Nordreich Israel (722 v. Chr.) auch Juda seine staatliche Selbständigkeit und geriet unter die Herrschaft des neubabylonischen und dann des persischen Reiches (E III). Der Einfluß des Königtums spiegelt sich vor allem in der Änderung der Siedlungsform wider. Viele früheisenzeitliche Ortschaften verschwinden und machen befestigten Städten Platz. Dieser Prozeß begann wohl schon unter David und erreichte unter Salomo einen Höhepunkt. Die Urbanisierung wurde zu verschiedenen Zwecken vorangetrieben: Festungen sollten die Reichsgrenze schützen, Garnisonsstädte die Berufskrieger, ihre Pferde und Streitwagen beherbergen, Speicherstädte die

Abgaben der Bevölkerung aufnehmen, Verwaltungsstädte als Sitze für die Statthalter der von Salomo geschaffenen Landesbezirke und ihren Stab dienen. Natürlich handelt es sich dabei nicht um streng voneinander abgegrenzte Typen, sondern die Funktionen überschnitten sich je nach geopolitischer Lage der Ortschaft. Auch archäologisch lassen sich Unterscheidungen der Funktionsstädte nur teilweise nachweisen.

Eine besondere Stellung eignete der Hauptstadt, in der der König und sein Hof residierten. In Juda nahm von Anfang an Jerusalem diesen Rang ein. Im Nordreich dienten zuerst Sichem und Penuël als kurzlebige Residenzen. Einige Jahrzehnte war dann Tirza Königsstadt, ehe Omri Samaria als neue Hauptstadt erbaute (876). Die Omriden nutzten auch noch Jesreel als Nebenresidenz. Die Hauptstadt Israels blieb aber Samaria bis zum Untergang des Nordreiches (722). Danach war sie das Zentrum der assyrischen Provinz Samaria.

Das davidische Jerusalem entsprach dem Umfang der jebusitischen Stadt auf dem Südosthügel nahe der Gihon-Quelle. Salomo dehnte den Stadtbereich nach Norden aus und erbaute hier das Palastareal, das den Tempel einschloß. Vom davidischen und salomonischen Jerusalem ist wenig erhalten. Steinbrucharbeiten der Römerzeit haben das Plateau des Südosthügels abgeräumt. Die Reste der salomonischen Bauten sind unter der herodianischen Tempelplattform begraben. Auf die Bautätigkeit Salomos könnte aber eine Steinstruktur zurückgehen, die am Osthang des Hügels an der sog. Macalister-Festung (die in die Hasmonäerzeit gehört) freigelegt wurde. Ob die von R. Weill 1913–14 gefundenen, in der hellenistisch-römischen Zeit angeschnittenen Felsgewölbe im Süden der Davidstadt die israelitischen Königsgräber waren, ist umstritten. Erst im 7. Jahrhundert breitete sich die Stadt, in der sich wohl viele Nordreichflüchtlinge angesiedelt hatten, auf den Südwesthügel aus. Ein Zeugnis dieser Erweiterung ist das von N. Avigad im ›Jüdischen Viertel‹ ausgegrabene Stück eines Mauerlaufes. Von der Stadt der E II lassen die Ausgrabungen am Osthang des Südosthügels noch etwas erkennen. Die Häuser waren hier seit der SpBr auf einem komplizierten Terrassensystem angelegt, das von der Stadtmauer gestützt wurde. Unter dem Schutt der babylonischen Zerstörung wurden Reste von Häusern des 7./6. Jahrhunderts aufgedeckt, die offenbar 587 vernichtet wurden.

In Tirza (Tell el-Fārʿa) stießen die Ausgräber auf die Spuren der Zerstörungen, die wohl bei der Einnahme der Stadt durch Omri entstanden (1Kön 16,17f), sowie auf Anzeichen des Wiederaufbaus und seines plötzlichen Abbruchs, als die Hauptstadt nach Samaria verlegt wurde. Die Ausgrabungen von Samaria (Sebasṭiye) wurden durch die starke Überbauung der Ortslage in hellenistisch-römischer Zeit kompliziert. Der teilweise ausgegrabene Palast scheint sich um mehrere Höfe zu gruppieren, doch ist eine Vorstellung von seiner Gesamtanlage nicht möglich. Gutgebaute Quadermauern in Läufer-Binder-Technik zeugen vom hohen Niveau der Steinmetzkunst, doch ist es wahrscheinlich, daß hier nicht israelitische, sondern phönizische Spezialisten am Werke waren. Der Palast wurde mehrfach verändert; die Mauern erfuhren Reparaturen. Besonders aufsehenerregend war der Fund von Elfenbeinschnitzereien im ägyptisierenden Stil und von Ostraka, die Vorgänge der Palastverwaltung widerspiegeln.

Die Städte der frühen Königszeit zeigen eine weitgehend identische Anlage, die auf bewußte, zentrale Planung schließen läßt. Der Stadtplan ist ringförmig gestaltet: An die Stadtmauer, die in der Regel ein Tor aufweist, schließt ein Gürtel von Häusern an. Eine rundum verlaufende Ringstraße trennt diesen äußeren Häuserstreifen von dem zentralen Kern der Stadt. In diesem lagen wohl hauptsächlich die öffentlichen Gebäude. Der größte Teil des Stadtareals wurde allerdings von Wohnhäusern eingenommen. Die besten Beispiele dieser Stadtanlage zeigen Bet-Schemesch (Ḫirbet er-Rumēle bei ʿĒn Šems), Mizpa (Tell en-Naṣbe), Tell Bēt Mirsim und Tell es-Sebaʿ (Stratum II). Dieser Typ, der sich vor allem auf die kleinen Städte im Lande beschränkte, blieb in der gesamten Eisenzeit bekannt und erfuhr im 8. Jahrhundert eine Wiederbelebung.

Anderer Art waren die großen administrativen Zentren, zu denen etwa Geser (Tell Ǧezer), Megiddo (Tell el-Mutesellim) und Hazor (Tell el-Qedaḫ) zählten (1Kön 9,15). Diese drei Städte zeigen in der salomonischen Epoche eine nahezu identische Gestaltung von Mauer und Tor: Das Stadttor ist ein ›Zangentor‹ mit sechs Kammern, das in eine Kasemattenmauer eingebunden ist. Seine beiden Türme können vorspringen (Hazor) oder in den Mauerverlauf eingeordnet sein. Das salomonische Megiddo (Stratum VA-IVB) verfügte über zwei Paläste. Megiddo war offensichtlich der Sitz eines Statthalters, der die Jesreelebene zu verwalten hatte (1Kön 4,12). Das Megiddo der Omridenzeit (Stratum IV A) war nur teilweise von Wohnhäusern besetzt. Einen großen Teil des Areals nahmen ausgedehnte Komplexe von Pfeilerhäusern mit dazugehörigen Höfen ein. Diese ›Ställe Salomos‹ stammen schwerlich aus der salomonischen Epoche, sondern aus der Zeit Ahabs. Jedenfalls handelt es sich bei Megiddo um eine typische, königliche Funktionsstadt.

Die Grenzen des Reiches wurden seit der Zeit Salomos durch Festungen gesichert. Ein besonders gut ausgebautes Festungssystem durchzog den Negeb. Die Befestigungsanlagen, meist kleine Kastelle, waren je nach den landschaftlichen Gegebenheiten oval, rechteckig oder quadratisch gebaut und konnten mit Türmen versehen sein. Ein Beispiel für eine zentrale Festungsstadt, die die Nordgrenze deckte, bietet Hazor mit seiner außerordentlich starken Zitadelle.

Die Stadtmauern der E II konnten massiv oder aus Kasematten gebaut sein. Im letzteren Fall wurden die in der Mauer entstandenen Räume zu verschiedenen Zwecken genutzt. Die Mauern waren in der Regel durch Türme oder durch Vor- und Rücksprünge verstärkt. Die Stadttore wiesen vier oder sechs Kammern auf, aber auch Zwei-Kammer-Tore sind belegt. Das Stadttor konnte durch ein Vortor geschützt werden, so daß eine ganze Torbefestigung entstand. Am Stadttor befand sich innerhalb der Mauern oft ein freier Platz, der zu Zusammenkünften, Rechtsverhandlungen und anderen öffentlichen Belangen genutzt wurde.

Paläste der E II sind in beträchtlicher Anzahl ganz oder teilweise ausgegraben worden, so daß ihr Grundriß mehr oder weniger genau bestimmt werden kann. In einer Gruppe dieser Beispiele sind die architektonischen Einheiten, die wohl auch unterschiedliche Funktionen hatten, um einen oder mehrere Höfe angeordnet (Megiddo, Samaria, Lachisch). Für diesen Typ hat man die Ableitung aus dem im südlichen Kleinasien und nördlichen Syrien bezeugten bīt-ḫīlani-Palast vorgeschlagen (D. Ussishkin). Dafür könnte sprechen, daß auch der salomonische Tempel in Jerusalem einem syrischen Tempeltyp folgt. Andererseits ist es möglich, diesen architektonischen Typos aus der kanaanäischen Palastbautradition der SpBr herzuleiten (V. Fritz). Andere Paläste sind anscheinend ganz ohne Innenhof gebaut (z. B. die Zitadelle von Hazor). Im 7. Jahrhundert kommt im nordisraelitischen Bereich eine neue Palastbauweise auf (Megiddo, Hazor), für den ein besonders weiträumiger Hof kennzeichnend ist. Bei diesen Bauwerken dürfte es sich um Paläste assyrischer Beamter handeln, in denen der Einfluß mesopotamischer Bautraditionen wirksam geworden ist. Ein typisches Schmuckelement der eisenzeitlichen Palastarchitektur ist das sog. protoäolische Kapitell, das einen stilisierten Palmenbaum abbilden soll. In der Regel dürfte es den Abschluß von Pilastern gebildet haben.

Im Hausbau dominiert in der E II das Drei- oder Vierraumhaus, das in der E I aufgekommen war. Daneben gab es freilich auch zahlreiche andersartige Wohnhausanlagen, die sich nach der Maßgabe des zur Verfügung stehenden Raumes richteten. Von besonderer Bedeutung wird in der E II das Pfeilerhaus, das ebenfalls schon in der E I belegt ist und zunächst als Wohnhaus diente. In der E II wurde es offenbar zum Funktionsgebäude. Es handelt sich um Langhäuser, die durch Reihen von Steinpfeilern und dazugehörigen

Mauern in drei Sektoren geteilt wurden. Von der Schmalseite aus betrat man den Mittelabschnitt, der einen Hof bildete. Die an beiden Seiten anschließenden Langräume waren gepflastert und anscheinend überdacht. Die Pfeilerhäuser können Komplexe bilden, zu denen ein großer Hof gehört, sie kommen aber auch als Einzelgebäude vor (Hazor, Bet-Schemesch). Sie waren schwerlich private Wohnhäuser, sondern dienten öffentlichen Zwecken. Worin diese bestanden, ist umstritten. Da sich in Megiddo im Zusammenhang der Komplexe steinerne Tröge und Durchbohrungen in einigen Pfeilern (›Pflocklöcher‹) fanden, lag die Interpretation als Stallungen nahe (›Ställe Salomos‹). Diese Deutung ist zweifelhaft geworden. So hat man daran gedacht, daß die Gebäude zur Unterbringung der Garnison gedient haben (V. FRITZ: Kasernen). Wahrscheinlicher ist wohl, daß sie als Speicher fungierten, in denen die Abgaben der Untertanen untergebracht wurden und die man möglicherweise auch zu Handelszwecken nutzte.

Tempel aus der israelitischen Königszeit sind nur ganz selten gefunden worden, wohl eine Folge planmäßiger Demontage im Verlauf der Reform Joschijas. Das einzig legitime Heiligtum, das seit dieser Zeit fortexistierte, der Tempel Salomos, ist archäologisch nicht faßbar. Er wurde durch die Babylonier 587 verbrannt, nach dem Herrschaftsantritt der Perser dann zwar wieder aufgebaut und 515 eingeweiht. Von dieser Anlage blieb aber kaum etwas übrig, als Herodes 9 v. Chr. daran ging, den gesamten Tempelbezirk erheblich zu erweitern und ein neues Tempelhaus zu errichten. Es fiel der Zerstörung durch die Römer (70 n. Chr.) zum Opfer. Als islamischer Heiligtumsbezirk mit dem Felsendom und der El-Aksa-Moschee ist der Bereich der archäologischen Forschung unzugänglich. Unter und neben der Tempelplattform haben allerdings Ausgrabungen stattgefunden, die wichtige Erkenntnisse für die Anlage des herodianischen Tempelbezirks ergeben haben. Die Bauform des salomonischen Tempels läßt sich aber aus den alttestamentlichen Angaben und Parallelen aus der Umwelt rekonstruieren. Danach war der Tempel ein Langhaus mit einer offenen Vorhalle, in der die Säulen Jachin und Boas frei standen. Den größten Teil des Gebäudes nahm die Tempelhalle ein; das Allerheiligste war wahrscheinlich ein hölzerner Einbau im Westteil des Hauses, während der Eingang im Osten lag. Mit seinen Ausmaßen von 30×10 m war der Tempel von bescheidener Größe; zusammen mit seinem Hof bildete er nur einen Teil des königlichen Palastbezirkes. Seine Anlage ist aus genuin israelitischen oder kanaanäischen Bautraditionen nicht abzuleiten. Vielmehr stellt er ein Beispiel des syrischen Antentempels dar (Anten: die vorspringenden Mauern der offenen Vorhalle). Vermutlich wurde dieser Typ durch die phönizischen Bauhandwerker Salomos vermittelt. Die engste Parallele zum salomonischen Tempel bietet das Heiligtum vom Tell Taʿyīnāt in Nordsyrien aus dem 8. Jahrhundert. Es ist ebenfalls ein Teil des Palastbezirkes. Der Jerusalemer Tempel erlebte während der Königszeit noch mehrere bauliche Veränderungen. So wurde er mit einem umlaufenden Anbau versehen, der wohl dringend benötigte Räumlichkeiten schaffen sollte.

Ein israelitisches Heiligtum wurde auf Tell ʿArad im Negeb ausgegraben. Es gehörte zu der königlichen Zitadelle, die vom 10.–6. Jahrhundert in Arad bestand und einen Teil der Festungskette bildete, die die Südgrenze Judas schützen sollte. Mehrfach zerstört, wurde die Zitadelle und mit ihr das Heiligtum immer wieder aufgebaut. Trotz der damit verbundenen baulichen Veränderungen läßt sich eine durchgehende Grundform der Kultstätte konstatieren. Sie bestand im wesentlichen – von Nebenräumen abgesehen – aus drei Raumeinheiten. Dem eigentlichen Tempel vorgelagert war ein Hof, in dem sich ein Altar befand. Ein von Pfeilern flankierter Eingang führte in die Tempelhalle. Sie war ein Breitraum, der ringsum mit Bänken zum Abstellen von Kultgefäßen und Votivgaben umgeben war. Dem Eingang gegenüber lag das Allerheiligste, eine in die Westmauer eingelassene Kultnische, zu der drei Stufen hinaufführten. Auf ihnen stand rechts und links je ein Räucheraltar. In einer Ecke der Nische befand sich eine rechteckige Plattform. Daneben stand eine ca. 1 m hohe, geglättete und rot bemalte Kultstele, die die Anwesenheit der Gottheit repräsentierte. Mit dem Jerusalemer Tempel stimmt das Heiligtum von Arad überein in der Ost-West-Ausrichtung, in der Existenz von Pfeilern am Eingang und in der Abmessung (20 Ellen Breite). Jedoch ist der Tempel von Arad ein Breithaus mit in der Wand eingefügter Kultnische. Dieser Typ dürfte aus der Form des altisraelitischen Wohnhauses (Breitraum mit vorgelagertem Hof) entwickelt worden sein und stellt somit eine typisch israelitische Heiligtumsform dar. Nach einer Zerstörung der Zitadelle gegen Mitte des 8. Jahrhunderts wurde bei ihrem Neuaufbau zunächst der Altar aufgegeben und im 7. Jahrhundert dann das Heiligtum überbaut, offenbar eine Auswirkung der Reform Joschijas.

Ein ähnliches Schicksal muß man für das Heiligtum von Tell es-Sebaʿ annehmen. Hier fand man einige sorgfältig verbaute Quadersteine, die sich als Teile eines ursprünglichen Hörneraltars (mit dem Abbild einer Schlange) erwiesen. Die dazugehörige Kultstätte konnte nicht gefunden werden; wahrscheinlich wurde sie gründlich abgebaut. In Dan (Tell el-Qāḍī) brachten die Ausgrabungen im nördlichen Teil des Tells eine Plattform zutage, die anscheinend den Teil eines Heiligtumsbezirkes bildete. Offenbar handelt es sich um ein Heiligtum unter freiem Himmel *(bamā)*. Mit einigen baulichen Veränderungen überdauerte der Kultbezirk die Geschicke der Stadt und behielt seinen sakralen Charakter bis in die hellenistisch-römische Zeit.

Besonders eindrucksvoll sind die Wassersysteme der israelitischen Königszeit, die von einem beachtlichen technologischen Niveau zeugen. Sie hatten den Zweck, auch in Belagerungszeiten möglichst gefahrlos zum Grundwasser oder zur Quelle zu führen, die in der Regel außerhalb der Stadtmauern lag. Anlagen dieser Art entstanden schon in der SpBr (s.o. II). Sie konnten allerdings auch zu einer Schwachstelle der Stadtbefestigung werden. So scheint die Eroberung Jerusalems durch den sog. Warren-Schacht erfolgt zu sein, den die Männer Davids zum Eindringen in die Stadt nutzten (vgl. 2Sam 5,6–9; 1Chr 11,4–8). Die meisten dieser Anlagen entstanden in der E II. Verhältnismäßig einfach war der Zugang zum Wasser am ostjordanischen Tell es-Saʿīdīye (atl. Zafon?): Eine gedeckte Treppe führte den Hügelhang hinab zur Quelle. Ansonsten wurden aber relativ aufwendige Schachtanlagen gebaut, die durch den Schutt älterer Strata und durch Felsgestein zum Grundwasser oder zur Quelle vorgetrieben wurden. Besonders bekannt sind die Wassersysteme von Megiddo und Hazor. In beiden Fällen wurde ein senkrechter Schacht in den Fels gehauen, von dessen Sohle aus ein horizontaler Tunnel zur Quellkammer oder zum Grundwasser führte. Beide Anlagen, für die große Massen an Schutt und Felsgestein bewegt werden mußten, dürften aus der Omridenzeit stammen. In Gibeon (El-Ǧīb) existierten sogar zwei Wassersysteme. Das eine entsprach etwa den Anlagen von Hazor und Megiddo: Durch einen Rundschacht und einen von ihm ausgehenden Tunnel gelangte man zur Wasserkammer. Das zweite System bestand aus einem abwärts führenden Tunnel, der sich unter der Stadtmauer hindurch bis zum Quellraum erstreckte. Datierung und zeitliches Verhältnis der Anlagen sind problematisch.

Die berühmteste und auch technologisch am weitesten entwickelte Anlage ist der Hiskija-Tunnel in Jerusalem, der das Wasser der Gihon-Quelle in die Stadt leitete. Angesichts der drohenden assyrischen Intervention ließ Hiskija den Tunnel offenbar in höchster Eile durch den Südosthügel schlagen (2Kön 20,20; 2Chr 32,2–4.30). Die Arbeit wurde an beiden Enden, an der Gihon-Quelle wie an der Südspitze des Stadthügels, gleichzeitig begonnen. Nach einigen Richtungskorrekturen trafen sich die Arbeitergruppen in der Mitte. Von diesem Ereignis berichtet die sog. Schiloach (Siloah)-Inschrift, die am Ausgang des Tunnels in den Schiloach-Teich angebracht wurde. Der Austritt der Gihon-Quelle in das Kidrontal wurde verstopft und das Wasser durch den Tunnel in den Schiloach-Teich geleitet.

In den Grabanlagen setzt die E II das Kammergrab der E I fort, wobei nun rechteckige Grabkammern an die Stelle der früheren, runden treten. In die Grabanlagen werden zunehmend Depotgruben eingebaut, in die ältere Skelettreste eingelagert wurden.

In der Keramik läßt sich während der E II eine stärkere Differenzierung beobachten. Die Oberflächenpolierung nimmt an Qualität zu, da sie jetzt auf der Töpferscheibe ausgeführt wird. Die Waffen sowie die landwirtschaftlichen Geräte und Handwerksinstrumente sind in der Regel aus Eisen hergestellt. Unter den Figurinen ragen die Darstellungen einer nackten, weiblichen Gestalt, offenbar einer Fruchtbarkeitsgöttin, hervor. Wie das große Repertoire der Funde und die Variationen des Darstellungstyps zeigen, erfreuten sich derartige Figuren großer Beliebtheit. Zum kultischen Gebrauch dienten Räucheraltäre und Räucherschalen.

Bildliche Darstellungen aus der E II sind äußerst gering. Über das Erscheinungsbild palästinischer Städte unterrichten am besten die assyrischen Palastreliefs, in denen etwa Sanherib die Belagerung von Lachisch darstellen ließ. Obwohl sich in den Bildern sicher Vorstellungen der traditionellen assyrischen Ikonographie niedergeschlagen haben, vermitteln die Reliefs doch einen Eindruck von Stadtanlagen und -befestigungen sowie von Aussehen und Kleidung der Menschen.

Besonders für die spätere Königszeit sind Siegel und Siegelabdrücke (Bullen) von Bedeutung. Sie enthalten zwar nur wenige Bildelemente, sind aber wichtige Quellen für das Namenmaterial der Zeit und bezeugen sogar Namen von Personen, die auch im AT belegt sind (z. B. aus der Zeit Jeremias: Berechja = Baruch, Jerachmeël, Gedalja, Seraja).

Aus der E II liegt beträchtliches *Inschriftenmaterial* vor. Überwiegend handelt es sich dabei um mit Tinte beschriebene Ostraka, deren Erhaltungszustand oft schlecht ist, so daß hinsichtlich Lesung und Interpretation viel Unsicherheit besteht. Aus der Mitte des 9. Jahrhunderts stammt die im ostjordanischen Dibon (Ḏībān) gefundene Inschrift des Königs Mescha von Moab, die Vorgänge der Omridenzeit beleuchtet, vor allem das Zurückdrängen des Stammes Gad nach Norden durch die Moabiter. Die Samaria-Ostraka aus dem 8. Jahrhundert quittieren Lieferungen von Wein und Öl an den königlichen Hof. Ob es sich um regelmäßige oder besondere Abgaben handelt, ist ungewiß. Dem geglückten Bau des Hiskija-Tunnels in Jerusalem war die Schiloach-Inschrift gewidmet (Ende des 8.

Jahrhunderts). Wohl auch aus dem 8. Jahrhundert stammen die Inschriften von Kuntillet ʿAǧrūd, einem judäischen Grenzkastell auf der nördlichen Sinai-Halbinsel. Sie finden sich auf Steingefäßen, auf Vorratsgefäßen, auf sonstiger Keramik sowie auf Wandverputz. Teilweise haben die Texte religiösen Charakter und dürfen daher besonderes Interesse beanspruchen. Eine wissenschaftliche Textedition steht noch aus.

Auch in der Zitadelle von Arad wurden Ostraka gefunden. Die meisten von ihnen gehören zum Archiv des letzten Kommandanten Eljaschib, also in die Zeit um 600 v. Chr. Teils handelt es sich um Namenslisten, teils geht es um die Verwaltung der Festung. Aber auch historische Implikationen enthalten die Texte. So lassen sie etwa auf bedrohliche Aktionen der Edomiter schließen, deren Attacke schließlich das Kastell erlegen ist. Einen Einblick in das Alltagsleben des kleinen Mannes vermittelt der Bittbrief eines judäischen Erntearbeiters auf einem Ostrakon, das bei Yavnē-Yām gefunden wurde und in das ausgehende 7. Jahrhundert gehört. Der Bittsteller verlangt sein Obergewand zurück, das ihm wohl wegen ungenügender Arbeitsleistungen von einem Aufseher abgenommen worden war. In die letzten Tage des judäischen Reiches führen die Ostraka von Lachisch, die in einem Raum des Stadttors entdeckt wurden. Sie sind Schreiben, die der Kommandant eines Außenpostens an den Befehlshaber in Lachisch richtete. Sie reflektieren die Besetzung des Landes durch die Babylonier, den Fall der Festungen und die sich im Lande ausbreitende hoffnungslose Stimmung. Die Einnahme von Lachisch und die Eroberung Jerusalems dürften nicht lange nach der Abfassung dieser Schreiben erfolgt sein.

V. Die Zeit der babylonischen und der persischen Herrschaft: Eisenzeit III

Busink, Th. A., Der Tempel von Jerusalem von Salomo bis Herodes. II: Von Ezechiel bis Middot, 1980, 776–838. – Stern, E., Bullae and Seals from a Post-exilic Judean Archive, 1976. – Ders., Material Culture of the Land of the Bible in the Persian Period 538–332 B.C., 1982.

Die kurze Zeit der babylonischen Herrschaft brachte keine besonderen kulturellen Impulse in das Land. In Juda mußten die Zerstörungen beseitigt und die Lebensmöglichkeiten nach dem radikalen Einschnitt von 587 gesichert werden. Das Zentrum und der Norden des Landes, die Gebiete ehemals assyrischer Provinzen, waren weithin unbehelligt geblieben. Eine größere kulturelle Eigenart brachte erst die Zeit der Perserherrschaft hervor. Gemessen an ihrer Länge (539–332) blieb aber das Ausmaß des kulturellen Einflusses der Perser auf Palästina gering. Das dürfte mit der Maxime persischer Regierungspolitik zusammenhängen, in die kulturellen und religiösen Belange der einheimischen Völkerschaften möglichst wenig einzugreifen. Der persische Einfluß beschränkte sich im wesentlichen auf die Administration.

Nach der Maßgabe des Kyros-Ediktes (Esr 6,2–5) wurde der Jerusalemer Tempel wieder errichtet und 515 eingeweiht. Er folgte den Maßen des salomonischen Heiligtums, war aber weniger prächtig ausgestattet. Archäologisch faßbar ist die Süd-Ost-Ecke des nachexilischen Tempelbezirks. Sie ist an einer Fuge zu erkennen, in der herodianische Quader an älteres Bossenmauerwerk anschließen. Zu einer befestigten Stadt wurde Jerusalem erst unter Nehemia (445–433). Dabei wurde das Stadtareal wieder auf den Südosthügel und den Tempelhügel – wie in salomonischer Zeit – beschränkt. Erst allmählich wuchs die Stadt wieder auf den Südwesthügel hinüber.

Während in Juda der durch die Kriegszerstörungen verursachte Niedergang der materiellen Kultur nur allmählich aufgeholt werden konnte, herrschte in anderen Landesteilen eine gewisse Prosperität. Dabei setzten sich die in der E II herausgebildeten einheimischen Entwicklungszüge ebenso fort wie die mesopotamischen Einflüsse auf die Architektur. Im Laufe der Zeit verstärkten sich die durch den zunehmenden Handel geförderten kulturellen Einwirkungen aus Phönizien, Zypern und Griechenland. – Die in dieser Zeit gegründeten Städte scheinen einem bestimmten Plan zu folgen. Sie sind rechteckig angelegt und werden von sich rechtwinklig schneidenden Straßen durchzogen. Durch sie wurden die Gebäude des Stadtareals in kleinere Häuserblöcke eingeteilt.

In der Architektur herrscht der von den Assyrern eingeführte Hofhausstil. Die traditionellen israelitischen Drei- und Vierraumhäuser verschwinden. Die persischen Gouverneurspaläste (z.B. in Hazor und Lachisch) folgen in mehr oder weniger starken Variationen dem Hofhaus-Typ. Dasselbe gilt für die Festungen (z.B. Arad, Aschdod, Tell es-Saʿīdīye). – Heiligtümer der persischen Zeit sind wenig bezeugt. Das beste, freilich in seiner Datierung nicht unumstrittene Beispiel ist der ›Solar Shrine‹ in Lachisch, der anscheinend den Typ des Breitraumtempels repräsentiert und damit die israelitische Tempelbautradition fortsetzt, obwohl er einem heidnischen Kult gewidmet war. – Die in der E I und E II dominierende Bestattung in einem Bankgrab wird jetzt zunehmend durch das Kistengrab und das Schachtgrab verdrängt. Das Kistengrab repräsentiert einen östlichen (Persien, Mesopotamien), das Schachtgrab einen westlichen Bestattungstyp (Zypern, Phönizien). In den Schachtgräbern wurden wohl vorwiegend Phönizier, in den Kistengräbern persische Beamte und Garnisonsoldaten beigesetzt.

Auch in der Keramikgestaltung macht sich der Einfluß von Formen und Stilen bemerkbar, die aus dem östlichen wie dem westlichen Bereich des persischen Großreiches stammen. Keramik aus Mesopotamien, Persien, Phönizien und Ägypten wurde ebenso nachgeahmt wie griechische Importware. Die Qualität der Herstellung erlaubt die Unterscheidung zwischen importierten Gefäßen und ihren lokalen Imitationen. Daneben gibt es freilich auch Keramik, die die Traditionen der E II fortsetzt. – Die Anzahl der Metallgefäße, meist aus Bronze oder Silber, nimmt in der Perserzeit beträchtlich zu. In der Regel handelt es sich um Importe aus der Umwelt; einige Fundstücke sind schlechte Nachahmungen. Die Waffen aus dieser Zeit sind vor allem durch Pfeilspitzen repräsentiert, die im Gegensatz zur E II überwiegend aus Bronze hergestellt sind. – Unter den Kultgeräten ragen Räucheraltäre hervor, die fast ausschließlich aus Kalkstein hergestellt sind. Sie sind meist viereckig (›Räucherkästchen‹) und oft mit Figuren oder geometrischen Motiven geschmückt. Sie stellen wohl Nachahmungen assyrischer Prototypen dar. – Die privaten Stempelsiegel dieser Zeit stammen aus Babylonien, Persien, Ägypten und Griechenland; ihre lokalen Imitationen mischen Elemente verschiedener Herkunft. Andere Siegel gehören zur persischen Verwaltung der Provinz Juda (›Jehud‹) bzw. Samaria. – Eine Innovation der Perserzeit stellen die Münzen dar. Die meisten griechischen Beispiele stammen aus Athen, fast alle phönizischen aus Tyros und Sidon. Im Laufe der Zeit setzte auch in Palästina eine eigene Münzprägung ein. Die Münzen der Provinz Juda (›Jehud‹) erscheinen im 4. Jahrhundert.

Inschriftliche Zeugnisse der Perserzeit aus Palästina sind gering. Der bekannteste Textfund dieser Epoche stammt aus dem oberägyptischen Elephantine und illustriert das Leben einer jüdischen Militärkolonie in Ägypten. Aramäische Papyri aus Samaria wurden in einer Höhle des Wādi ed-Dāliye gefunden. Sie beziehen sich offensichtlich auf die Verwaltung der Provinz Samaria, harren aber noch der Veröffentlichung. Gering an Zahl und schwer zu interpretieren sind die Ostraka dieser Zeit.

Die kulturellen Einwirkungen auf Palästina von außen waren in der Perserzeit beträchtlich. Dabei scheinen sich im Binnenland vor allem mesopotamische und ägyptische, in den Küstengebieten griechische und zypriotische Einflüsse niedergeschlagen zu haben. Die

Interaktion mit den Phöniziern ergab sich direkt, denn in der Perserzeit stand ein Teil der Küstenebene unter phönizischer Kontrolle. Die bemerkenswertesten Züge in dieser Mischung fremder Einwirkungen sind die geringe Bedeutung persischer Vorbilder und das sukzessive Vordringen des griechischen Einflusses.

VI. Die hellenistisch-römische Zeit

BUSINK, TH. A., Der Tempel von Jerusalem von Salomo bis Herodes. II: Von Ezechiel bis Middot, 1980, 1017–1251. – HARDER, G., Herodes-Burgen und Herodes-Städte im Jordantal, ZDPV 78, 1962, 49–63. – HÜTTENMEISTER, F. – REEG, G., Die antiken Synagogen in Israel I. II, 1977. – KRAELING, C. H. (Hg.), Gerasa. City of the Decapolis, 1938. – KROLL, G., Auf den Spuren Jesu, [9]1983. – KUHNEN, H. P., Palästina in griechisch-römischer Zeit, vorauss. 1989. – LAPP, P. W., Palestinian Ceramic Chronology 200 B.C. – A.D. 70, 1971. – LEVINE, L. I. (Hg.), Ancient Synagogues Revealed, 1981. – MESHORER, Y., Jewish Coins of the Second Temple Period, 1967. – PLÖGER, O., Die makkabäischen Burgen, Aus der Spätzeit des Alten Testaments, 1971, 102–133. – YADIN, Y., Masada. Der letzte Kampf um die Festung des Herodes, 1967. – DERS. (Hg.), Jerusalem Revealed, 1976.

Das schon in der Perserzeit begonnene Eindringen der griechischen Kultur in Palästina intensivierte sich nach der Eroberung des Landes durch Alexander d. Gr. (332), besonders durch dessen planvolle Siedlungspolitik. Hellenistische Städte entstanden vor allem in den Ebenen des Landes. Die Hellenisierung der Landeskultur machte rasche Fortschritte in den Gebieten mit gemischter Bevölkerung, langsamere im Bereich um Jerusalem mit seiner jüdischen Bewohnerschaft, von der vor allem zur Zeit der Makkabäerkämpfe antihellenistische Impulse ausgingen. In der Römerzeit, die kulturell die hellenistische Epoche fortsetzte, war der griechisch-römische Einfluß im ganzen Lande herrschend, insbesondere dank der Regierung des Herodes (37–4 v. Chr.). Mit dem hellenistischen Zeitalter beginnt die Zeit der erhaltenen Monumentalarchitektur. Dennoch sind die Zeugen der makedonischen, ptolemäischen und seleukidischen Epoche in Palästina nicht allzu umfangreich. Die hellenistischen Städte sind in der Regel während der Römerzeit überbaut worden. Ausgegraben wurden Marissa und Dor. Sie erwecken den Eindruck von sehr planvoll angelegten Städten mit rechtwinklig sich kreuzenden Straßen und dadurch geschaffenen Stadtvierteln sowie mit Mauern und rechteckigen Türmen. In der Zeit der Hasmonäer (143–37

v. Chr.) erreichte Jerusalem wieder die größte Ausdehnung der Königszeit. Reste der Stadtbefestigung wurden an vielen Stellen aufgedeckt. Zu ihr gehört auch die auf dem Südosthügel anstehende, früher irrtümlich in die Zeit Davids datierte sog. Macalister-Festung (›Davidturm‹). Schließlich dürften auch die monumentalen Felsgräber im Kidrontal (›Sacharja-‹, ›Bene Hesir-‹, ›Abschalom-‹ und ›Joschafat-Grab‹) aus dem 1. Jahrhundert v. Chr. stammen. Die makkabäischen Herrscher erbauten zahlreiche Burgen, deren bekannteste das Alexandreion, Hyrkania, Machärus und Masada waren. Sie wurden später von Herodes übernommen und z. T. erheblich umgebaut.

Die bedeutendsten Reste der hellenistischen Zeit im Ostjordanland sind bei ʿIrāq el-Emīr erhalten. Hier befand sich Tyros, das Zentrum der einflußreichen Familie der Tobiaden. Ein großes, mit Tierfiguren und Friesen geschmücktes Bauwerk (Qasr el-ʿAbd) war aus gewaltigen, aber dünnen Steinblöcken erbaut, die auf der Schmalseite aufeinandergesetzt wurden. Dieses fragile Gebäude des 2. Jahrhunderts v. Chr. ist wohl nie vollendet worden, fiel jedenfalls im Laufe der Zeit zusammen. Möglicherweise handelt es sich um einen Palast, aber auch die Deutung als Tempel ist vorgeschlagen worden. Hellenistische Heiligtümer sind im Westjordanland in Lachisch (›Solar Shrine‹, spätere Phase) und Tell es-Sebaʿ ausgegraben worden. Beide orientieren sich offensichtlich am Grundriß des traditionellen israelitischen Hofhaustempels.

Die in der römischen Epoche erbauten Städte zeigen eine einheitliche Anlage: Eine Prunkstraße (Cardo Maximus) mit Kolonnaden und Geschäften durchzieht die Stadt von einem Tor zum anderen. Sie wird durch zwei Hauptstraßen (Decumani) rechtwinklig geschnitten. Die Kreuzungen waren mit Tetrapylonen geschmückt. Die wichtigsten Neuerungen der hellenistisch-römischen Städte gegenüber ihren Vorgängern waren: der große, öffentliche Platz (Forum), das Theater und das für kleinere Aufführungen bestimmte Odeum, die Sporthalle (Gymnasium) und das Stadium, öffentliche Bäder (Thermen) und prächtig geschmückte Brunnenanlagen (Nymphäen). Aquädukte sorgten für die Wasserversorgung der oft volkreichen Städte. Das besterhaltene Beispiel für eine römische Provinzstadt im Vorderen Orient stellt wohl das ostjordanische Gerasa (Ǧeraš) dar. Hier lagen die (heute größtenteils überbauten) Wohnviertel östlich, die öffentlichen Gebäude westlich des Cardo Maximus. Die Stadt verfügte über zwei Theater, zwei Thermen, zwei große Tempelanlagen und ein Nymphäum. Die merkwürdige, unregelmäßige Gestalt des Forums war durch den vorgegebenen Temenos des Zeus-Tempels bedingt. Außerhalb der Stadtmauern lagen das Hippodrom und ein zu Ehren des Kaisers Hadrian errichteter Triumphbogen.

Von den zahlreichen Städten, die Herodes im hellenistisch-römischen Stil gründen oder ausbauen ließ, vermitteln heute Samaria-Sebaste und Caesarea (Qaiṣarīye) noch einen Eindruck der ursprünglichen Anlage. In Jerusalem ließ Herodes seine Burg in der Nähe des heutigen Jaffatores und die Festung Antonia nördlich des Tempelplatzes errichten. Vor allem aber ließ Herodes die nachexilische Tempelplattform beträchtlich erweitern und eine völlig neue Tempelanlage errichten, die weit großartiger war als die vorhergehende. Das gewaltige herodianische Quadermauerwerk läßt sich noch an der Westmauer (›Klagemauer‹) beobachten, ebenso auch am Patriarchenheiligtum in Hebron. Die Ausgrabungen um die Tempelplattform haben vor allem die Aufgänge zum Tempel von Süden und Südwesten her geklärt. Andererseits hat Herodes in seinen hellenistischen Gründungen heidnische Tempel im griechisch-römischen Stil errichten lassen wie etwa die Augustus-Heiligtümer in Samaria und Caesarea Philippi (Bānyās).

Die hasmonäischen Festungen hat Herodes weiter ausgebaut und ihnen eigene Burgen hinzugefügt, deren bekannteste das Herodeion ist, das er sich zum Mausoleum bestimmte. Die Festungen hatten unterschiedliche Zwecke; am wichtigsten war wohl ihre Funktion als Fluchtburgen für Herodes und seine Familie. Ausgegraben wurden das Herodeion und Masada. Gemessen an dem bescheideneren Herodeion wirkt die Anlage von Masada auf einem geräumigen Bergplateau großartig. Sie ist von einer Kasemattenmauer umgeben und weist große Vorratshäuser, Verwaltungsgebäude, Thermen und mehrere Paläste auf. Besonders eindrucksvoll ist die auf drei Terrassen errichtete, ›hängende‹ Palastvilla des Herodes mit ihren Fresken und Marmorimitationen. Eine weiträumige Palastanlage des Herodes wurde südöstlich von Jericho ausgegraben (Tulūl Abū'l-ʿAlāyiq). Beiderseits des Wādi el-Qelṭ gruppiert und mit Höfen, Hallen, Gärten und Bädern versehen, dienten die Bauwerke der Königsfamilie als Winteraufenthalt.

Die ältesten Synagogen fanden sich in Masada und Gamla (1. Jahrhundert). Die Wände des Gebäudes von Masada waren von Steinbänken umgeben, parallel zu den Langseiten standen Säulen, der Eingang befand sich an einer Schmalseite. In einer Ecke gegenüber dem Eingang war ein Raum abgetrennt. Erst vom 3. Jahrhundert an häufen sich die Beispiele archäologisch nachgewiesener Synagogen. Der frühe Typ der Anlage entspricht etwa dem von Masada: rechteckige oder quadratische Grundfläche, Ausrichtung nach Jerusalem, drei Säulenreihen, Fußboden aus Steinplatten, umlaufende

Bänke. In der dekorierten Fassade befanden sich drei Eingänge, und der Synagoge konnte noch ein Hof zugeordnet sein.

In der Keramik gewann die aus Italien importierte ›Terra Sigillata‹ an Einfluß und wurde in Palästina nachgeahmt. Bei der Bestattung setzten sich hellenistisch-römische Sitten durch. Wohlhabende Familien ließen sich Mausoleen errichten. Die Toten wurden in verzierten Steinsarkophagen beigesetzt; zur Zweitbestattung ihrer Gebeine dienten Ossuare aus Holz oder Stein. In der hellenistisch-römischen Zeit nahm der Geldumlauf erheblich zu. Neben den staatlichen gab es lokale Münzprägungen. Die Münzen der Hasmonäer und der Herodier zeigen teils althebräische, teils griechische Legenden und ebenso jüdische wie heidnische Symbole. Die Münzen des jüdischen Aufstandes (66–70) und der Bar Kochba-Rebellion (132–135) weisen nur jüdische Kultsymbole und althebräische Inschriften auf.

Eine Kultur besonderer Art entwickelte das frühanabische Volk der Nabatäer im südlichen Ostjordanland. Neben der einzigartigen Felsarchitektur von Petra und den aus verschiedenen Kultureinflüssen gespeisten dekorativen Elementen ist vor allem die dünnwandige, rötliche nabatäische Keramik zu nennen. Mit dem zeitweiligen politischen Einfluß der Nabatäer strahlte ihre Kultur sowohl in den Negeb aus als auch in den Hauran und bis nach Damaskus.

Die Niederschlagung des jüdischen Aufstands verursachte die Zerstörung Jerusalems und die Vernichtung des Tempels. Nach dem Bar Kochba-Aufstand wurde Jerusalem nach dem Muster einer römischen Provinzstadt (Aelia Capitolina) wieder aufgebaut. Das Zentrum jüdischen Lebens verlagerte sich nach Galiläa. Die weitere Entwicklung der Kultur Palästinas in der byzantinischen Zeit ist Gegenstand der »Christlichen Archäologie« (dazu vgl. Bd. 3).

D. Septuaginta

Robert Hanhart

Ilmari Soisalon-Soininen zugeeignet

Textausgaben der Septuaginta: Septuaginta, id est Vetus Testamentum Graece iuxta LXX interpretes, ed. A. Rahlfs, Stuttgart 1935 (mit Nachdr.). Septuaginta Vetus Testamentum Graecum; Auctoritate Academiae Scientiarum Gottingensis editum: I Genesis (1974), II 2 Leviticus (1986), III 1 Numeri (1982), III 2 Deuteronomium (1977), ed. J. W. Wevers adiuvante U. Quast (mit den dazugehörigen Textgeschichten MSU XIII, XVI, XIX), VIII 1 Esdrae liber I (1974), VIII 3 Esther (1966), VIII 4 Iudith (1979), VIII 5 Tobit (1983), ed. R. Hanhart (mit den dazugehörigen Textgeschichten MSU XII, XIV, XVII), IX 1 Maccabaeorum liber I, ed. W. Kappler (1936), IX 2 Maccabaeorum liber II (1959), IX 3 Maccabaeorum liber III (1960) ed. R. Hanhart (mit Textgeschichte MSU VII). X Psalmi cum Odis (1931), ed. A. Rahlfs. XI Iob (1982), XII 1 Sapientia Salomonis (1962), XII 2 Sapientia Iesu Filii Sirach (1965), XIII Duodecim Prophetae (1943), XIV Isaias (1939), XV Ieremias, Baruch, Threni, Epistula Ieremiae (1957), XVI 1 Ezechiel (1952, ²1977 mit einem Nachtrag von D. Fraenkel), XVI 2 Daniel, Susanna, Bel et Draco, ed. J. Ziegler. Mehrfache Nachdrucke. – The Old Testament in Greek according to the Septuagint, hg. v. H. B. Swete, Cambridge 1887–1894 (mit Nachdrucken). – The Old Testament in Greek, according to the Text of Codex Vaticanus, hg. v. A. E. Brooke, N. McLean u. H. St. J. Thackeray, Cambridge 1906–1940 (erschienen sind: Octateuch, Regnorum libri I–IV, Paralipomenon I–II, Esdras I–II, Esther, Iudith, Tobit).

Ausgaben von Einzeltexten: Barthélemy, D., Les devanciers d'Aquila. Première publication intégrale du texte des fragments du Dodécapropheton, trouvés dans le désert de Juda, VT.S X, 1963. (Die endgültige Edition, hrsg. von E. Tov: The Greek Minor Prophets Scroll from Naḥal Ḥever [8 Ḥev XII gr]; The Seiyâl Collection Volume 1, in: Discoveries in the Judaean Desert VII, ist im Druck). – Ceriani, A. M., Codex Syrohexaplaris Ambrosianus. Monumenta Sacra et Profana VII, 1874. – Field, F., Origenis Hexaplorum quae supersunt sive Veterum Graecorum in totum Vetus Testamentum fragmenta, 1875 (Nachdr. 1964). – Mercati, G., Psalterii Hexapli Reliquiae. Pars I, Codex rescriptus Bibliothecae Ambrosianae O 39 SVP, 1958. Pars II, Commentario critico al testo dei frammenti esaplari 1965.

Bibliographie: Brock, S. P. – Fritsch, Ch. T. – Jellicoe, S., A Classified Bibliography of the Septuagint, ALGHL VI, 1973.

Literaturberichte: Bertram, G., Zur Septuaginta-Forschung, ThR, NF 3, 1931, 283–296, 5, 1933, 173–186, 10, 1938, 133–159. – Hanhart, R., Zum gegenwärtigen Stand der Septuagintaforschung, De Septuaginta, FS J. W. Wevers, 1984, 3–18. – Wevers, J. W., Septuaginta-Forschungen. I Ausgaben und Texte, ThR 22, 1954, 85–138. II Die Septuaginta als Übersetzungsurkunde, ebd. 171–190. – DERS., Septuaginta-Forschungen seit 1954, ebd. 33, 1968, 18–76.

Gesamtdarstellungen: BOGAERT, P.-M., „Septante“, in: Dictionnaire de la Bible, Supplément (in Vorbereitung). – BROCK, S., Bibelübersetzungen, TRE 6, 1980, 160–216. – FERNÁNDEZ MARCOS, N., Introduccion a las Versiones Griegas de la Biblia, 1979. – HARL, M. – DORIVAL, G. – MUNNICH, O., La Bible Grecque des Septante, du Judaïsme Hellénistique au Christianisme Ancien, 1988. – JELLICOE, S., The Septuagint and Modern Study, 1968. – SWETE, H. B., An Introduction to the Old Testament in Greek, revised by R. R. Ottley, 1902 (Nachdr. 1968). – TOV, E., Die griechischen Bibelübersetzungen, ANRW II 20.1, 1987, 121–189. – WÜRTHWEIN, E., Der Text des Alten Testaments, [5]1988.

Umwelt: CONZELMANN, H., Heiden – Juden – Christen, BHTh 62, 1981. – HENGEL, M., Judentum und Hellenismus, WUNT 10, 1969. – SCHÜRER, E., Geschichte des jüdischen Volkes im Zeitalter Jesu Christi, 1901–1907 (Nachdr. 1964; engl. Neubearbeitung durch G. Vermes, F. Millar und M. Black, 1973–1987). – TCHERIKOVER, V., Hellenistic Civilization and the Jews, 1961. – SCHMITT, H. H. – VOGT, E. (Hg.), Kleines Wörterbuch zum Hellenismus, (im Druck).

Einzeldarstellungen: AEJMELAEUS, A., Parataxis in the Septuagint, AASF Diss. human. litt. 31, 1982. – AUDET, J. P., A Hebrew-Aramaic List of Books of the Old Testament in Greek Translation, JThS NS 1, 1950, 135–154. – BARR, J., The Typology of Literalism in ancient biblical translations, MSU XV, 1979. – BARTHÉLEMY, D., Études d'histoire du texte de l'Ancien Testament, OBO 21, 1978. – BICKERMANN, E., The Colophon of the Greek Book of Esther, JBL 63, 1944 (= Studies in Jewish and Christian History I, 1976, 225–274). – DERS., Zur Datierung des Pseudo-Aristeas, ZNW 29, 1930 (= ebd. 109–136). – CROSS, F. M., Die antike Bibliothek von Qumran, Neukirchener Studienbücher 5, 1967. – DANIÉLOU, J., Origène, 1984. – GOODING, D. W., Aristeas and Septuagint Origins, VT 13, 1963, 357–379. – HANHART, R., Die Bedeutung der Septuaginta für die Definition des »Hellenistischen Judentums«, VT.S XL, 1988, 67–80. – DERS., Die Bedeutung der Septuaginta in neutestamentlicher Zeit, ZThK 81, 1984, 395–416. – DERS., Die Bedeutung der Septuaginta-Forschung für die Theologie, Drei Studien zum Judentum, TEH 140, 1967, 38–64. – DERS., Fragen um die Entstehung der LXX, VT 12, 1962, 139–163. – DERS., Die Septuaginta als Interpretation und Aktualisierung, FS Isac Leo Seeligmann, 1983, 331–346. – DERS., Die Septuaginta als Problem der Textgeschichte, der Forschungsgeschichte und der Theologie, VT.S XXII, 1972, 185–200. – DERS., Das Neue Testament und die griechische Überlieferung des Judentums, Überlieferungsgeschichtliche Untersuchungen, FS M. Richard, TU 125, 1981, 293–303. – DERS., Jüdische Tradition und christliche Interpretation, FS C. Andresen, 1979, 280–297. – DERS., Die Übersetzungstechnik der Septuaginta als Interpretation, Mélanges Dominique Barthélemy, OBO 38, 1981, 135–157. – DERS. – WEVERS, J. W., Das Göttinger Septuaginta-Unternehmen, 1977. – HARL, M. u. a., La Bible d'Alexandrie I, La Genèse, 1986. – KAHLE, P. E., The Cairo

Geniza, [2]1959. – KATZ, P. (WALTERS), Das Problem des Urtextes der Septuaginta, ThZ 5, 1949, 1–24. – DERS., Philo's Bible, 1950. – DERS., The Old Testament Canon in Palestine and Alexandria, ZNW 47, 1956, 191–217. – DERS., The Text of the Septuagint, hg. v. D. W. Gooding, 1973. – MUNNICH, O., Contribution à l'étude de la première révision de la Septante, ANRW II 20.1, 1987, 190–220. – NORDEN, E., Das Genesiszitat in der Schrift vom Erhabenen, ADAW.S, 1. 1954, 1955. – ORLINSKY, H. M. (Hg.), Studies in the Septuagint, Library of Biblical Studies, 1974. – PIETERSMA, A. – COX, C. (Hg.), De Septuaginta. Studies in honour of John William Wevers, 1984. – RAHLFS, A., Septuaginta-Studien I–III, 1904–1911 (Nachdr. 1965). – SCHENKER, A., Hexaplarische Psalmenbruchstücke, OBO 8, 1975. – DERS., Psalmen in den Hexapla, StT 395, 1982. – SCHWARTZ, E., Zur Geschichte der Hexaplaxa, NGWG.PH 1903 (Heft 6), 1904, 693–700. – SEELIGMANN, I. L., Problemen en perspectieven in het moderne Septuaginta-onderzoek, JEOL 1940, 359–390. – DERS., The Septuagint Version of Isaiah, MEOL 9, 1948. – SOISALON-SOININEN, I., Der Charakter der asterisierten Zusätze in der Septuaginta, AASF, Sarja-Ser. B Nide-tom. 114, 1959. – DERS., Die Infinitive in der Septuaginta, ebd. 132.1, 1965. – DERS., Studien zur Septuaginta-Syntax, ebd. 237, 1987. – DERS., Die Textformen der Septuaginta-Übersetzung des Richterbuches, ebd. 72.1, 1951. – SOLLAMO, R., Renderings of Hebrew Semipropositions in the Septuagint, AASF Diss. human. litt. 19, 1979. – TOV, E., The Impact of the LXX Translation of the Pentateuch on the Translation of the other Books, FS D. Barthélemy, OBO 38, 1981, 578–592. – DERS., The text-critical Use of the Septuagint, Jerusalem Biblical Studies 3, 1981. – ZIEGLER, J., Beiträge zur Ieremias-Septuaginta, NAWG.PH 1958 (Nr. 2). – DERS., Beiträge zum griechischen Iob, MSU XVIII, 1985. – DERS., Sylloge, MSU X, 1971. – DERS., Untersuchungen zur Septuaginta des Buches Isaias, ATA XII.3, 1934.

Der Name »Septuaginta« hat seinen Ursprung in der Legende des pseudepigraphischen Aristeasbriefes, nach der 72 Älteste aus Jerusalem, aus jedem Stamme 6 (§ 46–50), die griechische Übersetzung des AT vollenden (die Reduktion auf die heilige Zahl 70 dürfte als sekundäre Verbindung der Tradition von der Offenbarung des Gesetzes an Mose und die 70 Ältesten [Ex 24] mit der Tradition von seiner Übersetzung zu erklären sein). Er bezeichnet die »Heilige Schrift« der griechischsprechenden Juden, die den »Grundstein« (TCHERIKOVER) darstellt, auf dem das gesamte Schrifttum des hellenistischen Judentums beruht. Sie ist auch die Heilige Schrift der urchristlichen Gemeinde. Beide Gemeinschaften anerkennen in ihr das von gleicher Autorität offenbarte, schriftgewordene, kanonisierte Wort. Von hier aus ergibt sich die Notwendigkeit der »Septuagintakunde« im Rahmen eines Grundkurses der Theologie: Als verbindendes Mittelglied zwischen der alt- und der neutestamentlichen Wissenschaft hat sie die Aufgabe, Ursprung, Geschichte und Bedeutung der griechischen Gestalt des Alten Testamentes in seinem

Verhältnis zum hebräisch-aramäischen Original und in seiner eigentümlichen Bedeutung, in politischer Hinsicht als Legitimation der jüdisch-hellenistischen und der christlichen Glaubensgemeinschaft, in kultureller Hinsicht als Dokument der hellenistischen Welt und in theologischer Hinsicht als je verschieden interpretiertes Zeugnis zweier einander zugeordneter Glaubensgemeinschaften darzustellen. Die drei Aspekte lassen sich am besten nach den drei Themen »Ursprung«, »Geschichte« und »Textgeschichte« der Septuaginta gliedern.

I. Die Entstehung

Der Ursprung der Septuaginta liegt im theologischen, kulturellen und politischen Wesen Israels selbst. Die LXX als kanonisiertes Zeugnis ist für Israel in hellenistischer Zeit das, was das Alte Testament im hebräischen Original in seinem damaligen Umfang als »das Gesetz« für Israel unter persischer Oberhoheit war: das Dokument seiner Selbstlegitimation als jerusalemische Glaubensgemeinschaft unter fremder Herrschaft. Als Dokument, dem diese Bedeutung mit Sicherheit zukam, wird grundsätzlich sowohl für die persische Zeit als auch für die hellenistische Zeit des Urspungs der griechischen Übersetzung nur der Pentateuch als Thora (Nomos) in einer der masoretisch überlieferten nahestehenden Gestalt in Anspruch genommen werden dürfen. Die nicht mehr beantwortbare Frage, ob und in welchem Maße bereits Büchern der *n^{e}bî'îm ri'šônîm, aḥ^{a}rônîm* und der *k^{e}tûbîm* eine analoge Bedeutung zukam, ist für das Problem der Entstehung der LXX aus dem Grund von untergeordneter Bedeutung, weil die theologischen Gehalte der übrigen Schriften in der Thora vorgebildet sind. Das gilt für die Geschichtsschreibung, die Prophetie und die Weisheit.

Vom Zeitpunkt des Verlustes der staatlichen Selbständigkeit an mußte aber die von Israel selbst ausgehende Dokumentation seiner »Heiligen Schrift« notwendig vor die Frage ihrer Anerkennung durch den politischen Oberherrn gestellt werden. Der Ursprung in Israel selbst ist relativiert durch die Legitimation der außerisraelitischen Macht. Was aber in dieser Hinsicht für die persische Zeit aus der Esra-Nehemia-Überlieferung historisch glaubwürdig verifizierbar ist – die gegen Widerstände der persischen Provinzialbeamten durchgesetzte, letztlich auf dem Kyrosedikt gründende Anerkennung der jerusalemischen Kultgemeinde, deren altüberliefertes Gesetz das einzige Kriterium der Zugehörigkeit zu ihr darstellt –, das bleibt in hellenistischer Zeit hinsichtlich der Frage nach der Bedeutung der LXX umstritten. Das einzige Dokument, das darüber Auskunft gibt, ist der Aristeasbrief, und dieser ist eine Legende, deren Entstehung von ihrem historischen Gegenstand (Ptolemaios II. Philadelphos 285/84–246 v.Chr.) um mehr als ein Jahrhundert abliegt (zweite Hälfte des 2. Jahrhunderts v.Chr.). Doch muß seine legendäre Aussage hinsichtlich eines politischen, eines kulturellen und eines theologischen historischen Kerns ernst genommen werden als authentische Aussage über das Verhältnis des ptolemäischen Oberherrn zur jerusalemischen Glaubensgemeinschaft, über die Bedeutung der Übersetzung von Israels Zeugnis in die griechische Sprache innerhalb der ptolemäischen Kulturpolitik und über die innere Intention dieser Übersetzung als Glaubenszeugnis Israels in hellenistischer Zeit. Der historische Kern besteht in *politischer* Hinsicht in der Bestimmung Israels als einer den ptolemäischen Oberherrn als gottgesetzten Herrscher anerkennenden und von diesem als untertane Kultgemeinde anerkannten Glaubensgemeinschaft und damit der griechischen Übersetzung der Thora als eines in gegenseitigem Einvernehmen entstandenen, die gegenseitige politische Anerkennung sanktifizierenden Unternehmens: Ptolemaios Philadelphos erscheint als Repräsentant des gerechten Herrschers, das Werk der Übersetzung als Anlaß der Behebung eines in der Machtübernahme begründeten illegalen Zustandes: der Versklavung jüdischer Volksgenossen beim Angriff Ptolemaios' I. Lagos (304–285/84 v.Chr.) auf Jerusalem (§4.12–14.22–25). Die mit Alexander dem Großen (332–323 v.Chr.) einsetzende Politik der Hellenisierung der antiken Welt erscheint somit für Israel nach dem Kriterium dessen, was die Thora in ihrer griechischen Gestalt zuläßt, legitimiert. Der historische Kern besteht in *kultureller* Hinsicht in der Feststellung, daß die Übersetzung der Thora in die griechische Sprache als ein Phänomen der ptolemäischen enzyklopädischen Kulturpolitik zu bestimmen ist: Das Übersetzungswerk wird als Dokument der jüdischen Religion auf Initiative des Vorstehers der königlichen Bibliothek von Alexandria, Demetrius von Phaleron, der Sammlung der Schriften der dem ptolemäischen Reich zugehörenden Kulturbereiche eingeordnet (§9–11.301–316). An diesem Punkt setzt aber die Entfernung der Legende vom historischen Kern ein: Es geht um die Frage der »Initiative«, der ersten Ursache der Übersetzung. Sie liegt, wie es seit der ersten historisch-kritischen Beurteilung des Aristeasbriefes, bei IOSEPH IUSTUS SCALIGER (1540–1609) und bei HUMPHREY HODY (1659–1707) – seither nicht unbestritten, aber unbestreitbar – erkannt ist, nicht beim ptolemäischen Oberherrn, sondern bei der untertanen jüdischen

Gemeinde: in ihrem unaufgebbaren Verlangen, in einer Zeit der fortschreitenden Hellenisierung, des durch den Zwang der Verhältnisse gegebenen Verlustes der Sprache der Väter, durch die unverfälschte Bewahrung der Tradition Glaube, Bekenntnis und gottesdienstliche Handlung aufrechtzuerhalten. Der Beweis für diesen Ursprung der Entstehung der griechischen Thora liegt im Charakter des Übersetzungswerks, das jede hellenisierende Neuinterpretation zu meiden sucht, sich gegenüber dem hebräischen Original treu verhält und so in der Tradition des hellenistischen Schrifttums als Fremdkörper erscheint. Die griechische Übersetzung der Thora und von ihr ausgehend des ganzen Alten Testaments ist, sowohl was ihre handschriftliche Überlieferung als auch was ihre literarische Verwertung anbelangt, ein innerjüdisch-christliches Phänomen geblieben. Außerjüdische hellenistische Tradition dieser Dokumente gibt es ebensowenig wie außerjüdische Interpretation durch die Schriftsteller der hellenistischen Zeit. Wo sie in ihrem Schrifttum auf die Geschichte Israels zu sprechen kommen, geschieht es – von Polybios über Diodor von Sizilien und Pompeius Trogus (Justin) bis zu Tacitus – ohne Kenntnis der alttestamentlichen Tradition und dementsprechend unhistorisch. Seltene Ausnahmen, wie das Genesiszitat in der der ersten Hälfte des ersten christlichen Jahrhunderts zugehörenden rhetorischen Schrift »Vom Erhabenen«, bestätigen nur die Regel. Hellenistisches Schrifttum, das Kenntnis der alttestamentlichen Überlieferung voraussetzt, wie die Geschichtsschreibung von Demetrios und Eupolemos, die Dramatik Ezechiels und das prophetische Epos der Sibyllinen, ist durchgehend innerjüdischer Herkunft, seine Bezugnahme auf die Überlieferung der LXX hat die Bedeutung der Berufung auf heilige Schrift, und seine Übernahme hellenistischer Literaturformen hat, entsprechend der Intention des Aristeasbriefes als Legende der Entstehung der griechischen »Heiligen Schrift«, in erster Linie die Funktion der Interpretation heiliger Schrift für die griechischsprechende jüdische Gemeinde; sie stellt sich erst in zweiter Linie das Ziel des geistigen Verkehrs mit der außerisraelitischen hellenistischen Welt. Die Frage, ob und in welchem Maß die Tradition Israels in griechischer Gestalt als Phänomen der ptolemäischen Kulturpolitik Eingang in die alexandrinische Bibliothek gefunden hat, läßt sich darum vom überlieferungsgeschichtlichen Befund her nicht mehr beantworten; sie kann aber von hier her nur in der Weise bejaht werden, daß die innerisraelitische Initiative für die griechische Übersetzung die *causa prima* darstellt, die Kulturpolitik des ptolemäischen Oberherrn lediglich die *causa secunda*. Daraus folgt – vom politischen und vom kulturellen Aspekt her notwendig – der *theologisch*-historische Kern des Aristeasbriefes: Er ist, als Legende, das historische Dokument für die Anerkennung der griechischen Übersetzung der Thora als Heiliger Schrift für den gottesdienstlichen Gebrauch in der durch den Zwang der Verhältnisse der Sprache der Väter verlustig gegangenen griechischsprechenden Judenschaft der hellenistischen Zeit. In dieser Funktion kommt der LXX, als Abbild des Urbildes, die gleiche Bedeutung zu wie dem hebräischen Original in der der Sprache der Väter noch mächtigen Judenschaft Palästinas: Offenbarungscharakter. Diese Bedeutung manifestiert sich nach dem Verständnis des Aristeasbriefes zuerst in der Art und Weise der Entstehung (§ 302): »Sie aber vollendeten (die Übersetzung), indem sie durch gegenseitigen Vergleich alles übereinstimmend formulierten. Was so aus der Übereinstimmung entstand, wurde von Demetrios gebührend für die Niederschrift freigegeben«. Das bedeutet: Der Offenbarungscharakter kommt der griechischen Thora nicht kraft ihrer Entstehung als Übersetzung zu; er kommt ihr zu kraft ihrer Übereinstimmung mit dem hebräischen Original. Die Bedeutung als Heilige Schrift der griechisch sprechenden Judenschaft manifestiert sich zweitens in ihrer Sanktionierung mit der »Kanonsformel«, dem Verbot von Zusatz, Auslassung und Änderung: »Sie befahlen, den zu verfluchen, der hinzufügend, ändernd oder ausmerzend in den Text eingriffe« (§ 311; vgl. Dtn 4,2). Sie manifestiert sich zuletzt in ihrer Zweckbestimmung als Heilige Schrift der Judenschaft, von der die Kommunikation mit der außerisraelitischen Welt ausgeht. Diese theologische Bedeutung ist in der Legende des Aristeasbriefes – im Unterschied zur kulturellen, wo die Initiative dem ptolemäischen Oberherrn zugeschrieben wird – historisch richtig erfaßt: Die Priester, Ältesten und Obersten der jüdischen Gemeinde in Alexandria sind es, die das Übersetzungswerk als für den gottesdienstlichen Gebrauch geeignet bestimmen, »da es schön, gottgefällig und in allem textgemäß übertragen ist« (§ 310) und ihm darum in dieser Gestalt ewige Gültigkeit zusprechen (§ 311). Das Bekenntnis zum Gott Israels aufgrund seiner Selbstkundgabe in der griechischen Heiligen Schrift ist der alleinige Weg zur Eröffnung des geistigen Verkehrs zwischen Israel und der hellenistischen Welt. Diesen Sinn hat auch die – oft mißverstandene – Verwendung der stoischen Etymologie von Zeus als der Gottheit, durch die alles Leben entsteht (§ 16), für die Bestimmung des Verhältnisses zwischen griechischem und jüdischem Gottesglauben: Sie soll, im Munde des Griechen Aristeas, das religionsphänomenologisch Gemeinsame zwischen hellenischem Monotheismus und jüdischem Glauben an den einen Gott bestimmen, nicht im Munde des Juden eine synkretistische Verschmelzung von Zeus und Jahwe postulieren.

II. Die Geschichte

Die Geschichte der LXX wird von zwei historisch schwer faßbaren Phänomenen bestimmt: ihrer Kanonisierung als »der alexandrinische Kanon« und ihrer Anerkennung in dieser Gestalt als Heilige Schrift in der jüdisch-hellenistischen wie auch in der urchristlichen Glaubensgemeinschaft. Die Schwierigkeit der historischen Bedeutung besteht darin, daß keine direkten Zeugnisse darüber vorliegen, wann der alexandrinische Kanon in seiner nur in christlichen Handschriften überlieferten Ganzheit, als Vereinigung der übersetzten Bücher des AT mit sowohl aus dem Hebräischen oder Aramäischen übertragenen als auch ursprünglich griechisch geschriebenen apokryphen Schriften, vollendet wurde, in welchem Maß ihm innerhalb der jüdischen und der christlichen Gemeinde kanonische Autoriät zukam und wann die Konfrontation zwischen Judentum und urchristlicher Gemeinde zum Streit um die Authentizität der ursprünglich gemeinsamen Heiligen Schrift führte.

Das einzige Zeugnis, das über Geschichte und Vollendung des *alexandrinischen Kanons* wenigstens indirekt Aufschluß gibt, ist das Buch des Jesus Sirach. Der Verfasser des hebräischen Originals setzt im Lob der Väter zu Anfang des 2. Jahrhunderts v. Chr. eine in bestimmtem Sinn kanonisierte Sammlung alttestamentlicher Schriften voraus, die bereits das Zwölfprophetenbuch enthält (49,10). Und der Übersetzer ins Griechische, sein Enkel, läßt in seinem Prolog erkennen, daß zu seiner Zeit (um 110 v. Chr.) die Übertragung der als Heilige Schrift anerkannten Zeugnisse theologisch ein anderes Problem darstellt als die Tradierung und Übersetzung von Schriften, die, wie das Spruchbuch seines Großvaters, diesen Anspruch nicht erheben: »Denn sie (die Aussagen) haben nicht die gleiche Kraft, wenn sie in sich selbst (d. h. in ihrem ursprünglichen Wortlaut) hebräisch ausgesprochen werden und wenn sie in eine andere Sprache übertragen werden« (21–22). Das bedeutet im Blick auf seine eigene Übersetzung des Spruchbuchs, das zuvor von den kanonischen Schriften als ihre Interpretation wesentlich unterschieden worden war (7–14), den allgemeinen Vorbehalt gegenüber der Identität von ursprünglichem und übertragenem Wort: »Aber nicht nur diese (die nicht kanonisierten Schriften), sondern sogar die Thora selbst, die Prophetien und die übrigen der Bücher weisen in ihrem ursprünglichen Wortlaut einen nicht geringen Unterschied (zu ihrer griechischen Übersetzung) auf« (23–26). Aus dieser Gegenüberstellung folgt nicht nur notwendig, daß gegen das Ende des

2. vorchristlichen Jahrhunderts eine eindeutige Abgrenzung nichtkanonischen Schrifttums von kanonischem, bereits in die Dreiheit »Gesetz«, »Propheten« und »Schriften« gegliedertem, vollzogen war, sondern daß diese Abgrenzung auch bereits für eine griechische Übersetzung dieser Schriften Gültigkeit hatte. Über den festen Punkt des Prologs zu Jesus Sirach hinaus bleibt aber hinsichtlich der Entstehung, Geschichte und Vollendung des alexandrinischen Kanons alles offen. Das gilt sowohl für die kanonische Sanktionierung selbst als auch für die Folge der Übersetzungen der einzelnen Bücher. Was die Kanonisierung anbelangt, wird die Zuordnung übersetzter Bücher von Thora, Propheten und Schriften zu ihrem hebräischen Original im Sirach-Prolog vorsichtig dahin ausgelegt werden dürfen, daß sich der Kanonisierungsprozeß im gegenseitigen Kontakt zwischen der hebräisch- bzw. aramäischsprechenden palästinischen Judenschaft und der griechischsprechenden hellenistischen verwirklichte. Als legitimierende Autorität käme nur – auch das ein »historischer Kern« der Aristeaslegende – der jerusalemische Hohepriester in Frage. Von hier aus müßte dann die Exilierung des rechtmäßigen Hohenpriesters Onias IV. anläßlich der seleukidischen Hellenisierungspolitik um 170 v. Chr. in dem Sinne als Zäsur postuliert werden, daß die Priesterschaft des Gegentempels zu Leontopolis – auch kraft ihrer übersetzten »Heiligen Schrift« – den Anspruch erhebt, die legitimierende Instanz der Rechtgläubigkeit zu sein (I. L. SEELIGMANN). Doch ist ein direktes Zeugnis über eine Konfrontation zwischen palästinischer und alexandrinischer Judenschaft hinsichtlich der kanonisierenden Autorität nicht überliefert. Der jerusalemisch-alexandrinische Verkehr, der aus dem um 78/77 v. Chr. anzusetzenden Kolophon zur griechischen Übersetzung des Buches Esther erkennbar wird, spricht eher für ein Verhältnis gegenseitigen Einverständnisses, auch hinsichtlich einer Überlieferung, der gegenüber sich die Frage der Kanonisierung noch nicht stellte. Von daher erscheint es nicht ausgeschlossen, daß die Vollendung des palästinischen Kanons nach dem zuerst im Kanonverzeichnis des Josephus (Contra Apionem I 36–42) gegen Ende des 1. Jahrhunderts n. Chr. überlieferten masoretischen Umfang und des alexandrinischen Kanons der LXX mit seinem um apokryphe Bücher erweiterten Bestand auf einem Prozeß gegenseitiger Abhängigkeit und Verständigung beruht. Sicher ist, daß die Kanonisierung selbst nicht nur im palästinischen, sondern auch im hellenistischen Bereich jüdischen Ursprungs ist – christliche Herkunft oder auch nur Beeinflussung des alexandrinischen Kanons ist, obwohl dieser seinem Gesamtumfang nach nur in christlichen Handschriften erhalten geblieben ist, auszuschließen – und daß die Sanktifizierung

beider Formen, obwohl auch darüber keine direkten Zeugnisse vorliegen – die Synode von Jamnia kann für den palästinischen Kanon nur postuliert, nicht nachgewiesen werden –, gegen das Ende des 1. Jahrhunderts n. Chr. angesetzt werden muß. Das Prinzip, das Josephus für den palästinischen Kanon in Anspruch nimmt, daß sein historischer Gegenstand die Zeit Artaxerxes' I. (464–424 v Chr.), Esras und Nehemias nicht überschreiten darf, wäre dann im alexandrinischen Kanon der LXX an zwei Stellen durchbrochen: in der Nennung des Hohenpriesters Simon im Lob der Väter bei Jesus Sirach (50,1–21) und in der Darstellung der seleukidischen Religionsverfolgungen in der Überlieferung der Makkabäer. Das dürfte in erster Linie damit erklärt werden, daß der alexandrinische Kanon, wie schon die genannte Stelle im Prolog des Jesus Sirach wahrscheinlich macht, bereits die Unterscheidung zwischen kanonisch und deuterokanonisch bzw. apokryph voraussetzt, in zweiter Linie damit, daß der historische Gegenstand, der im Mittelpunkt der nachkanonischen Geschichte Israels steht und darum Eingang in kanonisches Schrifttum fand, der *status confessionis* der makkabäischen Erhebung, durch das Mittelglied der danielischen Apokalypse, in apokalyptischer Verhüllung, auch im palästinischen Kanon Gegenstand des Zeugnisses geworden war. Allein von der Geschichte der Kanonisierung her dürfte auch einiges Licht auf die sonst ganz im Dunkeln bleibende Geschichte der Übersetzung der einzelnen Bücher, ihrer Folge und gegenseitigen Abhängigkeit fallen. Die kanonische Sonderstellung der Thora spiegelt sich nicht nur in der durch den Aristeasbrief dokumentierten zeitlichen Priorität als erste Übersetzung wider, sondern auch in ihrer Funktion als Grundlage und übersetzungstechnisches Vokabular für die übrigen Bücher des AT. Die kanonsgeschichtliche Zäsur, die durch die Aufnahme der Schriftpropheten gekennzeichnet ist, dürfte sich hinsichtlich der Übersetzung in einer je verschiedenen Art der Interpretation realisieren: Die Übertragung von Gesetz und geschichtlichen Büchern legt das Gewicht auf die reine Bewahrung der urprünglichen Aussage, die Übertragung der prophetischen Bücher strebt – das haben vor allem die Forschungen I. L. SEELIGMANNS an der Jesaja-LXX gezeigt – nach Aktualisierung, dem Hinweis auf die Leiden der Gegenwart des Übersetzers. Das Zeugnis der Geschichte dient auch in der Übersetzung der Erinnerung an geschehenes Handeln Jahwes an seinem Volk, der Beziehung auf die Gegenwart höchstens in dem Sinn, daß bestimmte Äquivalente so allgemein gewählt werden können, daß sie, wie z. B. der Begriff *archon* als Übersetzung für *maelaek,* sowohl auf das historische Phänomen (hier des Königs) als auch auf sein zeitgeschichtliches Analogon (des Hohenpriesters) zutreffen. Das Zeugnis der Prophetie dient, seiner ursprünglichen Intention entsprechend, auch in der Übersetzung dem Aufruf zum Bekenntnis in der Anfechtung der Gegenwart, und das bedeutet in hellenistischer Zeit zuerst: der *status confessionis* der seleukidischen Religionsverfolgungen: Die feindlichen Mächte der Zeit Jesajas, »Aram von vorn und die Philister von hinten« (9,12), werden zu den Bedrängern der Gegenwart, der seleukidischen Herrschaft im Osten und der hellenistischen Städte an der Küste; in der Gestalt der Repräsentanten des assyrischen und des babylonischen Weltreiches (Jes 10 und 14) erscheint in der Übersetzung der LXX der Inbegriff des widergöttlichen Tyrannen, Antiochos IV. Epiphanes. Die Apokalypse Daniels dürfte darum, als eines der letzten dem Kanon eingegliederten Zeugnisse, dessen ursprüngliche griechische Fassung nur wenige Jahre nach der Endredaktion des hebräisch-aramäischen Originals entstanden sein muß, das Mittelglied gewesen sein, anhand dessen der Prozeß der palästinischen und der hellenistisch-alexandrinischen Kanonisierung koordiniert werden konnte.

Das einzige Zeugnis, das über die *Konfrontation zwischen jüdischer und urchristlicher Gemeinde* hinsichtlich der Authentizität der alttestamentlichen »Heiligen Schrift« in der griechischen Gestalt der LXX direkt Aufschluß gibt, gehört erst dem 2. Jahrhundert n. Chr. an. Es ist der Dialog des Märtyrers Justin mit dem Juden Tryphon. Die wichtigste Frage, an der sich das richtige Verständnis der Geschichte der LXX entscheidet, besteht aber darin, ob der Streitgegenstand dieses Traktats, der gegenseitige Vorwurf der Schriftverfälschung, der auf beiden Seiten mit Beispielen begründet wird, als der *Ursprung* der jüdisch-christlichen Konfrontation zu bestimmen ist und wann innerhalb der Geschichte der jüdisch-christlichen Auseinandersetzung der Vorwurf der Schriftverfälschung anzusetzen ist. Diese Frage läßt sich nur durch indirekte Zeugnisse einer Beantwortung näherbringen: durch die alttestamentlichen Texte, die als Zitat, als »Schriftbeweis«, in die Zeugnisse des NT aufgenommen worden sind, durch die Textform der wenigen Fragmente der LXX jüdischen Ursprungs, die aus vor- oder urchristlicher Zeit erhalten geblieben sind, und durch die innerjüdischen Bemühungen um eine neue griechische Übersetzung des AT, die das hebräische Original getreuer wiedergibt als der altüberlieferte Text der LXX: Aquila, Theodotion und Symmachos.

Die LXX in ihrer ursprünglichen Gestalt ist die »Heilige Schrift« der jüdisch-hellenistischen wie auch der urchristlichen Gemeinde. Eine Verwerfung der griechischen Übersetzung als solcher von seiten des Judentums schon in urchristlicher Zeit, von der her allein eine Konfrontation zwischen jüdischer und christlicher Gemeinde nach dem Kriterium der gemeinsamen Heiligen Schrift denkbar wäre, ist für die Zeit der Entstehung der ältesten neutestamentlichen Zeugnisse ausgeschlossen. Neuere Funde zeigen aber, daß die jüdische Überlieferung der LXX schon in vor- und urchristlicher Zeit Elemente jener Annäherung an das hebräische Original aufweist, die sich einerseits mehrfach in den alttestamentlichen Zitaten des NT von Paulus bis zum 1. Petrusbrief und zur Apokalypse des Johannes wiederfinden und die andererseits der Intention der neuen jüdischen Übersetzungen des 2. Jahrhunderts n. Chr. entsprechen. Daraus folgt, daß die Rückbewegung der griechischen Übersetzung zum hebräischen Original nicht von Haus aus im jüdisch-christlichen Vorwurf der Schriftverfälschung gründete, sondern erst sekundär zum Gegenstand solchen Vorwurfs gemacht worden ist: im Zeitalter der Apologetik. Dieser textgeschichtliche Befund, der heute unbestritten ist, darf nicht durch eine Infragestellung oder Relativierung der geschichtlichen Überlieferung erklärt werden, nach der erst im 2. Jahrhundert n. Chr. von seiten der Judenschaft durch neue, dem hebräischen Original besser entsprechende Übersetzungen der altüberlieferte Text der LXX ersetzt wurde; der Befund findet seine beste Erklärung darin, daß Vorstufen der rezensionellen Angleichung an das hebräische Original, die der jüdischen und der urchristlichen Gemeinde gemeinsam waren und die im gemeinsamen Theologumenon der primären Autorität des hebräischen Originals gründeten, erst sekundär im 2. Jahrhundert n. Chr. die textgeschichtliche Grundlage für die theologisch restlos anders, durch die jüdisch-christliche Auseinandersetzung, mitverursachten eigentlichen Neuübersetzungen bildete: die »Vorgänger Aquilas« (D. BARTHÉLEMY). Auch in der Periode dieser jüdischen Übersetzer wird aber die jüdisch-christliche Auseinandersetzung nur als *mitbestimmendes* und erst in der zweiten Hälfte des 2. Jahrhunderts entscheidendes Motiv der Rückbewegung der griechischen Übersetzung zum hebräischen Original erklärt werden dürfen; das *auslösende* Motiv dürfte die innerjüdische Auseinandersetzung zwischen palästinischem und hellenistischem Judentum gewesen sein, die mit der durch die Zerstörung des zweiten Tempels dringlich gewordenen Definition des »rechtgläubigen Judentums« notwendig zu einer gemeinsamen Abgrenzung des Kanons hinstrebte. Für diese Erklärung spricht, daß die erste der neuen jüdischen Übersetzungen, das Werk Aquilas, nach jüdischer und christlicher Überlieferung eines Proselyten (j Meg 1,11, Qid 1,1; Iren haer III 23; Eus DemEv VII 1,32; Epiph, de mens et pond 14; Hier, in Is 8,14), der nach Epiphanius im 12. Jahr Hadrians (128/29 n. Chr.), nach rabbinischen Angaben aber eher vor 110 n. Chr. wirkte, weit in die vorapologetische

Periode und in eine Zeit fällt, in der die masoretisch überlieferte endgültige Festlegung des hebräischen alttestamentlichen Textes realisiert worden sein muß. Innerjüdischen Belangen entspricht auch der Charakter dieser Übersetzung: Sie beruht auf der rabbinischen Lehrtradition Akibas (50/55–135 n. Chr.), nach der ein jedes Element des hebräischen Urtextes für inspiriert gilt und darum ein griechisches Äquivalent erfordert; sie ist darum nur für den mit der eigenen Tradition vertrauten Juden eigentlich verstehbar, für den Nichtjuden höchstens im polemischen Sinn der Abgrenzung, nicht im apologetischen der Auseinandersetzung; sie bewahrt aber trotz dieser Intention die jüdisch-hellenistische Tradition der vorgegebenen LXX in dem Sinn, daß überlieferte Übersetzungstechnik und Äquivalenz dort, wo sie der hebräischen Vorlage entspricht, beibehalten werden; sie zeigt die Verpflichtung auf die vorgegebene Tradition auch darin, daß Aquila, wie Hieronymus bezeugt, sein Übersetzungswerk in zwei Fassungen vollendete, einer freieren und einer streng wörtlichen *»quam Hebraei kat akribeian nominant«* (Hier, in Ez, zu 3,15, vgl. in Dan, zu 1,3–4a). Die spätere jüdische Tradition der Rückbewegung zum hebräischen Urtext, die in die Periode der christlichen Apologetik fällt, zeigt nun aber die kaum anders als aus innerjüdischen, gottesdienstlichen Motiven zu erklärende Tendenz, den altüberlieferten Text der LXX, soweit er mit dem hebräischen Original übereinstimmte, zu bewahren, wieder in viel stärkerem Maße: Theodotion, nach der glaubwürdigsten Quelle, Irenäus, der selbst asiatischen Ursprungs und sein jüngerer Zeitgenosse war (haer III 23), ein jüdischer Proselyt aus Ephesus, der nach Epiphanius unter der Regierung des Commodus (180–192 n. Chr.) wirkte (de mens et pond 17), schuf sein Übersetzungswerk nach dem Grundsatz, daß er trotz der Kenntnis und Verwertung der vorliegenden Übersetzung Aquilas die Vorlage der LXX nur in den Teilen, wo sie vom hebräischen Grundtext inhaltlich abwich, aufgab, im übrigen aber unbedenklich, und ohne die Übersetzungstechnik Aquilas zu berücksichtigen, übernahm. Sein Werk ist ein Mittelglied zwischen Übersetzung und Rezension. Dieser Intention entspricht in anderer Weise die ungefähr zur gleichen Zeit entstandene Übersetzung des Symmachos, die aus dem Grund nur bedingt für die Frage nach ihrer Bedeutung für das Problem ursprünglich jüdischer Initiative und jüdisch-christlicher Auseinandersetzung beigezogen werden darf, weil Symmachos nach dem Zeugnis Eusebs ein Ebionit war (hist eccl VI 17, vgl. DemEv VII, 1,33) und darum sein Werk zum Zwecke des kultischen Gebrauchs in dieser Spätform des Judenchristentums geschaffen haben dürfte. Doch berechtigt der eigentümliche Charakter seiner Übersetzung, in der einerseits die von Aquila ausgehende Vorarbeit und – unabhängig von ihm – die LXX verwertet sind, die andererseits aber auch das deutliche Bemühen um eine Neugestaltung nach den Stilprinzipien der späten römisch-hellenistischen Kunstprosa zeigt, zur Annahme, daß Symmachos in seiner Übersetzungsarbeit auf einer über Aquila und Theodotion hinausgehenden jüdischen Vorarbeit an der Gestaltung des griechischen AT fußt, eine Vermutung, die noch durch die von Euseb überlieferte Tatsache weiterer, anonymer Übersetzungen jüdischen Ursprungs gestützt wird (hist eccl VI 16). Es ist denn auch nicht der altüberlieferte Text der LXX als solcher, der in der apologetischen Auseinandersetzung zwischen Juden und Christen Gegenstand des Vorwurfs der Schriftverfälschung, der Verwerfung auf jüdischer, der Anerkennung auf christlicher Seite, ist – die kategorische Verfluchung der Übersetzung der LXX in der rabbinischen Tradition muß als spätere Radikalisierung der jüdisch-christlichen Konfrontation bestimmt werden (TMeg IV [III] 41, Sof I 8, Fastenrolle App; vgl. VT 12, 1962, 144) –; es sind vielmehr Einzelelemente *innerhalb* der vorgegebenen LXX-Überlieferung, die Anlaß dieses gegenseitigen Vorwurfs werden, auf jüdischer Seite der willkürlichen Eintragung von *interpretationes christianae,* wie des Zusatzes »vom Holze her« *(apo tou xylou)* als christologische Interpretation der Aussage von Ps 95 (MT 96), 10 »Verkündet unter den Völkern: ›Der Herr ist König geworden‹« (Just Dial 73,1), auf christlicher Seite der Ausmerzung textgemäßer altüberlieferter Übersetzungstradition, wie der das christlich-messianische Theologumenon der Jungfrauengeburt begründenden Wiedergabe der Gebärerin des Immanuel (ʿalmâh) mit *parthenos* in Jes 7,14 durch das Äquivalent *neanis* bei den jüdischen Übersetzern des 2. Jahrhunderts n. Chr. (Just Dial 43,7; 67,1; 71,3). Die Überlieferung der für diese Auseinandersetzung in Anspruch genommenen Textelemente ist disparat: auf christlicher Seite teilweise, wie ein dem Buch Esra zugeschriebener messianischer Zusatz, nur bei Iustin belegt (Dial 72), teilweise, wie das Interpretament in Ps 96 nur in einer sekundären Texttradition, auf jüdischer Seite, wie die Ersetzung von *parthenos* durch *neanis,* zuerst bei Aquila, wo sie rein übersetzungstechnisch, nicht theologisch zu erklären ist. Dies berechtigt zur Vermutung, daß es sich auch hier mehr um ein erst und nur in der Apologetik theologisch-polemisch ausgewertetes Phänomen handelt, dessen Ursache anderswo zu suchen ist, einerseits in der frühchristlichen Exegese, die von Anfang an vom interpretierten Text unterschieden war, andererseits in jüdischer Übersetzungstechnik, deren Anfänge weit vor der jüdisch-christlichen Auseinandersetzung liegen. Sicher ist, daß dieses Problem mit dem Ende der apologetischen Periode und mit dem Beginn der christlichen Rezensionen seine Lösung gefunden hat. An der Nahtstelle steht das textgeschichtliche Werk des Origenes (185–254 n. Chr.), dessen Ziel die Erarbeitung einer Juden und Christen gemeinsamen Textgrundlage als der notwendigen Voraussetzung für eine theologisch relevante jüdisch-christliche Diskussion ist. Sollten während der Periode der Apologetik die christlicherseits als ursprünglicher Text der LXX in Anspruch genommenen *interpretationes christianae* weite Verbreitung gefunden haben – die Überlieferung gibt darauf keine Antwort –, dann müßte es das Werk des Origenes gewesen sein, dem ihre Ausmerzung und die Reduktion des alexandrinischen Kanons für den kirchlichen Gebrauch auf das zu verdanken wäre, was er von Hause aus war: die Heilige Schrift des hellenistischen Judentums. Das ursprüngliche Motiv seiner Arbeit ist apologetisch, aber nicht mehr im polemischen Sinn des gegenseitigen Vorwurfs der Schriftverfälschung, sondern in vermittelnder Absicht, um eine gegenseitige, auf der gemeinsamen biblischen Textgrundlage gründende Verständigung zu erreichen. Dieses Motiv beruht aber zuerst auf einer innerchristlichen Intention. Die Erarbeitung einer Juden und Christen gemeinsamen Textform war in dieser Zeit – das ist der Gegenstand des Briefwechsels zwischen Origenes und Julius Africanus – bereits dem Vorwurf des willkürlichen Eingriffs in Schrift gewordenes Wort der Offenbarung ausgesetzt. Hier hat die von Philo übernommene (Vit Mos II 5–7), im Judentum nur zu seiner Zeit denkbare Interpretation der Aristeaslegende als Inspiration der Übersetzung ihren Ursprung. Sie ist weder Justin noch Origenes bekannt und erst von Irenäus an nachweisbar (haer III 24,1f; vgl. Clem Alex Strom I 148; Ps.-Justin, Cohortatio ad Graecos 13). Im Werk des Origenes wiederholt sich somit, unter einer neuen geistesgeschichtlichen Voraussetzung, auf *christlicher* Seite die Problematik der Relation zwischen innerchristlicher endgültiger Festlegung der Heiligen Schrift der LXX und ihrer Zubereitung für den außerchristlichen Bereich des Judentums, die sich auf *jüdischer* Seite in der Relation zwischen der innerjüdisch bedingten Rückbewegung der überlieferten Textform der LXX zum hebräischen Original in den neuen Übersetzungen des 2. Jahrhunderts n. Chr. und ihrer Anwendung für den außerjüdischen Bereich der frühchristlichen Gemeinde manifestiert hatte. Das ursprünglich Juden und Christen gemeinsame Verständnis der griechischen »Heiligen Schrift« als Abbild, das nur in seiner Übereinstimmung mit dem hebräischen Urbild den Anspruch erheben durfte, Heilige Schrift zu sein, und darum jederzeit nach dem Urbild korrigiert werden durfte, ist damit auf beiden Seiten verlassen, auf jüdischer in der Richtung der Verwerfung der Diskrepanzen zwischen Original und Übersetzung, auf christlicher in Richtung ihrer Anerkennung als inspirierte »Heilige Schrift«. Diese innerchristlich theologische Intention, der gegenüber das apologetische Motiv der christlich-jüdischen Auseinandersetzung nur noch sekundäre Bedeutung hat, liegt der Textherstellung des Origenes in der fünften Spalte seiner Hexapla zugrunde, in der die Abweichungen des überlieferten LXX-Textes vom hebräischen Original gekennzeichnet wurden. Hierbei finden als Kriterium die Übersetzungen von Aquila, Symmachos und in erster Linie der darum die letzte Spalte einnehmende Theodotion und in diesem Zusammenhang die aus der alexandrinischen Homerkritik übernommenen »aristarchischen Zeichen«, der Asteriskus für Zusätze, der Obelos für Tilgungen, Verwendung. Die Bedeutung der übernommenen Elemente der Angleichung wird nun aber im paulinischen Sinn unter den Vorbehalt gestellt, den schwachen Gliedern kein Anstoß zu werden (1 Kor 8,9): »Wem es beliebt, der mag es (im gottesdienstlichen Vortrag) vorbringen, wem es aber anstößig ist, der mag über seine Aufnahme entscheiden wie er will« (Comm in Mt XV 14 [zu Mt 19,19]), während das abweichende Sondergut der altlüberlieferten LXX als unveräußerlicher Besitz der christlichen Kirche gilt, dessen Verwerfung mit der Preisgabe der höchsten Güter christlichen Glaubens gleichbedeutend wäre: »Es wäre an der Zeit, wenn wir diesen Unterschied (zwischen LXX und hebräischem AT) erkannt haben, die Bibeltexte, die in der Kirche zur Geltung gekommen sind, zu ächten und unseren Brüdern zu befehlen, die von ihnen anerkannten heiligen Bücher zu verwerfen und die Juden inständig zu bitten, uns Anteil zu geben an ihren ursprünglichen und unverfälschten Texten. Dann aber hätte auch die göttliche Vorsehung keine Sorge getragen um die ›teuer Erkauften‹, ›für die Christus gestorben ist‹ (1Kor 6,20; 7,23; Röm 14,15), welchen Gott, ›obwohl er der Sohn war‹ (Hebr 5,8), ›nicht verschont hat‹, er, der die Liebe ist, ›damit er uns mit ihm alles schenke‹« (Röm 8,32. Ad Afr 4). Die Textrekonstruktion des Origenes wurde in seinem Monumentalwerk, der Hexapla, und in der um die beiden ersten Spalten, den hebräischen Text und seine griechische Transkription, verkürzten Tetrapla vollendet (Eus hist eccl VI 16). Sie wurde als selbständige, früh von den aristarchischen Zeichen befreite Tradition der fünften Spalte von seinen Schülern Euseb und Pamphilus für den kirchlichen Gebrauch in Palästina verbreitet. Hierauf beruhen letzlich die schwerer faßbaren übrigen christlichen Rezensionen, deren Existenz gegen Ende des 4. Jahrhunderts n. Chr. Hieronymus im Prolog zu seiner Übersetzung der Chronikbücher bezeugt: »Alexandria und Ägypten preist in seinem Text der LXX Hesych als Urheber, der Bereich von Konstantinopel bis

Antiochia anerkennt die Handschriften Lukians des Märtyrers, die dazwischenliegenden Provinzen lesen die palästinischen Texte, die von Origenes erarbeitet, von Euseb und Pamphilus verbreitet worden sind, und der ganze Erdkreis steht im Wettstreit um die Anerkennung dieser drei Textformen« *(totusque orbis hac inter se trifaria varietate conpugnat).* Die Urheber der von Hieronymus für die drei Kirchenprovinzen in Anspruch genommenen Rezensionen sind nachweisbar: Origenes für die palästinische, Lukian (der 312 n. Chr. unter Maximinus Daza das Martyrium erlitt) für die antiochenische; für die alexandrinische ist Hesych (Bischof von Ägypten, 303 n. Chr. Märtyrer unter Diokletian: Eus hist eccl VIII 13,7) als Urheber wahrscheinlich. Aufgrund dieses Zeugnisses ist die chronologische Folge so zu bestimmen, daß die palästinische Rezension den Anfang bildet, die antiochenische und die alexandrinische parallel nebeneinander laufend auf sie folgten. Ihr Charakter kann aus der biblischen Textform der den Provinzen zugehörenden Schriftsteller eruiert werden, ist aber über die am besten bezeugte palästinische hinaus nur für die antiochenische zu verifizieren: in ihr verbindet sich die übernommene und weitergeführte palästinische Tradition, wie sie nach dem hebräischen Original korrigiert wurde, mit der selbständigen, teilweise der attisierenden Strömung verpflichteten, morphologischen, syntaktischen und stilistischen Überarbeitung nach griechischen Sprachgesetzen. Für die bis heute nicht eindeutig verifizierte alexandrinische Rezension ist am ehesten die Tendenz zu vermuten, den altüberlieferten Text der LXX unabhängig vom Vergleich mit dem Urbild des hebräischen Originals zu bewahren; dieser Befund ist für die alexandrinische Theologie auch am wahrscheinlichsten zu erwarten.

III. Die Textgeschichte

Die Geschichte des Textes der LXX erscheint uns im wesentlichen als eine indirekte Bestätigung dessen, was aus direkten Zeugnissen über ihre Entstehung und ihre Geschichte verifizierbar war: ihre Entstehung in der alexandrinischen Judenschaft des 3. vorchristlichen Jahrhunderts, ihre Sanktifizierung als der alexandrinische Kanon, ihre Bedeutung als einer Juden und Christen gemeinsamen Heiligen Schrift in urchristlicher Zeit und ihre durch die apologetisch-polemische Auseinandersetzung zwischen Juden und Christen hervorgerufene, von Origenes initiierte rezensionelle Bearbeitung nach dem hebräischen Original anhand der jüdischen Neuübersetzungen des 2. Jahrhunderts n. Chr. Lange Zeit vor Aquila, schon in vorchristlicher Zeit, setzt eine kontinuierliche Vergleichung und Korrektur der LXX nach der Überlieferung des hebräischen Urtextes ein. Sie ist nicht durch direkte Zeugnisse, sondern nur durch eine textgeschichtliche Dokumentation nachzuweisen, die heute durch die neueren Handschriftenfunde genuin jüdischer Herkunft aus vorchristlicher und urchristlicher Zeit gegeben ist. Mit diesem Befund setzt eine neue Periode der LXX-Forschung ein. Sie soll im folgenden in der Weise skizziert werden, daß die Textgeschichte der LXX nur als indirekte Bestätigung des geschichtlichen Befundes, nicht in ihren weitverzweigten Einzelproblemen umrissen werden wird.

1. Die in der Aristeaslegende überlieferte *Entstehung* der LXX, beginnend mit der Übersetzung der Thora im 3. Jahrhundert v. Chr., wird hinsichtlich ihrer zeitlichen Ansetzung durch neuere Funde bestätigt; es handelt sich um LXX-Handschriften des Pentateuch, die bis ins 2. Jahrhundert v. Chr. zurückreichen. Daß es sich ursprünglich um ein in sich einheitliches Übersetzungswerk handelt, ergibt sich durch den Befund, daß die ältesten LXX-Texte jüdischer Herkunft grundsätzlich bereits die christlich überlieferte Textform der LXX zeigen; demgegenüber lassen sich abweichende Textteile, die meist der hebräischen Vorlage näherstehen, als Rezensionselemente nachweisen.

2. Die *Kanonisierung* der Einzelübersetzungen des alexandrinischen Kanons ist bis heute nur in christlichen Handschriften dokumentiert; sie muß aber jüdischen Ursprungs sein, der sich textgeschichtlich der masoretisch überlieferten Anordnung des palästinischen Kanons gegenüber als sekundär erweist: Die Folge der Bücher, die sich im palästinischen Kanon auf die Chronologie der Kanonisierung zurückführen läßt, ist im alexandrinischen Kanon teilweise nach historischen, inhaltlichen oder formalen Kriterien umgeordnet. So erscheint das Buch Ruth als Dokument der davidischen Genealogie vor dem Geschichtswerk der Samuel-Königsbücher (nach LXX Regnorum I–IV), die Bücher Esra-Nehemia (nach LXX Esdras II) folgen auf die Chronikbücher, das Zwölfprophetenbuch ist den großen Schriftpropheten vorangestellt und in sich so geordnet, daß die drei ältesten Propheten des 8. Jahrhunderts, Hosea, Amos, Micha, aufeinanderfolgend am Anfang stehen, die Apokalypse Daniels wird als letztes Prophetenbuch erklärt, die drei kanonischen Kategorien, Thora, Nebiim, Ketubim, sind zugunsten der drei Grundformen der Aussage: Geschichte, Prophetie, Weisheit – auch hinsichtlich der Einordnung der Apokryphen – durchbrochen. Die von JEAN-PAUL AUDET 1950 herausgegebene Kanonliste, in der die aramaisierte hebräische Titulatur mit dem griechischen

Äquivalent grundsätzlich in der Reihenfolge des alexandrinischen Kanons, aber ohne die Apokryphen überliefert wird, vermag, wenn ihre Datierung in die zweite Hälfte des 1. Jahrhunderts n. Chr. richtig ist, nicht die Priorität der alexandrinischen Anordnung zu beweisen (so P. Katz), sondern nur einen die Kanonfrage betreffenden palästinisch-alexandrinischen Kontakt. Dabei sei offen gelassen, ob sie jüdischer (J.-P. AUDET, P. KATZ) oder christlicher Herkunft ist.

3. Die zwischen Entstehung und endgültiger Festlegung des alexandrinischen Kanons liegende Geschichte der *Tradition* der LXX ist nach dem heutigen Stand der Forschung textgeschichtlich durch die genuin jüdische Rezension nach dem hebräischen Original bestimmt, die in der 1952 aufgefundenen Zwölfprophetenrolle von Murabbaʿat dokumentiert wird und um die Mitte des 1. Jahrhunderts n. Chr. anzusetzen ist. Sie findet sich in ähnlicher Form im urchristlichen Schrifttum, vor allem in den Paulusbriefen wieder. Die erhalten gebliebenen, noch älteren LXX-Texte jüdischer Herkunft weisen bereits Spuren solcher Rezensionstätigkeit auf. Von hier her muß auch der textgeschichtliche Befund erklärt werden, der zu tiefgreifenden theologischen Spekulationen Anlaß gab, daß diese Texte den Jahwenamen ausnahmslos nicht wie die christlichen Handschriften mit *Kyrios*, sondern mit dem Tetragramm wiedergeben. Als Ort ihrer Entstehung ist Palästina anzunehmen. Weitgehend noch ungeklärt ist ihr Verhältnis zu den jüdisch-christlichen Rezensionen bzw. Neuübersetzungen des 2. bis 4. Jahrhunderts n. Chr., die gleicherweise nur fragmentarisch, in Kommentaren der Kirchenväter, erhalten geblieben sind, Aquila auch in wenigen Fragmenten der Kairo-Genizah, Reste der Psalterhexapla des Origenes in den »mercatischen Fragmenten« eines Palimpsests der Ambrosiana. Für die vorangehende vorchristliche Zeit ist nach Ausweis der älteren Bibeltexte von Qumran, vor allem der teilweise noch der Veröffentlichung harrenden Samueltexte und der älteren Jesaiarolle, eine begrenzte Vielgestalt in der Tradition der hebräischen Vorlage erkennbar. Sie spiegelt sich im Text der LXX zuweilen wider. Von der mit der Zwölfprophetenrolle gegebenen Zäsur an ist als Kriterium der Rezension grundsätzlich bereits die vereinheitlichte »protomasoretische« Textform anzunehmen, die eindeutig die Grundlage für die Rezensionsarbeit des 2. Jahrhunderts ist. Der fragmentarische textgeschichtliche Befund läßt aber weder für die vorchristliche Zeit die These verschiedener geographisch bestimmbarer Textformen zu (F. M. CROSS), noch für die urchristlich-christliche Zeit die eindeutige Zuordnung dieser Rezension zu den jüdischen und christlichen Textformen des 2. Jahrhunderts (D. BARTHÉLEMY).

Man wird hinsichtlich ihrer Herkunft ebenso Vorformen in vorchristlicher Übersetzung suchen müssen, wie hinsichtlich ihrer Übernahme eine gewisse Breite der Tradition anzunehmen ist, in die sie Eingang gefunden hat.

3.1. Die Entdeckung dieser Rezension berechtigt darum nicht zum Zweifel an der Glaubwürdigkeit der Tradition über die jüdisch-christliche Übersetzungs- und Rezensionsarbeit, die im 2. Jahrhundert n. Chr., mit Aquila, einsetzt. Sie bestätigt lediglich den Befund einer rezensionellen Vorstufe, der schon früher – vor allem hinsichtlich der lukianischen Rezension – durch Übereinstimmungen mit dem Bibeltext des Josephus und der Vetus Latina gegeben war.

3.2. Mit dieser neuen Dokumentation der Textgeschichte darf auch ein lange überbewerteter Streit in der Septuagintaforschung als beigelegt gelten: die Konfrontation der von P. de Lagarde ausgehenden, in der Göttinger Editionsarbeit über A. Rahlfs, P. Katz bis zu J. Ziegler und seinen Nachfolgern der Textrekonstruktion zugrunde gelegten These einer ursprünglichen Einheit (nicht »Urseptuaginta«!) mit der von P. Kahle vertretenen »Targumhypothese«, nach der ein relativ spätes Zusammenwachsen einer ursprünglichen Vielheit von Übersetzungen (Targumim) postuliert wird. Der Streit, der sich an der Überlieferung der biblischen Zitate in den Schriften Philos entzündete, ist durch die Rezension der Zwölfprophetenrolle insofern entschieden, als ein rezensioneller Text jüdischer Herkunft schon für die Zeit Philos angenommen werden muß. Sein Kriterium ist die Angleichung an die hebräische Vorlage, mag er bei Philo ursprünglich (so Kahle) oder sekundär (so Katz) sein. Es gibt aber (gegen Kahle) keine beweiskräftigen Argumente für die Annahme, daß die hebraisierenden Rezensionselemente auf ursprünglich selbständigen, vollständigen Übersetzungen beruhen, die erst sekundär in gleichzeitig existierende andere Übersetzungen eingearbeitet worden wären.

3.3 Von dieser textgeschichtlichen Voraussetzung aus ergibt sich notwendig der allein sinnvolle Weg der Textrekonstruktion: Die grundsätzlich für jedes Buch der LXX anzunehmende ursprüngliche Form der griechischen Übersetzung wird durch Ausscheidung der jüdischen und christlichen Rezensionselemente, deren wichtigstes Kriterium in der Angleichung an das hebräische Original besteht, zurückgewonnen. Kriterien für die Bestimmung von Herkunft, Alter und Ort der Rezensionselemente sind (1) die hebräische Vorlage, die von der zweiten Hälfte des 1. Jahrhunderts n. Chr. an in der protomasoretisch verfestigten einheitlichen Form, für die vorangehende Zeit noch in einer begrenzten Offenheit vorauszusetzen ist, (2) die alttestamentlichen Zitate der Kirchenschriftsteller, die nach den Erkenntnissen von P. de Lagarde, F. Field und A. Ceriani vor allem für die Erfassung der lukianischen oder antiochenischen Rezension ertragreich waren, und (3) die frühen Sekundärübersetzungen der LXX, die in der östlichen Reichskirche durch die Bildung nationaler Sonderkirchen an ihren Rändern, vor allem der koptischen, der äthiopischen und der armenischen, in der westlichen Hälfte des römischen Reiches durch das Vordringen des Lateinischen als allgemeiner Landessprache verursacht sind: Sie bewahren die Textform ihrer Entstehung oft getreuer, als dies in der griechischen Tradition der Fall ist, und sind der handschriftlichen Überlieferung nach, vor allem im Koptisch-Sahidischen, zuweilen älter als die ältesten griechischen Zeugen. Die wegen ihrer Ersetzung durch die Vulgata nur fragmentarisch überlieferte Vetus Latina, die ihrer Entstehung nach vorhexaplarisch ist, hat ihre textgeschichtliche Bedeutung zuerst durch ihre in diese Richtung weisenden Rezensionselemente. Die koptische Überlieferung läßt durch ihr Alter textgeschichtlichen Aufschluß über jene frühe Periode erwarten, die kirchengeschichtlich durch den Wechsel des Origenes von Alexandrien nach Palästina und seine wahrscheinlich erst dort beginnende Rezensionsarbeit charakterisiert ist. Die ihrer Entstehung nach im 4. Jahrhundert n. Chr. anzusetzende, ihrer Überlieferung nach aber nicht hinter das 13. Jahrhundert zurückgehende äthiopische Übersetzung dürfte durch weitgehende Übereinstimmung mit dem von rezensioneller Bearbeitung verhältnismäßig freien Codex Vaticanus auf ein relativ frühes Stadium des LXX-Textes im Bereich von Alexandria hinweisen. Die erhaltene armenische Überlieferung, deren Ursprung im 5. Jahrhundert n. Chr. anzusetzen ist, erweist sich in starkem Maß als Träger der hexaplarischen Rezension. Die gotische Übersetzung des Bischofs Wulfila († 383), die für die Textgeschichte der LXX aus dem Grund von geringer Bedeutung ist, weil nur wenige Fragmente des Buches Nehemia erhalten geblieben sind, beruht auf der Textform der lukianischen Rezension. Die syrische Überlieferung des AT stellt textgeschichtlich insofern einen Sonderfall dar, als sie in ihrem frühesten Stadium, der Peschitta, deren jüdischer oder christlicher Ursprung im Dunkeln bleibt, direkt auf die hebräische Vorlage zurückgeht, ihre auf der LXX beruhende Tradition eindeutig und in größerem Umfang aber erst in der 616/617 n. Chr. verfaßten Übersetzung des hexaplarischen LXX-Textes des Bischofs Paul von Tella faßbar ist.

3.4. Die Textgeschichte der LXX in der umrissenen Vielgestalt erscheint damit als Beweis für eine einem jeden Buch eigene in sich einheitliche Urform der Übersetzung, die durch Ausscheidung der Rezensionselemente annähernd rekonstruierbar ist.

Abbildungen

1 Neolithischer Turm von Jericho. Präkeramisch-neolithisch A. *Zu. S. 149.* – Aus: Kathleen M. Kenyon, Archäologie im Heiligen Land, Taf. 7. Neukirchener Verlag, Neukirchen-Vluyn, 2. Aufl. 1976.

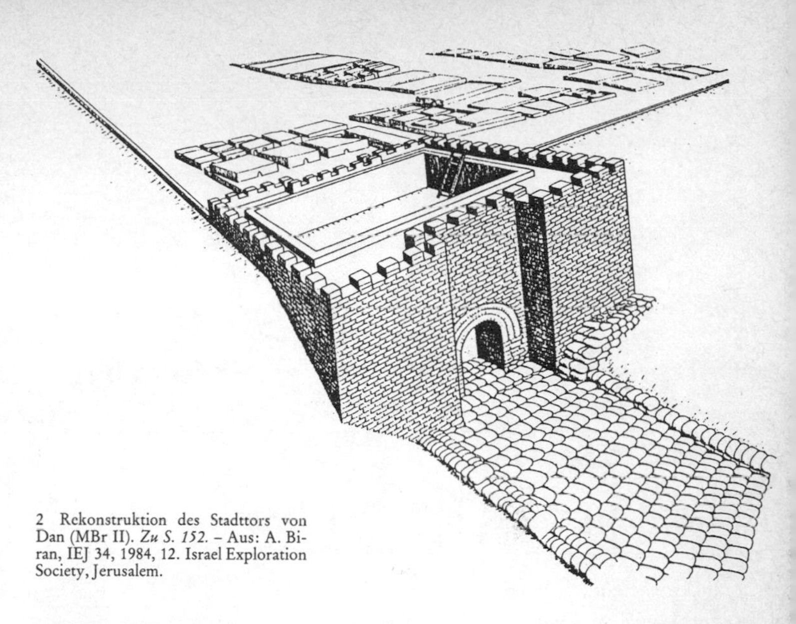

2 Rekonstruktion des Stadttors von Dan (MBr II). *Zu S. 152.* – Aus: A. Biran, IEJ 34, 1984, 12. Israel Exploration Society, Jerusalem.

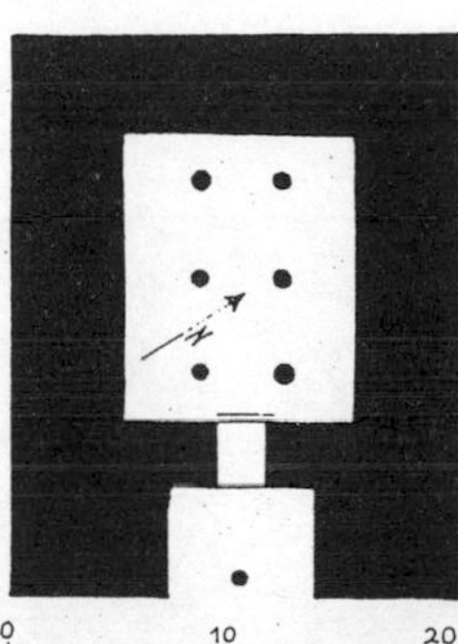

3 Grundriß und Rekonstruktion des Tempels von Sichem (MBr II). *Zu S. 152.* – Aus: Othmar Keel, Die Welt der altorientalischen Bildsymbolik und das Alte Testament. Am Beispiel der Psalmen, 138, 158. Neukirchener Verlag, Neukirchen-Vluyn, 4. Aufl. 1984. Benziger Verlag, Zürich.

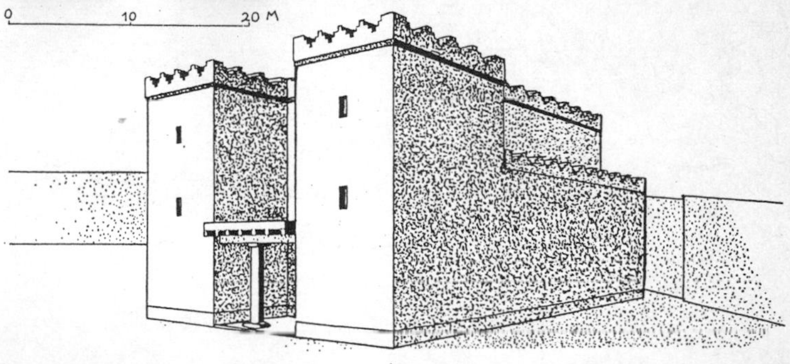

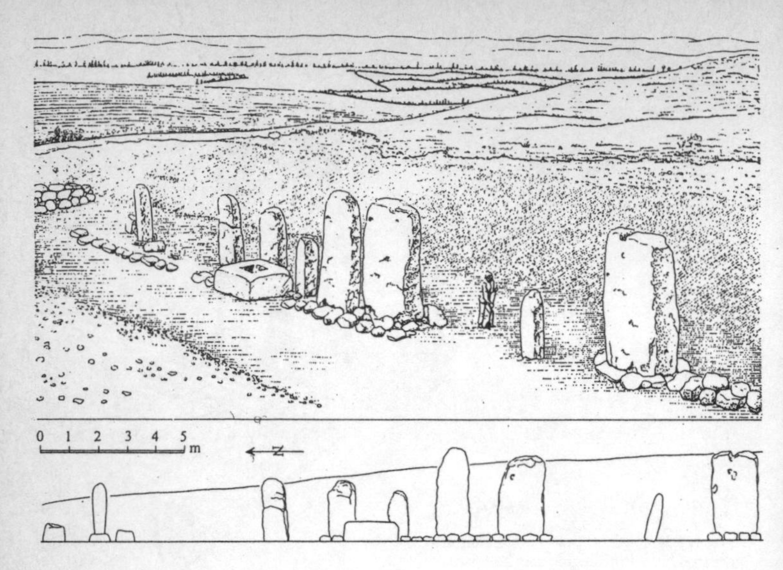

4 Stelenreihe von Geser (MBr II). *Zu S. 153.*

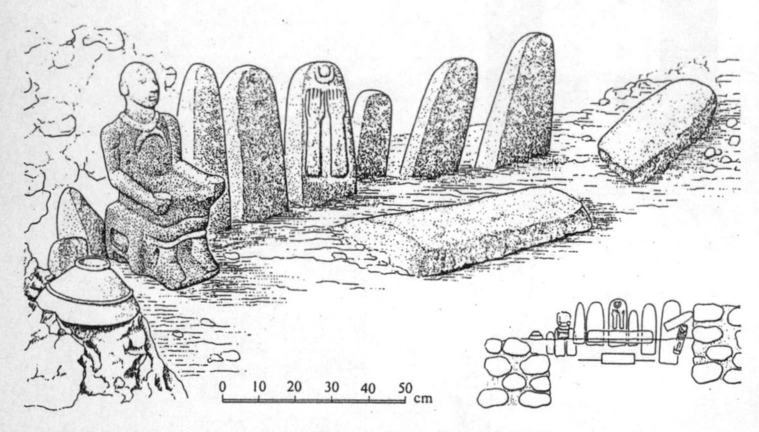

5 Stelen und Statuette aus dem Stelenheiligtum in Hazor (SpBr). *Zu S. 155.*

Abb. 4/5 aus: Biblisches Reallexikon, hrsg. Kurt Galling, 207f. J. C. B. Mohr (Paul Siebeck), Tübingen, 2. Aufl. 1977. Abb. 49 Massebe (2), Abb. 49 Massebe (4).

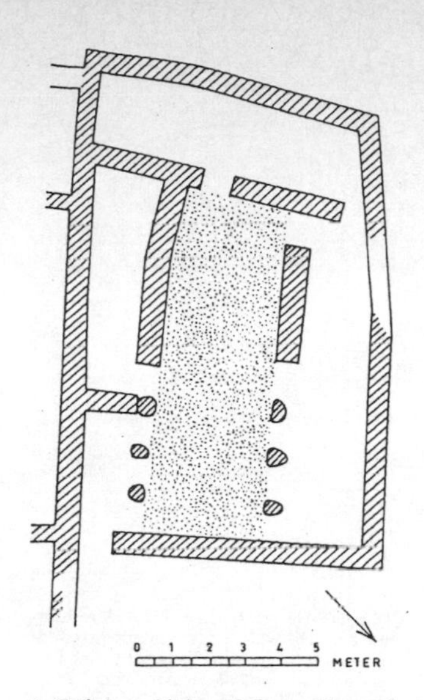

6 Früheisenzeitliches Hofhaus (Vierraumhaus) aus Ḫirbet el-Mšāš (E I). *Zu S. 158.* – Nach: V. Fritz und A. Kempinski, Ergebnisse der Ausgrabungen auf der Ḫirbet el Mšāš II, 1983, Plan 6.

7 Philistäische Figurine (›Aschdoda‹) aus Aschdod (E I). *Zu S. 160.* – Aus: M. Dothan, Ashdod II–III, 193. Department of Antiquities and Museums, Jerusalem, 1971.

8 Ostrakon aus ʿIzbet Ṣarṭah (E I). *Zu S. 159.* – Aus: M. Kochavi, Tel Aviv 4, 1977, 5. Ramot Publishing Co., Tel Aviv University. Sonia and Marco Nadler, Institute of Archaeology.

9 Balūʿa-Stele (E I). *Zu S. 159.* – Aus: Othmar Keel, Die Welt der altorientalischen Bildsymbolik und das Alte Testament. Am Beispiel der Psalmen, 290. Neukirchener Verlag, Neukirchen-Vluyn, 4. Aufl. 1984. Benziger Verlag, Zürich.

10 ›Bauernkalender‹ aus Geser (E II). *Zu S. 159.* – Aus: A. S. Kapelrud, Biblisch-Historisches Handwörterbuch I, 23. Vandenhoeck & Ruprecht GmbH & Co. KG, Göttingen, 1962.

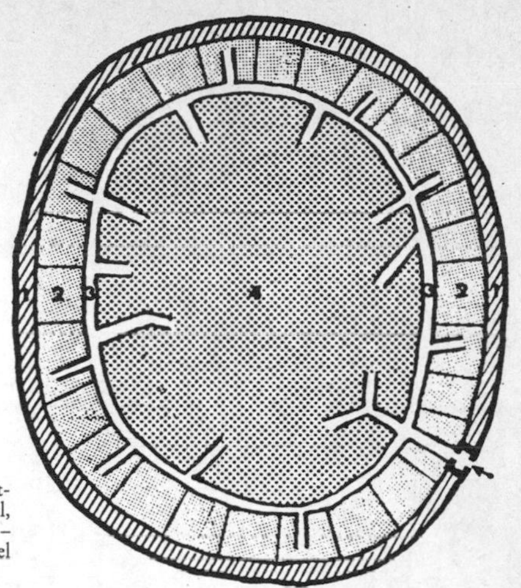

11 Modell einer Stadt der E II: 1 Stadtbefestigungen, 2 äußerer Häusergürtel, 3 Ringstraße, 4 Stadtkern. *Zu S. 163.* – Aus: Y. Shiloh, IEJ 28, 1978, 41. Israel Exploration Society, Jerusalem.

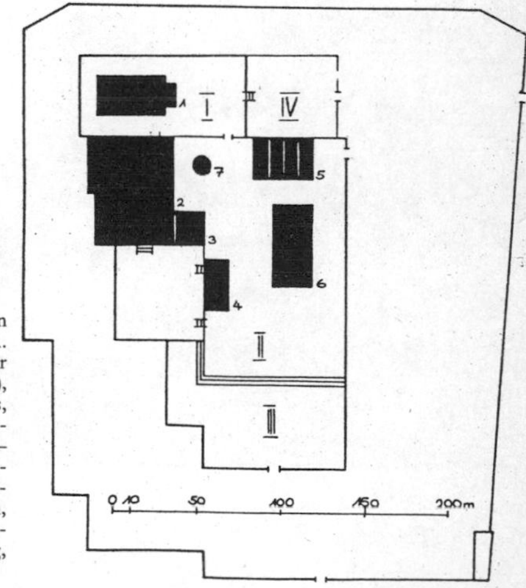

12 Rekonstruktion des Salomonischen Palastareals in Jerusalem nach Th. A. Busink: 1 Tempel, 2 Palast, 3 Palast der Königin, 4 Thronsaal, 5 Ställe (ergänzt), 6 Libanonwaldhaus, 7 Heiliger Fels, I Tempelhof, II Großer Hof, III »Anderer« Hof, IV Neuer Hof. *Zu S. 162.* – Aus: Othmar Keel, Die Welt der altorientalischen Bildsymbolik und das Alte Testament. Am Beispiel der Psalmen, 241. Neukirchener Verlag, Neukirchen-Vluyn, 4. Aufl. 1984. Benziger Verlag, Zürich.

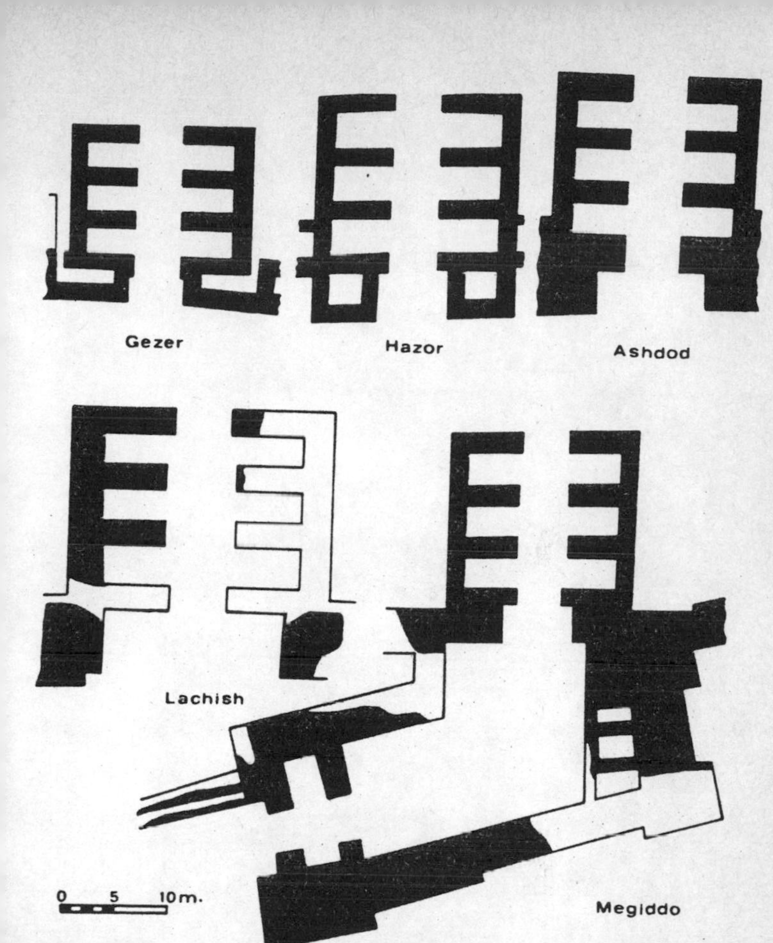

14 Toranlagen aus salomonischer Zeit. *Zu S. 163.* – Aus: W. G. Dever, in: T. Ishida, ed., Studies in the Period of David and Solomon and Other Essays, 291. Yamakawa-Shuppansha Ltd., Tokyo, 1982.

◀ 13 Salomonisches Tor von Geser mit aufgedeckter Kanalisation. *Zu S. 163.* – Massada Press, Jerusalem.

15 Mauer des Palastbezirks von Samaria mit Läufern und Bindern und mit Reparaturen aus unbehauenen Steinen (E II). *Zu S. 162f.* – Aus: Crowfoot, J. W., Kenyon, K. M. and Sukenik, E. L., Samaria-Sebaste: Reports on the Work of the Joint Expedition in 1931–1933 and of the British Expedition in 1935: No. 1: The Building at Samaria, Plate XIII: 2 [1942]. From the archives of the Palestine Exploration Fund.

16 Elfenbeinplakette aus Samaria in ägyptischem Stil (E II). *Zu S. 163.* – Aus: Kathleen M. Kenyon, Archäologie im Heiligen Land, Taf. 53a. Neukirchener Verlag, Neukirchen-Vluyn. 2. Aufl. 1976.

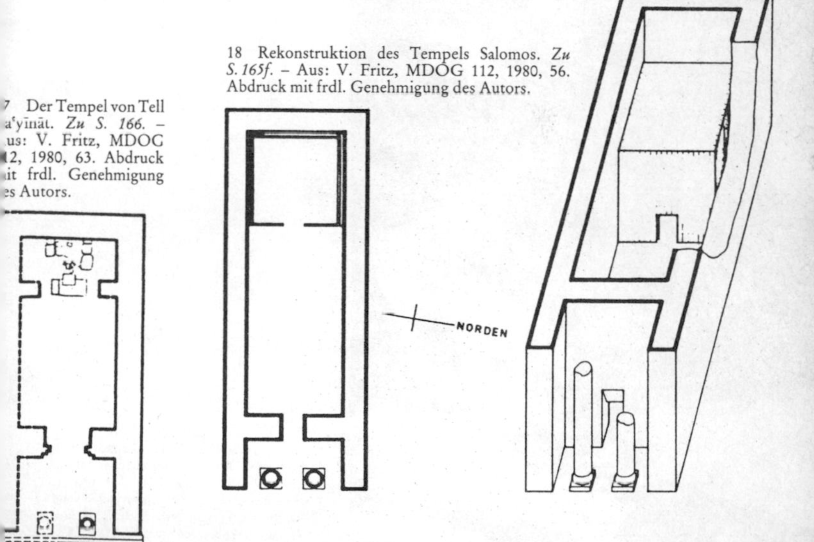

18 Rekonstruktion des Tempels Salomos. *Zu S. 165f.* – Aus: V. Fritz, MDOG 112, 1980, 56. Abdruck mit frdl. Genehmigung des Autors.

7 Der Tempel von Tell a'yīnāt. *Zu S. 166.* – us: V. Fritz, MDOG 12, 1980, 63. Abdruck it frdl. Genehmigung es Autors.

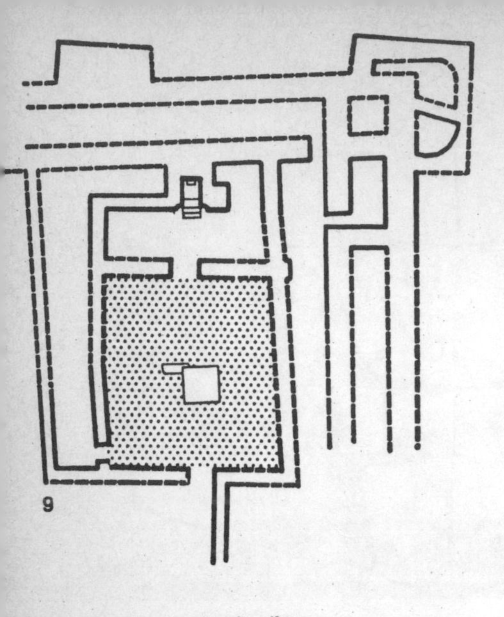

19 Der Tempel von Arad Stratum XI (10. Jh.). *Zu S. 166.* – Aus: V. Fritz, Tempel und Zelt, 43. Neukirchener Verlag, Neukirchen-Vluyn, 1977.

20 Die Kultnische des Tempels von Arad. *Zu S. 166.* – Aus: Othmar Keel, Die Welt der altorientalischen Bildsymbolik und das Alte Testament. Am Beispiel der Psalmen, 162. Neukirchener Verlag, Neukirchen-Vluyn, 4. Aufl. 1984. Benziger Verlag, Zürich.

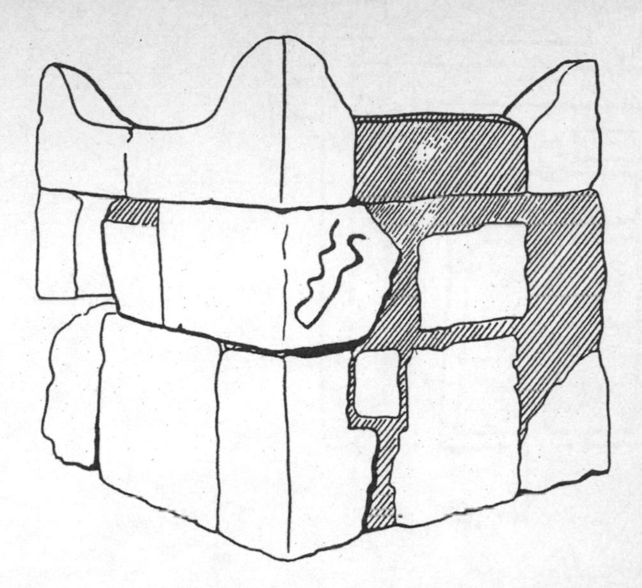

21 Der Hörneraltar von Tell es-Seba' (8. Jh.). *Zu S. 166.* – Aus: Othmar Keel, Die Welt der altorientalischen Bildsymbolik und das Alte Testament. Am Beispiel der Psalmen, 340. Neukirchener Verlag, Neukirchen-Vluyn, 4. Aufl. 1984. Benziger Verlag, Zürich.

22 Protoäolisches Kapitell. *Zu S. 164.* – Nach: Y. Aharoni, IEJ 6, 1956, Pl. 27 B.

23 Wasserschacht von Gibeon (E II). *Zu S. 167.*

24 Hiskija-Tunnel in Jerusalem (E II). *Zu S. 167.*

Abb. 23/24 aus: Encyclopedia of Archaeological Excavations in the Holy Land II, 450/582. Oxford University Press, London / The Israel Exploration Society and Massada Press, Jerusalem, 1976.

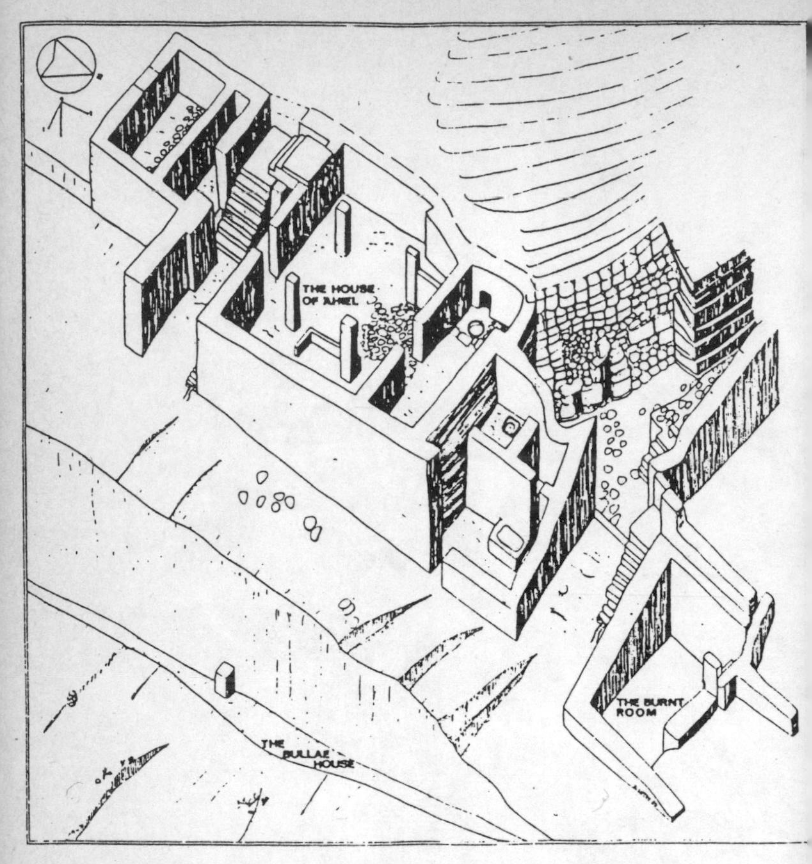

25 Rekonstruktion von Häusern des 7./6. Jh. (Ende der E II) am Südosthügel von Jerusalem. *Zu S. 162.* – Aus: Y. Shiloh, IEJ 36, 1986, 19. Israel Exploration Society, Jerusalem.

26 Rekonstruktion der Stadt Lachisch (E II). *Zu S. 168.* – Aus: D. Ussishkin, Tel Aviv 10, 1983, 172. ▶
Tel Aviv University. Sonia and Marco Nadler, Institute of Archaeology.

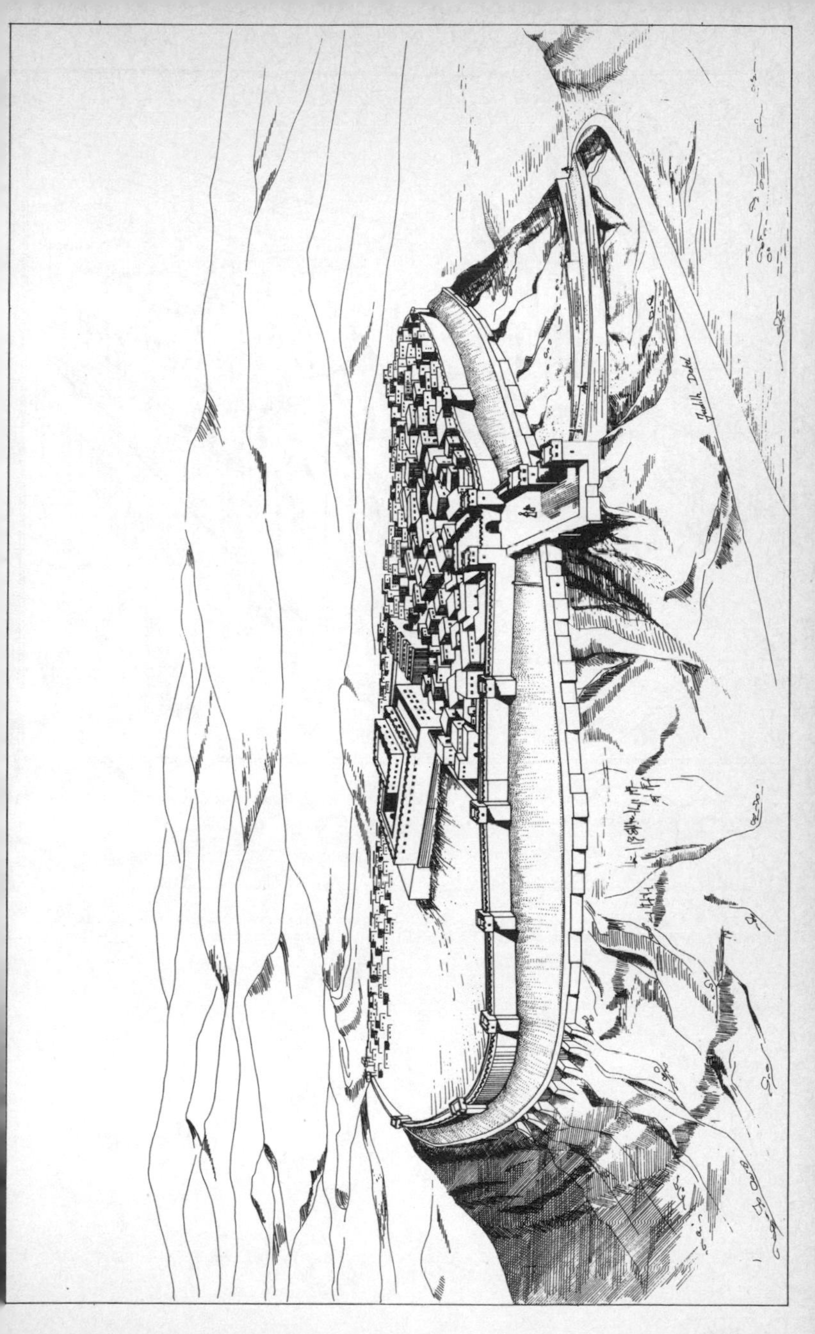

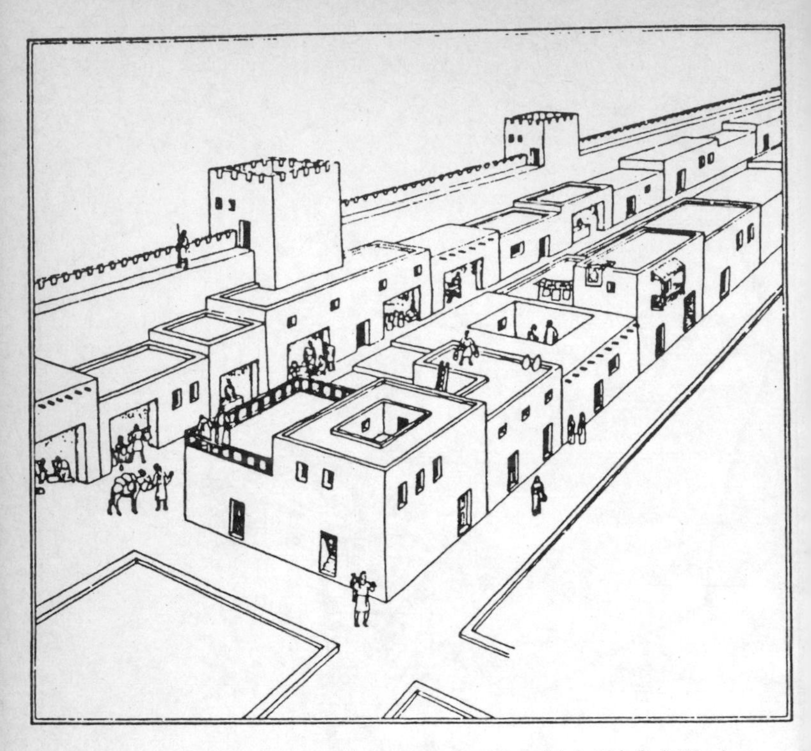

27 Rekonstruktion der Stadtmauer und der Häuser von Dor in hellenistischer Zeit. *Zu S. 172.* – Aus: E. Stern, IEJ 35, 1985, 62. Israel Exploration Society, Jerusalem.

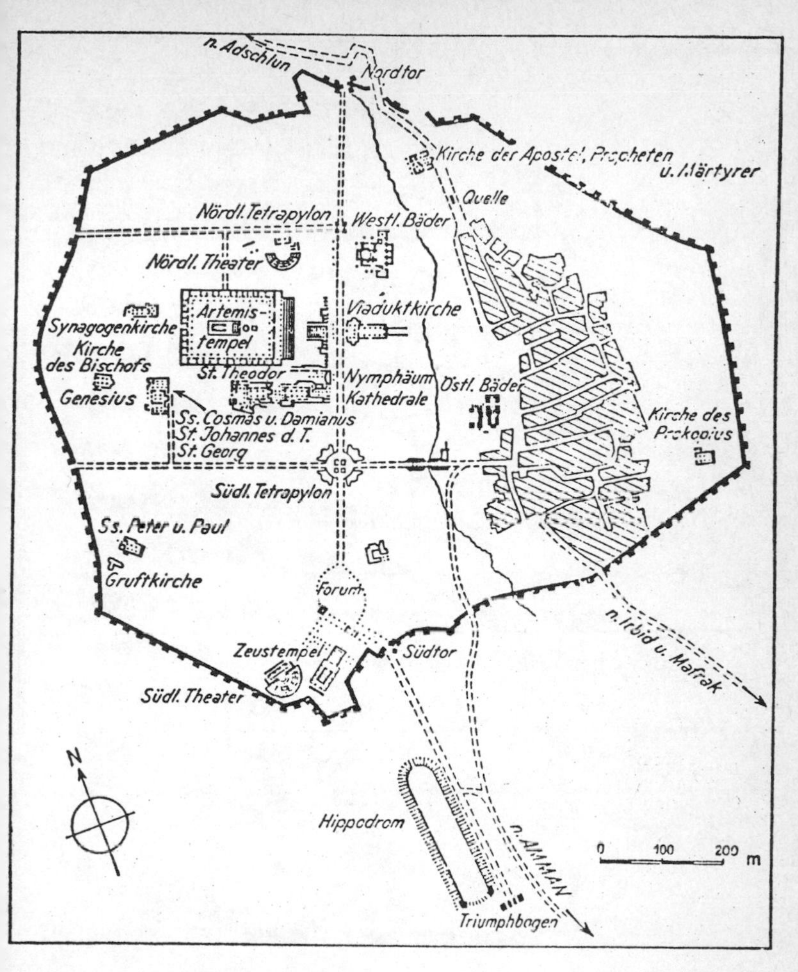

28 Plan der römischen Stadt Gerasa. *Zu S. 173.* – Aus: G. L. Harding, Auf biblischem Boden, 99. Bibliographisches Institut & F. A. Brockhaus AG [1961].

29 Fragment aus der Zwölfprophetenrolle von Murabba[c]at (Sach 8,19–9,4), an dem sich die 3 Hauptmerkmale *(vgl. S. 194–195)* erkennen lassen: (1) Übernahme der altüberlieferten LXX, (2) Rezension nach der hebräischen Vorlage, (3) das Tetragramm für den Namen Gottes. Rechte Kolumne, Zeile 3–7: λημμα λογου tetr εν [ ] και δαμασκου (= LXX) καταπα[υσις.. (hebraisierende Korrektur für מנחתו, das in der älteren LXX als מנחתו (= θυσία αὐτοῦ) verstanden war) οτι τω tetr οφθα[λμος αν]θρώπων (hebraisierende Korrektur für den Ausdruck ליהוה עין אדם, der in der älteren LXX sinngemäß aber frei mit κύριος ἐφορᾷ ἀνθρώπους übersetzt war) και πασων [ ] ισραηλ και γε (konsequent gebrauchte Wiedergabe der Partikel וגם (LXX καί), nach der die Rezension von Barthélemy den Namen, »groupe καίγε«, erhielt) εμαθ (Übernahme der Transkription der älteren LXX).